【拓展阅读本】
■青少版■

你一定要读的
中国经典

成长文库

（清）褚人获◎原著
董佳贝◎改写

隋唐演义

北京少年儿童出版社

图书在版编目(CIP)数据

隋唐演义／(清)褚人获原著；董佳贝改写. —北京：北京少年儿童出版社，2009.6

(成长文库.你一定要读的中国经典：拓展阅读本：青少版)

ISBN 978 - 7 - 5301 - 2280 - 8

Ⅰ.隋… Ⅱ.①褚… ②董… Ⅲ.章回小说—中国—清代—缩写本 Ⅳ.I242.4

中国版本图书馆 CIP 数据核字(2009)第 071242 号

成长文库

你一定要读的中国经典(拓展阅读本·青少版)

隋唐演义

SUITANG YANYI

(清)褚人获　原著

董佳贝　改写

*

北 京 少 年 儿 童 出 版 社 出 版

(北京北三环中路6号)

邮政编码:100120

网　　址：www . bph . com . cn

北 京 出 版 社 出 版 集 团 总 发 行

新 华 书 店 经 销

北京金秋豪印刷有限责任公司印刷

*

787×1092　16 开本　18 印张　250 千字

2009 年 6 月第 1 版　2009 年 6 月第 1 次印刷

印数 1—20 000

ISBN 978 - 7 - 5301 - 2280 - 8/I · 821

定价:28.00 元

质量监督电话: 010 - 58572393

目录

目录

第一回 隋初宫廷波澜起

从古至今，凡是极其富贵的境界，其实也是暗藏着衰败的源头。像馆娃宫、铜雀台这样的故事，让文人们反复感慨吟咏。倒是那些出身并不高贵的英雄，他们重整河山，大有一番作为，也使得自己名垂千古。但是，人们往往不知道，英雄那种像松柏、虎豹一般的气势，其实在他们未成名时早已具备了。因此，我写这本书，会详细地把书中人物当日种种经历交代清楚。

自古以来，朝代更迭，经历了虞、夏、商周、秦、汉、三国、两晋。到了南北朝时期，北周统一了北方。这时，有一个叫杨坚的大臣，是弘农郡华阴人，隋公杨忠的儿子。他出生时，母亲吕氏梦见一条苍龙盘在她的肚子上。杨坚生下来后，目如曙星，手上还有奇特的文字，好像是一个"王"字。后来，有一个老尼姑对他母亲说："这孩子贵不可言，但必须离开父母才能长大，我愿意代为抚养。"吕氏便将孩子托付给了老尼。有一天，老尼外出，一个邻居大婶来到庵堂，抱起杨坚玩耍，忽然看见他头上生出双角，全身隐隐约约地泛鳞甲，看起来有龙形。大婶吃了一惊，叫道："怪物！"便将孩子向地下一丢。恰好老尼归来，连忙抱起，惋惜道："惊了这孩子，他得迟几年当皇帝了！"

◎ [馆娃宫]

位于今天江苏省苏州市西郊，为苏州最早的园林建筑。公元前494年，越国献美女西施与吴王夫差。夫差为取悦西施，在灵岩山顶建造了馆娃宫。这座宫殿规模宏大，富丽堂皇。据说今天灵岩山寺的大殿，就是建在馆娃宫旧址上。

◎ [铜雀台]

位于今天河北省临漳县（古称邺）境内。我国古代台式建筑的顶峰。三国时，曹操在邺都修建了铜雀、金虎、冰井三台。铜雀台高十丈，五层楼顶有高一丈五的铜雀，现只留下台基一角。曹操经常组织文人在铜雀台宴饮作诗。

◎ [莽]

王莽，新朝的建立者，西汉元帝皇后王政君的侄子。汉平帝时，王莽掌握了国家的军政大权。后来，他毒死了平帝，自己代替天子执政，称"假皇帝"。公元8年，王莽当上了皇帝，改国号为"新"。十五年后，他被农民起义军所杀。

◎ [奸雄]

奸诈而又有雄心的人物。东汉末年，许劭曾经评论说：曹操是治国之贤臣，乱世之奸雄。也就是说，在和平年代里，他是治理国家的杰出人才；而在动乱的年代，他会为实现自己的抱负不择手段。

几年后，杨坚长大。老尼便把他送还给杨家，没多久，老尼就去世了。后来，杨忠也病逝了，便由杨坚继承了隋公的爵位。当时，周武帝见他相貌英武不凡，心中对他十分猜忌，于是多次派人去给他相面。杨坚为了巩固地位，便将自己一个女儿送入宫中做了太子妃。周武帝死后，太子即位，这就是周宣帝。宣帝无能懦弱，而杨坚的实力越来越强，最后自己当上了皇帝，定国号为隋，改年号为开皇元年。正是：

莽因后父移刘祥，操纳娇儿覆汉家。

自古奸雄同一辙，莫将邦国易如花！

杨坚也就是隋文帝，他立独孤氏为皇后，长子杨勇为太子，封次子杨广为晋王。在文臣武将的辅佐下，励精图治，逐渐有了统一天下的想法。而这时，远在江南的陈朝皇帝，也就是陈后主陈叔宝，虽然天资聪慧，却深受当时风气的影响，在当太子的时候，就特别喜爱吟诗作赋。他当了皇帝后，更是和仆射孔范、都官尚书江总等人混迹一起，不处理朝政，却日日举行宴会、创作诗文。陈后主还特别宠爱一位名叫张丽华的美貌妃子，甚至让她参与国家事务。他还修建了临春、结绮、望仙三座大阁，布置得极其富丽堂皇，甚至超过了阿房宫。陈后主与宠妃们居住在里面，成天与宫女、文人们喝酒作诗，共享欢乐。

这个消息传到隋朝后，隋文帝便打算攻打陈朝。这时，晋王杨广请求由他领兵前行。原来，独孤皇后在生杨广时，蒙眬之中，见到红光满室，腹中一声响亮，就像雷鸣一般，一条金龙突然从身体里飞出来。开始还很小，越飞越大，直飞到半空中，足有十余里远近，张牙舞爪，盘旋不已。忽然一阵狂风刮起，那条金龙不知怎么竟坠下地来，摆动了几下尾巴，缩成一团。再仔细一看，却不是条金龙，倒是像一个牛一般大的老鼠模样。独孤皇后受了惊吓，猛然醒来，马上生下了晋王。隋文帝得知皇后梦见金龙摩天，就给晋王取了个小名叫做阿摩。独孤皇后非常高兴，说："小名很好！为什么不再取一个大名？"隋文帝道："做君主的必须要英明，就叫做杨英吧。"他又想："创业虽需英明，守护好这份基业还需宽广，不如叫杨广。"

因为这个吉兆，杨广一直以来便不甘心只当一个普通的王爷，早就想夺取太子之位。因此，他也想借这次的机会建立军功、结交大臣。隋文帝果然任命晋王为行军兵马大元帅，杨素为副元帅，高颍为长史，李渊为司马。李渊是成纪人，字叔德，胸有三乳，曾在战斗中，发七十二箭，杀七十二人。此外，还有两个先锋：韩擒虎、贺若弼。由各路进发，连接千里。

然而，尽管军情告急，陈国这边却依然饮酒奏乐。直到隋军已悄悄渡江攻到采石矶了，陈后主才派萧摩诃、鲁广达等出兵迎战。尔后，隋军攻入城中，陈后主飞快地跳下宝座、跑到后宫，找到了

◎ [采石矶]

位于今天安徽省马鞍山市区西南。它和岳阳城陵矶、南京燕子矶，并称"长江三矶"。采石矶地势险要，自古就是兵家必争之地。历史上，有许多著名文人如李白、白居易、王安石、苏东坡等都曾来此题诗。

张贵妃和孔贵嫔，一手拉一个，逃到景阳井边，一起跳入井中躲避。后来，前来搜索的隋军听见陈后主在井中大叫："不要打我！快把绳子抛下，把我扯起来！"士兵们便放下绳子去拉，拉了半天觉得很重，大家纷纷议论道："毕竟他是个皇帝，所以骨头重。"又有人说："毕竟是个蠢物！"最后总算将三个人一起拉上来。

晋王杨广平时总是伪装成俭朴谦让，不好美酒、女色的样子，现在远离京师，又早就听说张丽华特别美丽，就派高颖的儿子高德弘去建康索要她。但是，高颖说："晋王身为元帅，怎么能看重女色呢？"李渊也说："陈朝的灭亡都是因为这两个女人，不能再留下她们祸害我们国家了。不如杀了她们，断绝晋王的邪念。"高颖点头道："当年妲己被杀，也是这个道理。"于是，他毫不留情地斩杀了张、孔二人。高德弘怕回去后晋王责怪，就把责任全推到李渊身上，说："我和父亲再三阻拦，李渊都不肯听，还责备我们用美人计愚弄大王。"晋王大为震怒："太可恶了！他是酒色之徒，一定是也看上了这两个美人，心怀嫉妒，才把她们杀害。"他悔恨地继续叹道，"我虽不杀丽华，丽华却因我而死。以后我一定要杀掉这个人，为两位美人报仇！"

当时天下基本上归于统一，只有以冼夫人为首领的岭南没有归顺。当隋攻打陈朝时，冼夫人便修筑城池坚守，后被称为"圣母"和"夫人城"。陈朝灭亡后，晋王让陈后主写信劝冼夫人投降，果然成功。她后来被封为宋康郡太夫人，堪称古今第一女将。

当年四月，隋军胜利回到长安后，晋王、杨素、贺若弼、韩擒虎、高颖、李渊等人都被升官赏赐。晋王对李渊有敌意，便故意在皇帝面前说他坏话，李渊也不介意。此后，晋王的威望越来越高，加上许多有计谋的人为他出主意，他夺取太子之位的想法就更加急切了。

晋王深知独孤皇后厌恶太子宠爱小妾、疏远妻子，便假装不爱美色，和妻子萧氏也非常恩爱；他又故意装得十分简朴，再加上他

◎ [妲己]

商朝纣王的宠妃。根据《史记》的记载，妲己是有苏氏之女。妲己在《封神演义》中被描写成狐狸精附身的美女。她怂恿纣王残害忠良，发明各种残酷的刑罚。后来她被姜子牙处死。妲己现成为迷惑君主、祸害国家的女性的代名词。

不时给宦官、宫人以好处，弄得宫内人人称赞他，结果皇后自然是越来越喜爱他。另外，晋王又和一个足智多谋的寿州刺史宇文述密谋。宇文述献上苦肉计、收买重臣、找人告发这三条计策。宇文述收买了太子的亲信姬威，让他随时通报消息。然后，宇文述又贿赂杨约，让他去说服他哥哥，也就是朝廷中最有威信的大臣——杨素，让他支持改立太子。杨素就乘宫内宴会时，经常称赞晋王贤明孝顺。独孤皇后知道了他的立场，便暗中送去金银珠宝，让他办成此事。于是，杨素不时在皇帝面前，搬弄是非；又让宦官和后宫不停地说太子的坏话。这边，杨广在回扬州前去辞别皇后，趴在地上痛哭："我生性愚蠢，不懂得忌讳，常常派人向您问安。太子就说我想要取代他，多次想迫害我。我真不知还能不能一直侍奉您呢？"说完，痛哭失声。皇后马上说："他专宠出身低贱的云氏，实在太不像话！我还活着，他就敢这么欺负你，如果我死了，他更是会为所欲为了。你就得在云氏生的儿子面前低声下气过日子！"晋王听后磕头大哭，皇后叫他安心回去，说她自有主意。宇文述说："这三计已经成功了！"

　　正是三人成虎。到了开皇二十年十月，隋文帝便下旨废太子杨勇为庶人。反对的大臣元旻、杨孝政都被处死。十一月，在杨素的怂恿下，隋文帝终于立晋王为太子。

　　独孤皇后天生爱嫉妒，禁止皇帝和后宫其他的妃子、宫女接触。但有一天，皇后生了小病，隋文帝便乘机在后宫随意闲逛。他来到仁寿宫，突然看见一位卷珠帘的宫女，长相特别美丽动人。原来她是大臣尉迟回的孙女，因为平时皇后严加防范，没有机会接近皇帝。隋文帝很喜欢尉迟氏，当晚就住在了仁寿宫。

　　第二天，隋文帝早起去上朝，心中十分舒坦满意。他想："到今天才知道做天子的快活！只是万一皇后知道了这件事，那可怎么办？"独孤皇后虽然生病了，却还是不时派信任的宫人打听。早有

◎ [三人成虎]

　　成语，出自西汉刘向编辑的《战国策》，讲述发生在战国时期魏国的故事。意思是如果有三个人撒谎说市集里有老虎，逐渐地，其他人也就真的相信了这件事。这用来说明尽管是谣言，但经过反复传播，往往也能使人认为是真实的。

人来报告了这个消息。独孤皇后听了，怒从心上起，也顾不得自己的身体，带了几十个宫人，恶狠狠地走到仁寿宫来。这时，尉迟氏刚刚梳洗完毕，猛然抬头看见皇后与一队宫女蜂拥而来，吓得面如土色，心中"扑通扑通"直跳，急忙跪在地上。

独孤皇后进来后，脚还没站稳，便叫："拽过这个妖狐来！"宫女们又拖又拽地将尉迟氏扯到面前，皇后便骂道："你这妖奴，用了什么手段，竟然敢迷惑皇帝，破坏后宫的规矩！"尉迟氏害怕地回答道："我这种出身并不高贵的人，怎么不知道娘娘的规矩？哪里敢希望得到皇上的宠幸？可是我昨天再三推却，万岁爷不肯听，我实在没有办法，只能顺从。这是万岁爷的意思，与我没有关系。恳求娘娘可怜可怜我，饶我一死吧。"独孤皇后说道："你这个家伙昨天倒是高兴，不知用什么方法来哄骗那没廉耻的皇帝。今天却花言巧语，推脱得这般干净！"她呵斥宫人："给我痛打这个人！"尉迟氏连连叩头："望娘娘饶命！"独孤皇后道："皇上既然这么宠爱你，你就该求他饶命，为何今天却来求我？我只疏忽了一点，就被你哄骗。今日就是把你打死，也已经太迟了，尚且不能发泄我胸中的怒气！又怎么会留下你这个祸根！你们快替我打死她！"众宫人听了，一齐下手。可怜尉迟氏身体瘦弱娇嫩，怎么经得起这样的摧残？不用刀剑兵器，就已经死了。

这时，隋文帝处理完了国家大事，赶来仁寿宫与尉迟氏欢聚。进宫后，正好看见独孤皇后愁眉怒目，凶恶地站在一边；尉迟氏血淋淋地躺在地下。他极其生气却又没说话，走出去跨上马，一直奔出了朝门。幸亏高颎看见，拼命将他劝回。隋文帝准备下旨废掉皇后。高颎奏道："陛下的天下来之不易，千万不要因为一个女人而轻视了它！"独孤皇后却因为这件事病情越来越严重，没几个月就去世了。此后，感到寂寞的隋文帝便在后宫中选出了两位最出众的美人：陈宣帝的女儿陈氏和蔡氏。她们都长得沉鱼落雁、闭月羞花，而且性

◎ [沉鱼落雁、闭月羞花]

对中国古代四大美女：西施、王昭君、貂蝉、杨玉环美貌的形容。"沉鱼"是西施浣纱的故事。"落雁"是昭君出塞的故事。"闭月"是貂蝉拜月的故事。"羞花"是杨玉环观花的故事。后来都用来描写女子非同一般的美丽。

格温柔妩媚，她们被分别封为宣华夫人、容华夫人。其中，宣华夫人特别受宠爱。从此以后，隋文帝每天都举行宴会，比独孤皇后没死的时候，更觉得舒适愉快。

有一天，隋文帝忽然做了个奇怪的梦，梦见自己站在一座城上，城上有三株大树。突然，城下有大水涌来。他赶紧往下走，水势更加汹涌。他大叫一声，猛然惊醒。隋文帝本来就是个喜欢猜忌的人，做了这个梦后，更是常常思虑猜疑。

 人物点击

隋炀帝

隋炀帝（569—618年）：名叫杨广，隋文帝和独孤皇后的第二个儿子，隋朝第二个皇帝。他城府很深，有强烈的政治野心；同时，他也沉迷于奢侈的物质享受，喜爱挥霍、炫耀和美色。他当皇帝时主要做了四件大事。第一是修建了大运河，沟通南北经济。第二是安定西北边疆，并与当地少数民族进行贸易。第三是三次巡游江都（即扬州），使用了千艘龙船、八万多纤夫，由各地提供极其精美的饮食，吃不完的就丢弃。第四是三次远征高丽（即朝鲜）。由于炀帝的暴政，人民负担特别沉重，导致全国爆发了大规模的起义。最后，炀帝在江都被大臣杀死。萧皇后等人拆床板做了一副小棺材，偷偷地将他埋葬。到了唐朝，才将其改葬于雷塘。隋炀帝本人具有很高的文化素养和文学才华。后人对他的评价超过了同样以文采知名的陈后主。如炀帝所写的《春江花月夜》："暮江平不动，春花满正开。流波将月去，潮水带星来。"

隋文帝自从做了那个梦，便一直怀疑灾祸会起源于姓名中有水的人。恰巧当时有个陈朝的旧臣叫李浑，然而他现在年老无权。但是，李浑的小儿子小名叫洪儿，于是隋文帝认定他就是对国家不利之人，将他赐死了。这件事传开后，惊动了一个叫李靖的人。他字药师，三原人，足智多谋，懂得兵法，又精通武艺。他的舅舅韩擒虎认为他将来必成大器。才二十岁的李靖胸怀大志，得知皇帝因梦杀人后，暗想：莫非自己可能会成为天子？有一天，李靖路过华山，顺便到西岳大王庙参观祈祷，占卜心愿，结果却不如人意。当晚，李靖梦见西岳判官给他托梦说不要着急，自然会遇到好的主人，不愁富贵。李靖想自己怕是当不上天子了，只能做个辅佐之人，也只好安心等待时机。

春末夏初的一天，李靖去渭南访友，到了傍晚，便去找投宿的地方。他找到一家宏伟的大宅院，里面布置得珠光宝气，还有许多仆人。正堂上站着一位五十多岁端庄的老夫人，身旁有数位婢女，捧着香炉、如意等物品。老夫人说这是尤氏的宅子，自己的儿子们今晚都不在。然后她让仆人带李靖去卧室休息。李靖心中充满疑惑，也不睡觉，就在房内找些书来消遣。而那些书写的都是河神水族等

◎ [如意]

一种器物的名称。用玉石、金银、竹、骨等制成，头部是灵芝或云叶形状，柄微微弯曲。用来搔背或者把玩观赏。明清两代，如意发展到鼎盛时期，被赋予了吉祥的含义。大臣们常献上珍贵的如意祝贺皇帝后妃的生日，皇帝也常用如意赏赐王公大臣。

事，十分新奇。

到了二更，忽然大门外喧哗道："有行雨天符到。"又说："老夫人迎接天符。"惊异万分的李靖被请到正堂，老夫人告知，这个地方其实是龙宫，她是龙母，她的儿子都是负责下雨的天官。现在必须在三更下雨，可是家中没有男主人。因此，她恳求李靖帮忙。胆大豪放的李靖一口答应。于是，老夫人让他喝了一杯可以抵御风雷的仙酒，又准备好一匹龙马，告诉他行雨的办法：马鞍上的琉璃瓶中有清水，瓶口边有小金匙。只要遇到龙马跳跃之处，就用金匙从瓶中取一滴水，滴马鬃上即可。切记不能多，不能少。李靖骑着龙马出门后，腾空而起，迎风奔驰，马蹄下雷电轰鸣。李靖毫不惧怕，按照老妇人所说的办法滴水。来到一处，李靖发现正是白天经过的地方，田地非常干涸。他想一滴水有什么用？便连续滴了二十多滴。

李靖骑马返回，却见老夫人头发散乱、满脸哀愁。她说："你害惨我了啊！一滴水等于人间的一尺雨。你连下二十多滴，导致当地洪水泛滥。我被打了一百鞭，我的儿子们也要受罚。"李靖听后无地自容。老夫人却没再责备他，而是叫出了两个非常美丽的婢女，分别是文婢和武婢，让他选一个作为酬谢。李靖便要了武婢，拜谢出门。

李靖二人走了几里地，那女子说："如果你要了两个人，以后便可以既是大将又是宰相。现在你只能成为名将了。"她送给李靖一本书，说熟读后可以战胜敌人、辅佐主人成功，并说以后自然会遇到佳人相伴。说完便骑马腾空而去。李靖又惊又疑，回去后翻看那本书，发现写的都是带兵打仗的秘诀、制造兵器战车的方法等。此后，他的军事才能果然越来越强。另外，隋文帝看到上报的水灾情况，与先前的梦符合，疑心便少了些。

仁寿元年六月，太子和张衡、宇文述商议要除掉唐国公李渊。张衡便到处散播谣言，说："杨氏灭，李氏兴。"又贿赂方士安伽陀，说李氏当为天子，劝皇帝杀尽天下姓李的。幸亏有高颎劝说，才只

◎ [琉璃]

也叫"流离"。本义是一种有色半透明的矿物，后来多指用一种传统工艺烧造的艺术品，是中国五大名器（金银、玉翠、琉璃、陶瓷、青铜）之首。因为具有"火里来、水里去"的工艺特点，因此被佛教看做是千年修行的象征。琉璃有孔雀蓝、翡翠绿、琥珀黄、紫、白等多种瑰丽变幻的颜色。

让李姓大臣不在朝廷掌权。李渊因此辞去原官，被任命为太原郡守。但太子和宇文述却又想出另一条毒计，一定要消灭李渊全家。

此时，在山东历城，有一个名叫秦琼，字叔宝，乳名太平郎的人，他祖父和父亲都曾是北齐大将。他三岁时，父亲阵亡，母亲宁夫人带着他逃到城中民宅定居下来，认识了程一郎母子。两个孩子便常一起顽皮打闹。秦琼长大后，身高一丈，腰宽十围，嘴阔眼大，虎头虎脑。他最讨厌读书，只喜欢摆弄枪棍、打抱不平，也不怕死。宁夫人常常哭着对他说："秦氏三代人，就剩你一个，千万别轻易丢了性命。"大家见他为人仗义，又听母亲的教导，很像吴国的专诸，就叫他"赛专诸"。他新娶的妻子张氏，带来了很多嫁妆，秦琼便结识朋友，救助他人。当时，秦琼结交了樊虎、房彦藻、贾润甫等

◎ [专诸]

春秋时期吴国的刺客。吴国公子光（也就是后来的吴王阖闾），想要杀掉当时的吴王僚，伍子胥推荐了专诸。于是，公子光摆设宴席邀请吴王僚参加，专诸把匕首藏在烤鱼的肚子里，乘着献鱼的机会，杀死了吴王僚。专诸自己也被侍卫当场杀死。

豪杰。他最让人佩服的独家武艺是舞弄祖传的两条一百三十斤的镏金熟铜锏，无人能比。

一天，樊虎邀请秦琼去做缉捕盗贼的都头，秦琼一开始不乐意，因他不愿受官府支配。但在宁夫人的劝说下，他和樊虎一起去拜见了齐州刺史刘芳声，两人都被任命为都头。第二天，他们又来到贾润甫家，买了一匹轻快驯良的黄骠马。过了几日，樊虎和秦琼分别被派往山西的泽州、潞州押解强盗，于是他们便要先去长安兵部提犯人。

再说李渊被任命为太原郡守，他赶忙收拾行李准备起程，中秋时节，他和怀孕的窦夫人、十六岁的小姐、族弟道宗、长子建成，在四十多名家丁的随从下离开长安。他们来到人烟稀少、地势险恶的植树岗。走在前面的道宗和建成遇上了宇文述派来的假扮强盗的杀手。李渊听人报信后，带上弓箭、一杆画杆方天戟、二十多个家丁，前去解救。然而，这些杀手都是精心挑选的东宫卫士，而且被命令一定要杀死李渊全家，便拼了命将李渊等人团团围住，厮杀起来。到太阳落山，激战了两个多小时，李渊这群人已处于危急时刻。

正巧此时，秦琼和樊虎押送犯人经过这里，看见众多强盗围着类似官兵一样的人，秦琼便让樊虎带着犯人先下山，自己按一按范阳毡笠，扣紧了铤带，提着金锏，跨上黄骠马，借着山势冲下来，大喊一声："响马不要无礼，我来也！"这一声，真好似牙缝里进出春雷，舌尖上震起霹雳。不过强盗们见他一人一骑，也不慌忙，这帮假强盗，还继续缠着李渊厮杀，不理秦琼。直到秦琼到了战场上，才有一二人来招架。战乏的人，遇到了一个勇猛的人，兵器又重，才交手秦琼早把两个强盗打落马下。这伙强盗只得丢了李渊，来围攻他。这秦琼不慌不忙，舞动两条锏。李渊在空处指挥家丁，帮助叔宝攻击。强盗们被杀得东躲西跑，南奔北窜；也有逃入深山里去的，也有闪在林子里的。

早有一个着了铜坠马的强盗，被家丁抓到李渊面前，招认是奉

◎ [画杆方天戟]

戟，是中国古代的一种兵器。用青铜制成，是将矛、戈合成一体，既能用来直刺，又能横击。到了战国时期，人们开始用铁制的戟。其中，双耳的戟叫方天戟；而在杆子上绘画作为装饰的，就叫画杆方天戟。据说，三国名将吕布的画戟长一丈二、重四十斤。

◎ [响马]

这个词来源于山东地区，指在路上抢劫钱财的人。因为他们抢劫时先要放响箭。

宇文述之命。李渊看那壮士还在找人厮杀，便派人去请。秦琼问道："你家是谁？"家丁道："是唐公李爷。"秦琼兜住马，正在踌躇，只见又是一个家丁赶到说："壮士快去，咱家爷必有重谢哩！"叔宝听了一个谢字，笑了一笑道："咱也只是路见不平，也不为你家爷，也不图你家谢。"说罢带转马，向大道走去。这正是：

生平负侠气，排难不留名。生死鸿毛似，千金一诺轻。

李渊见家丁请不来壮士，赶紧追着叔宝后边道："壮士留步，受我李渊一礼。"叔宝只是不理。唐公连叫几声，见他不肯停下，又说："壮士，我全家受你救命之恩，让我知道你的姓名，改日好报答你的恩德！"秦琼回头道："李爷不要追赶了！小人姓秦名琼。"言罢快马加鞭，箭一般去了。李渊听到一个琼字，又见他摇手，误以为是指排行第五，就把一个琼五，牢牢记在心里。这时又看见一个人骑马飞奔而来。李渊以为是强盗的同伙，便射了一箭，那人落马。李渊回去后正在和家人述说，却来了几个人说李渊刚刚射死的是他们的主人：潞州二贤庄的单雄忠。他还有个弟弟叫单通，字雄信。李渊便给了他们五十两银子办丧事。

随后，李渊一行人来到永福寺歇下。到二更时，忽然异香扑鼻，既不是博山炉中的香，也不是佛殿前的香。李渊感到十分奇怪，走出天井，看见祥云彩霞布满天空。这时，家丁报告说窦夫人生下了一个男孩，这是他们的第二个儿子。这是仁寿元年八月十六日子时的事。第二天，李渊捐给永福寺一万两银子，重建寺庙，铸造佛像金身。

李渊因为要等夫人生产一个月后再出发，每日便在寺中闲逛。一天，来到一处清幽的房舍，但见窗明几净，屏门上写有对联："宝塔凌云一目江天这般清净，金灯代月十方世界何等虚明"。侧边写着"汾河柴绍熏沐手拜书"。李渊非常欣赏此人的气魄和书法，便向住持打听这人的情况，得知柴绍是汾河县礼部柴老爷的公子，字嗣昌，现在正在寺内看书。当晚，李渊和住持去寺旁的土岗赏月，听

◎ [博山炉]

一种烧香用的器具。炉盖多雕刻成山形，上面有羽人、动物等形象。多用青铜制成，也有用陶或瓷的。博山炉在汉代和魏晋时期非常流行。当炉里面燃烧香料时，烟气从镂空的山形中散出，给人以身处仙境的感觉。1968年，在河北中山靖王刘胜的墓中出土了错金博山炉。

◎ [天井]

四围或三面房屋和围墙中间的空地。因为它的形状像井，又是露天的，所以叫做"天井"。

见竹林中有读书声，原来这正是柴绍的读书处。李渊窥见一名美少年，面如敷粉，唇若涂朱；宝剑放在几案上，诵读的却不是孔孟儒书，乃是孙吴兵法。柴绍读完拔剑起舞，旁若无人。李渊暗喜。原来他的那位小姐，恰似三国时孙权的妹子刘玄德夫人，不喜欢刺绣缝纫，偏偏爱好开弓舞剑。所以，李渊夫妇认为自己的女儿是非同一般的奇女子，也就看不上那些前来求婚的凡夫俗子，打定主意要找一位能配得上她的好丈夫。见了这位柴绍，李渊很想招他做女婿，就让住持去说。

第二天，柴绍听了住持的话，笑道："婚姻大事，不能草率。但我早就知道李将军的大名，如果真成为他的女婿，也能够时时亲近请教，倒是很好的一件事。"于是，他换了正式的衣服，前去拜见李渊，李渊问了他的家世，听了他的谈吐后更加欢喜。李渊和窦夫人说了这事，窦夫人便把女儿叫来，说给她听。小姐说："婚姻的事如果草率了，将来后悔莫及。听说他的才貌都不错，但是光有这些，遇到危难时没有任何用处。"她没有立即答应，回去后左思右想，想要自己去偷看那人一面，礼节上不允许；如果不看，又怕找错了丈夫，最终想出一个试探柴绍军事才能的办法，就派保姆去找柴绍，说如果他能认出小姐排列的阵法，就答应这门婚事。

当夜，柴绍来到观音阁后，看见一二十名女子，分别穿着红、白、青、黄，排成各种阵形，正是：红一簇，白一簇，好似红白雪花乱舞玉。青一团，黄一团，好似青黄莺燕翅翩跹。错认孙武子教演女兵，还疑顾夫人排成御寇。柴绍轻松认出了是长蛇阵、五花阵，然后又杀入其中破阵。他看见阁楼上站着一位美人，只露出半截身子。危急时刻，家仆柴豹点燃一个花炮，向众女头上抛去。只听得一声炮响，星火满天。柴绍忙转身看时，只听得嗖的一声，正中巾帻，取下一看，却是一支没有箭头的花翎箭，箭上系着一个小小的彩珠。再看时，阁上美人已经离去，只剩下窗户紧闭，那些妇人也不见了。主仆二人，赶忙回到书斋安寝。

次日，住持去找柴绍说："今早李老爷让我进去，说要选个好日子，用金币聘公子为婿。"柴绍的父母早亡，便将家园交与得力家人，随李渊回太原结婚。后来李渊在长安起兵时，有一支娘子军，首领便是柴绍夫妻两个，人马早已从今日就准备下了。这正是：沦落不须哀，才奇自有媒。屏联孔雀侣，箫筑凤凰台。种玉成佳偶，排琴是异材。雌雄终会合，龙剑跃波来。

◎ [屏联孔雀侣]

也叫"雀屏中选"。窦毅的女儿美丽又有才华，窦毅一定要为她选位出色的丈夫，就在屏风上画了两只孔雀。凡是前来求婚的公子，给他们两支箭，谁射中孔雀眼睛，就可以娶他的女儿。很多人尝试，都失败了。结果，后来的唐朝第一位皇帝李渊成功射中，和窦氏成婚。

◎ [箫筑凤凰台]

秦穆公的女儿弄玉长得非常漂亮，而且很会吹箫。秦穆公建造了凤楼和凤凰台，让她居住。弄玉十五岁时，秦穆公要为她选丈夫，弄玉说一定也要找一个擅长吹箫的，结果找到了萧史。他们成亲后，每天在凤台吹箫，有一天，箫声引来了紫凤和赤龙。于是，萧史骑着龙、弄玉乘着凤，去天上做了神仙。

人物点击

秦叔宝

唐朝开国名将。齐州历城（今山东济南）人，名琼，字叔宝。他的兵器是四棱金装锏。秦叔宝非常重情义，知恩图报，对母亲也特别孝顺；而且为人正直，不愿和恶势力同流合污。武德二年，他和程咬金等归顺唐王，被封为马军总管。叔宝跟随李世民一一消灭了宋金刚、窦建德、王世充、刘黑闼的势力。他和尉迟敬德率领的玄甲骑兵是唐军的精锐。每次作战，叔宝都冲在最前面，为唐王朝立下了汗马功劳，李渊曾派使者赐给他金瓶作为褒奖。后来，叔宝参加了玄武门之变，被封为左武卫大将军。作为二十四名功臣之一，他被在凌烟阁画像。死后，陪葬在唐太宗的昭陵。《隋唐演义》中，叔宝的儿子秦怀玉也是一员猛将，娶了单雄信的女儿单爱莲。

第三回　秦琼落魄豪杰助

秦叔宝替李渊解围后，赶去和樊虎会合。两人分了行李，各带犯人，分路前往潞州、泽州。叔宝来到潞州官府下属的旅店，安顿下来。店主王小二十分热情，精心准备好酒饭。第二天，叔宝去衙门拜见蔡刺史，移交了犯人。又过了一天，他又去领公文，却得知蔡刺史去太原恭贺李渊到任了，要半个多月才回来。秦叔宝只好回到店里住下。可是他每天饭量巨大，让店主都快赔本了。王小二对妻子柳氏埋怨道："娘子，这个人真是个破财的白虎星。不如你去跟他要些银子。"柳氏特别贤惠能干，她劝道："秦爷不是少饭钱的人。等刺史回来，就会还你的店账。"

过了两天，王小二自己去找秦叔宝要钱。叔宝开箱取银子时，却发现当初分行李时，钱都放在樊虎那儿了。他正在着急，忽然摸到一包钱，原来这是母亲让他买潞州绸做寿衣的钱。他只好将这四两银子给了王小二。又过了两三天，蔡刺史回来了。叔宝当街跪下禀告，却因为着急拉扯了轿子，刺史大怒，让人重打了他十大板，打得鲜血直流。

第二天，叔宝忍痛去衙门领公文，因为齐州刺史刘芳声和蔡刺史是同一年考中进士的好朋友，便称自己是刘爷的差人。果然，蔡

◎ [娘子]

在以前的戏曲、小说中，丈夫经常称自己的妻子为"娘子"。在古代，娘子，也是已嫁或未嫁女子的通称。

◎ [白虎星]

星宿的名称。由西方的七个星宿组成老虎的形象。它是中国古代神话中的西方之神，代表秋季；另外朱雀是南方之神，代表夏季；青龙是东方之神，代表春季；玄武是北方之神，代表冬季。白虎也是军队的象征。古代军队里有白虎旗，兵符上也画有白虎的形象。

刺史赏了他三两银子。刚回到店里，王小二就和他算账，说是共欠十七两银子。叔宝只好把刚拿到手的钱给了他。王小二怕他逃走，心想没有批文回去了也无法交差，便借口文书重要，把批文拿走作为抵押。王小二又暗示手下人不要给叔宝好饭好菜。叔宝受到这种待遇，没有办法，只得整天出城盼望樊虎前来。

叔宝左等右等却不见樊虎，心想樊虎再不来自己死了算了，但想到家中老母，只得叹着气回来。他走进自己房中，看见有陌生人在饮酒玩乐。原来这是些卖珠宝的客人，多给房钱，便占了叔宝的房。王小二还说因为叔宝在这儿住这么久，就是自家人一样，不要见怪才是海量。秦叔宝哪里忍受过小人的气，因少了饭钱，只得说："小二哥，只要有间房给我住就行了，我也不管好坏。"

王小二带着叔宝来到一间漏风的破屋。屋内只有柴草地铺，破瓦缸片挡着壁缝里的风。叔宝坐在草铺上，用手指弹金装锏，唱道："旅舍荒凉而又风，苍天着意困英雄。欲知未了生平事，尽在一声长叹中。"忽闻有人走到门口，把门倒锁了。叔宝问："你这小人，难道我会跑了不成？"外边道："秦爷不要高声，我是王小二的媳妇。"叔宝道："听说你有贤良的名声，夜晚来这里干吗？"妇人道："我那笨拙的丈夫！小人知道秦爷是大丈夫，不要和他计较。我常时劝他不要这样炎凉，他却骂我。我丈夫已经睡了，我来送晚饭给您。"

叔宝落泪道："你就是淮阴漂母，同情王孙给他饭食，只恨我秦琼将来不能回报千金！"柳氏道："我是小人之妻，怎么敢希望得到您的报答？我们这儿的深秋风高气冷，您的衣服还是夏衣，破了口子。饭盘里边针线给您。我还攒了些钱给您买点心。"叔宝开门，把饭盘拿进来，果然有针线和三百文钱，还有一碗滚热的肉汤。叔宝本不想吃，可是实在饿坏了，就一口气吃了。叔宝睡醒一觉了，天还没亮，就乘着透进屋内的月光，把衣服缝了缝，披在身上，趁早出来。这正是：补衮奇才识者稀，鹑悬百结事多违。缝时惊见慈亲线，惹得征人泪满衣。

叔宝带了钱出门，买了几个冷馒头、火烧，坐在路上等。傍晚，几个骑马打猎的人冲过。叔宝把身子一让，一只脚跨进人家大门，不防地上一个火盆，几乎踹翻。只见一个五十多岁的妇人坐着烤火。她对叔宝说："你身上寒冷，坐在这儿烤一烤火吧。"叔宝连忙说："得罪了。"就坐下。

妇人问叔宝怎么弄成这样，叔宝说因为等朋友不来，把盘缠用光了。妇人便给他算了一卦，说他朋友会来，但是还早哩。又说自己姓高，是沧州人。前年她的当家的去世，便同儿子到这里来投靠亲戚。她的儿子叫高开道，有些力气，喜欢舞枪弄棍，不常在家。妇人又进去拿出一大碗面请叔宝吃。叔宝吃完了，说要报答，那妇人道："看你将来决不是没有成就的人，这样的小事，说什么报答？"叔宝道谢出门，一路想：我出门后，不曾撞着一个值得结交的朋友，反倒遇着两个贤明的妇人。

叔宝回到店里，王小二又找人催问银子，叔宝想金装锏卖了还钱。王小二却起了歹念，想要剥金子发财，便劝说叔宝不要卖，只是去当掉。于是，叔宝跟他来到三义坊的"隆茂号"当铺。结果人家说他的兵器是废铜，只能当四五两银子。回去后，很不高兴的王小二逼着叔宝再找值钱的东西当。叔宝决定明天一大早去马市卖掉黄骠马。第二天清早，叔宝才发现，他的爱马因为没草料吃，已经饿得肚大毛长。这马仿佛知道要被卖掉，不肯出门。叔宝忍痛用门闩打马的后腿。王小二把门一关道："卖不了，再不要回来！"

叔宝牵着马在市里，走了几回，也没人问一声。他叹道："马儿，你在山东捕盗时，何等精壮！怎么今日就这样丧气！不过我也是这样，更何况你！"这时天色已亮，有农夫挑柴进城来卖。那马饿极了，见了担子上的青叶，一口扑去，将卖柴的老人扑倒。老人起身后说："马膘虽是跌了，缰口倒还好哩！"听说叔宝急着找买主，

◎ [盘缠]

也叫"盘川"，旅途中的费用。

◎ [当铺]

也叫"押店"、"长生库"等。收取物品作为抵押，拿钱给抵押者的机构。最早在南北朝时期，是寺庙经营。当铺给抵押者收据，叫做"当票"，写明物品、抵押价钱。期限从六个月到十八个月不等。过期不来赎回物品的，就由当铺没收。

老人告诉他："这里出西门去十五里地，有个主人姓单，双名雄信，排行第二，我们都称他作二员外。他结交豪杰，常买好马送朋友。"叔宝如梦初醒，暗暗后悔：我常听朋友说"潞州二贤庄单雄信，是个豪杰"，我怎么到了这里不去拜访他？如今弄得鹄面鸠形，岂不是迟了！若不去，过了这村又没这店了。于是，叔宝许诺给老人一两银子，请他带路去二贤庄。

他们走了大约十几里地，看见一所大庄子，树木参天，绿水环绕，鸟鸣声声，景色清幽。小桥的那头是许多整齐宏伟的房屋，看上去不是名门，就是曾经做过官的人家。老人过桥进庄，叔宝在桥南树下拴马，见那马瘦得不像样，心想：我也看不上，他人怎么肯买？这时，雄信跟着老人出庄来看马。雄信身高一丈，穿罗衣、粉底皂鞋。叔宝再看看自己，破破烂烂，就躲在大树背后，擦了擦泪痕。雄信善识良马，把衣袖撩起，用左手在马腰中一按。雄信膂力最狠，那马虽瘦弱，却也一动不动。他又托一托头至尾，长一丈多，蹄至鬃，高八尺；遍体黄毛，如金丝细卷，无半点杂色。

雄信看完了马，让叔宝说个价。叔宝道："人贫物贱，要给我五十两当路费就行了。"雄信道："这马要五十两银子也不多；只是膘跌多了，如果喂些、花点钱，还养得起来。若不吃好草料，这马就是废物了。看你说得可怜，我给你三十两银子，当送您的路费吧。"雄信转身就走。叔宝只得跟过桥来道："您给多少就多少。"

雄信进庄来，站在大厅滴水檐前，让手下人牵马到槽头去，喂些好料来回话。不多时，手下向主人耳边低声说："这马特别狠，把老爷胭脂马的耳朵，都咬坏了。吃下一斗蒸熟绿豆，还不住口。"雄信暗喜，却假装说："朋友，手下人说，马不吃好料了。只是我说出给你三十两银子，不好失信。"叔宝也不知真假，随口应道："听您的。"雄信进去取马价银。叔宝进厅坐下。雄信三十两银子，得了千里龙驹，喜笑颜开。叔宝也是高兴万分。他是个孝子，长

久在外，思念老母。今天得到银子，可以回家，就如同看见母亲一样。

　　这时，雄信问叔宝是哪里人，听说是齐州，雄信把银子向衣袖里一拢，叔宝大惊，想是不买了。雄信请叔宝坐下，叫人上茶，问他是否认识齐州的秦叔宝。叔宝因为衣服破烂，不好意思回答"是我"，便谎称是自己同衙门的朋友，又假称姓王。雄信便要他代为向秦叔宝问候，又另外给了他三两银子和二匹绸子。叔宝怕露出马脚，答应后便起身告辞。

　　此时，叔宝早已饥饿万分，就走进一家新开的酒店门，酒保见叔宝把绸子卷夹在衣服底下，以为他是个道士，就拦住了他。叔宝把双手一分，四五个人都跌倒在地。其中一人跳起来，让他先到柜台上称银子。掌柜却是个机灵的人，他让叔宝不要生气，到里面先坐着喝酒。叔宝转怒为喜，走到大厅里，找张桌子坐下。酒保端上来一碗冷牛肉、一碗冻鱼、一碗冷酒。叔宝十分气恼，心想：难道我秦叔宝天生该吃这冷东西？恨不得打他个稀巴烂，只是被朋友们知道了又要取笑我。

叔宝正忍气吞声地吃这些冷东西，店主引着两位一红一紫的豪杰走进来，走在后面的竟是秦琼的老朋友王伯当。店主吩咐准备好茶好饭给他们。叔宝怕被认出，想走又被栏杆围着，走不出去。正巧被王伯当看见，他的随从说像秦叔宝。伯当说："长得与阳货和孔子相像的那种也不少，叔宝是人中之龙，他怎么会贫寒到这种地步？"叔宝见伯当说不是，又略微安心。那跟随又转过身盯着叔宝看，吓得叔宝头也不敢抬，筷子也不敢动。这跟随说："他见我们在此，声色不动，天下也没像这样喝酒的。"又说，"我觉得真的很像，等我下去瞧瞧，不是就算了。"叔宝见那人要走来，等他看出却没趣了，只好自己承认了。

伯当慌忙起身，把自己身上的衣服解下来裹在叔宝身上，拉到厅中，抱头而哭。叔宝反而安慰伯当，又问和他一起来的那位朋友是谁。原来，那人叫李密，字玄邃，世袭蒲山郡公，家住长安。曾和伯当同任殿前左亲侍千牛，情谊深厚。他因为姓李，被圣上忌讳，就辞官了。伯当因杨素专权，也一起不干了。叔宝告诉他们卖马给单雄信以及假称姓王的事，要他们代为道歉。伯当得知叔宝住在王小二店中，便说王小二是江湖上有名的王老虎，最为炎凉。叔宝看在柳氏的面子上，没有指责王小二的过失。

分别后，王、李二人去了二贤庄，叔宝仍旧回店。谁知王小二见他久久不回，以为没卖掉马，便把门锁了，冷冰冰地让叔宝睡

◎ [阳货]

名虎，字货，春秋时鲁国人，季氏家臣。

◎ [孔子]

名丘，字仲尼，春秋时期鲁国人，春秋末期的思想家、政治家、教育家。

在外面。叔宝气得牙关一咬、拳头一举，想了想还是忍住了，喊道马卖了，已经有了银子。王小二一听，立刻乐得笑起来，开门让叔宝进去，见了银子说："秦爷要小心看管这些钱块，将就吃些晚饭，我明日替你老人家送行。"叔宝却十分慷慨，把蔡太守的三两银子不算，一共十七两银子，交给小二。叔宝又对柳氏说："我匆匆起身，不能相谢，将来一定好好儿酬谢您。"柳氏道："秦爷在这儿，款待不周，不怪罪我们，已经是宽容了，哪还敢指望您感谢？"柳氏又问他去哪儿。叔宝道："此时城门还未关，我归心如箭，赶出东门再作打算。"叔宝取了批文、行李，一直往东门走去。

人物点击

单雄信

　　姓单，名通，字雄信，家住山西潞州二贤庄。他的兵器是一柄金钉枣阳槊，武艺出众，被称作赤发灵官，是五虎上将第一名。二十多岁的单雄信已经在江湖上赫赫有名，他仗义疏财、为人豪迈、侠肝义胆，成为天下绿林英雄的头领。他救助了落魄不堪的秦琼，让他在二贤庄休养八个月。离别时单雄信还赠给他重金，从此二人成为生死之交。尽管后来，秦叔宝为唐王效力，单雄信则反抗唐朝至死，但两人的兄弟情谊始终不变。隋末，单雄信参加了瓦岗寨的起义军，任左武侯大将军，号称飞将。后来归顺王世充，任大将军。李世民率军包围洛阳，单雄信与尉迟敬德交战，被刺中坠马。第二年，李世民攻破洛阳，王世充投降了唐朝。单雄信血战被擒，誓死不肯投降，被李世民处死，年仅四十一岁。

第四回　喜逢知己喜生女

王伯当和李密来到二贤庄，雄信这才知道，前几天自称姓王的卖马人就是秦叔宝，他马上为叔宝准备了一匹好马。当他们赶到王小二的店中时，叔宝早已离去；这时，雄信又接到消息，哥哥在出长安的路上，被唐公射死，手下护送丧车回来。三人只好各自散去。

叔宝因为吃了冷牛肉，又受了寒，好不容易走到了东岳庙，摇摇晃晃、头晕目眩地爬上台阶，来到大殿上，一下子眩晕。因被门槛绊倒在香炉脚下，惊动了观主。

这观主不是等闲之辈，名叫魏徵，字玄成，魏州曲城人。生活贫穷，却只喜欢读书，诸子百家、天文地理、诗词歌赋都十分精通。而且他胸怀大志，喜欢结交英雄豪杰。他隐居华山，做了道士。一个道友徐洪客告诉他：真正的天子已经出现，只是辅助他的臣子此时还不得志。不如他们分头寻访，他日再相会。洪客于是去了太原，魏徵却在潞州。因为见单雄信是一个能当开国功臣的，因此希望能与他交往，并寻找几个帮手。魏徵此时看见叔宝狼狈的形象。叔宝讲不出话来，挣扎着把右手伸出来，在地上写了"有病"两字。魏徵点了点头，叫人把叔宝扶进殿里的一间

◎ [东岳]

就是泰山，也叫"岱山"、"岱宗"，是五岳（东岳泰山、南岳衡山、西岳华山、北岳恒山、中岳嵩山）之首，号称"天下第一山"。在山东省中部。主峰是玉皇顶，有南天门、日观峰、经石峪、黑龙潭等名胜古迹。古代皇帝多次到泰山祭拜上天。

内室，让他睡下；又替他收好公文、潞绸、紫衣、银子等；然后煎了一服药。叔宝吃了，出了一身大汗，第二天便能说话。魏徵不停煎药，也常来和叔宝交谈，叔宝的病慢慢好了。

到了十月十五日，百姓在东岳庙里作法会。单雄信也带着手下来为亡兄打亡醮。他偶然在钟架后面看见一对双铜，众人说是那个生病的汉子背来的。这时，魏徵走过来，雄信便问他那人是哪里人，魏徵答道山东齐州人。雄信听见"山东齐州"四字，吓了一跳，急问道："姓什么？"魏徵道："那天他跌倒在殿上，病中不能说话，有一张公文上，写着名叫秦琼。后来我问清他字叔宝，是北齐功臣的后代。现在就在旁边的屋子住着。"

雄信和魏徵到了后面推门进去，影儿也没有一个，雄信焦躁道："难道知道我来，躲到别处去了不成？"又和魏徵绕到后边去找。

原来叔宝身体恢复了，又见天气和暖，就出来坐在后面的小亭子里，正好看见一个仆人，衣兜里盛着几升米，手里托着几扎干菜走出。叔宝问道："你拿到哪里去？"仆人道："干你什么事？我的老妈妈身体不好，刚才向管库的讨几升小米、几把干菜，回家去给她熬口粥儿吃。"叔宝猛然想到："他尚且思虑母亲。我秦琼空有一身本事，不好好儿孝顺侍奉母亲，反而把她老人家留在家里，害得她天天站在门边盼望我回去。"忍不住双眼流泪。

这时雄信找到了这里，双手捧住叔宝，将身伏倒道："吾兄在潞州受这样的冷落，单雄信不能好好儿招待朋友，羞见天下豪杰！"叔宝连忙跪下，叩拜道："兄长请起，不要弄脏了尊兄贵体。"雄信流泪道："为朋友者死。若是能代替您，雄信不惜以身相代，又有什么脏的？"魏徵将叔宝的物品交还，叔宝道谢，同雄信回到二贤庄。雄信与叔宝同床而睡，不断开导他，又邀请魏徵来，自此魏徵、秦叔宝、单雄信三人，都成了知己。

叔宝的母亲因儿子久久不归，生了一场大病。叔宝的几个朋友

◎ [潞绸]

即古潞州织造之绸，产于何代，已不可考。

樊虎、贾润甫、唐万仞、连明前来探望。秦母触景伤情，不禁落泪，
又埋怨樊虎："我儿六月里与你一起出门，你九月回来了。如今隆
冬天气，他没一点消息，多半不在人世了。"儿媳妇张氏听到婆婆
这句话儿，在帐子里也啼哭起来。

众人异口同声，都埋怨樊虎道："樊虎，你干的是什么事？常
言道：'同行无疏伴。'一起出门，为什么秦大哥如今还不到家。老
伯母只有大哥一个儿子，叫她怎么不牵挂？"樊虎道："各位兄弟，

老伯母和秦大嫂埋怨小弟，不敢分辩。兄长们难道不知在家千日好，出门一时难？我们六月里从山东赶到长安，到兵部衙门领取公文，就耽误了两个月。到八月十五，才领到了。秦大哥到临潼山，碰上唐国公被强盗围住，大哥打抱不平，救了唐公，然后我们匆匆分了行李，他往潞州，我往泽州。谁想到所有的银子，都放在我的箱内，如今等不得他回来，也补送在此。"他把一包银子放在床前。秦母道："我有四两银子，叫他买潞绸的，想必他也拿来当路费了。"樊虎道："我到津州的时候，马刺史又去太原恭贺唐公李爷去了。两个犯人每天的生活费花了不少，等到领了批文，路费全没了。"秦母道："这都是你的事，你此后可知道我儿子的消息呢？"樊虎道："如果算起路程，唐公李爷到太原时，秦大哥应该到潞州了。那时蔡刺史还不会出门。我知道秦大哥是个性格急躁的人，难道为了批文，一直在潞州不走？我因为没了钱，只好自己回来，哪里晓得秦大哥还不到家？"众友道："这个也难怪你，只是如今你却不得不辛苦一趟，去潞州把叔宝兄找回来。"樊虎道："老伯母不必烦恼，写一封书信，给我带到潞州去，一定把大哥找回来。"听了他的话，秦母便写好一封书信交给他，樊虎回家，收拾行装，离开齐州，奔往河东潞州一路，来寻叔宝。

樊虎来到潞州，正巧住在王小二的店里，从柳氏口中得知叔宝已经回家。樊虎只好也打道回府，却遇上一场大雪，不得不投宿在东岳庙。魏观主听说他姓樊，便问是不是叔宝的朋友樊虎。樊虎这才知道，叔宝现在正在二贤庄养病。

按照魏徵的指点，樊虎找到了庄上，叔宝大喜。雄信吩咐手下去摆酒。叔宝问道："我母亲好吗？"樊虎道："有书在此，请看。"叔宝含着泪读罢，就去收拾行李。

雄信看见，微微暗笑。酒席完备了，三人坐下。雄信问："叔宝兄，令堂还好吗？"叔宝便含泪说打算回去。雄信道："兄要归去，

◎ [令堂]
古代对别人母亲尊敬的称呼。

◎ [三长两短]

指意外的灾祸、事故。

◎ [朱门]

朱，是红色。古代王侯贵族的住宅大门常漆成红色表示尊贵，所以，"朱门"成为富贵人家住宅的代名词。唐代诗人杜甫写过这样的诗句："朱门酒肉臭，路有冻死骨。"

◎ [化缘]

佛教、道教用语。指和尚、尼姑或道士向人请求施舍钱财、物品。佛教、道教宣称布施的人能和佛祖、神仙结缘，所以叫"化缘"。

◎ [葫芦]

植物名称，又叫"蒲芦"，原产印度。因为品种不同，形状各种各样，大部分是中间细，上部和下部大。葫芦可以做水瓢、放东西的器具、玩具等等。中医还用葫芦治疗水肿腹胀。在民间有许多关于葫芦的神话传说，他们认为葫芦籽是万物的种子，葫芦是产生最初祖先的母体。

小弟也不敢拦阻。但只要做便做个实在的人，不要做沽名钓誉的人。"叔宝道："什么是真孝？什么是假孝？"雄信道："大孝为真，小孝为假。兄如今连夜回去，像是孝，却并不是真孝。"叔宝眼泪住了，不觉笑将起来问为什么。雄信道："如今风雪交加，你的身体还没恢复，万一中途发病，有个三长两短，绝了秦氏之后，实在不符合孝道。你不如写一封回信，说明耽搁的原因，说到了新年便回家。令堂知道了你的下落，病就自然好了。兄长的母亲就如同我的母亲，我还要送点微薄的礼物给她。你再托樊兄禀明刘老爷，了结了衙门的公事，公私两全。待春天暖和了，小弟还要替兄长的前途打算一下，你这次回去，就不要在衙门当差了。求荣不在朱门下，办公事总是由不得自己。"樊虎也说："单二哥讲得极有理。"叔宝向雄信道："这么说，小弟就写信安慰家母之心。"

叔宝写完了信，取出公文交给樊虎，叮嘱了一番。雄信回后房取潞绸四匹、碎银三十两给秦母；又取潞绸二匹、银十两，送给樊虎。樊虎当日离去，回到山东，把书信、银两交给秦母，又去衙门中办完了所托之事。雄信则依旧留叔宝在家。

一天，叔宝见雄信双眉微皱，默然无语，便问原因。雄信告知，他的妻子，前都督崔长仁的孙女，自从结婚以来有六七年了，一直没生孩子。可喜今年春天怀孕，却到了十一月还没生下来，因此十分担忧。正在此时，门外有个长相怪异的外国和尚来化缘，还不吃素斋。雄信便叫人拿来一盘牛肉，一盘馒头。那僧人双手扯来，很快吃光了。他告诉雄信他要去长安献药给太子。雄信就问他有没有催产的丸药。僧人从袖中摸出一个葫芦，倒出豌豆大一粒药来，用黄纸包好，递给雄信道："拿去用沉香汤送下。如吃下去就生，那就是女胎；如隔一日生，便是个男胎了。"说完立起身来，也不谢声，就走了。到了夜里，雄信将僧人的药，给崔夫人服下。子时，闻到满室莲花香，一个女孩儿生了下来，取名爱莲。夫妻二人高兴得不得了。

转眼就到了新年，叔宝想着功名未成，远离妻母，着实闷闷不乐。这晚，雄信先去睡觉了，叔宝对手下人说自己要回山东了，众人赶紧去向雄信报告。雄信赶紧披衣出来，挽留道："既然如此，兄长等天明再走，今晚先好好儿睡一觉。"你知道雄信为何直要留到此时，才放他回去？自从十月初一，雄信买了叔宝的黄骠马，伯当与李密告知了情由，他就叫巧手匠人，做一副熔金鞍辔，正月十五日才做完，异常精致，光辉耀眼。雄信又叫人将白银打扁，缝在铺盖里，把铺盖打卷，马鞴了鞍辔，捎在马鞍鞒后，只说是铺盖，不讲里面有银子。叔宝要去东岳庙谢魏徵，雄信派人去请了来，摆了一桌酒席给叔宝饯行。

雄信替叔宝倒酒，又指着桌上的五色潞绸十匹、冬衣四套、白银五十两说："这点微薄的礼物，希望兄长笑纳。往日我跟你说求荣不在朱门下，这句话，兄当牢记，千万别忘了。"魏徵道："叔宝兄在别人门下，易短英雄之气；况且我曾遇到异人，说真正的天子已经出现，隋朝不久就要灭亡了。像叔宝兄这样英勇，难道当不成功臣吗？兄长要听员外的话，天生我材，不能沦落。"

叔宝心中暗道："魏徵这话，好像挺有道理的。但是雄信小看我了。这叫做久处令人贱，送了几十两银子，他就叫我不要入公门。他把我当是少了饭钱卖马的人。"只得口里答谢道："兄长金石之言，小弟当铭刻肺腑。归心似箭，酒不能多。"雄信取大杯对饮三杯，魏徵也陪饮了三杯。叔宝告辞，把许多物品，都捎在马鞍鞒后，举手作别。

叔宝出庄上马，那黄骠马见了故主，马健人强，一口气跑了三十里路，才收得住。结果那铺盖拖下半边来，马走一步踢一脚。叔宝回头看了看，自言自语道："这行李捆得不好，朋友送的东西，若掉了，辜负他的好意。耽迟不耽错，前边有一村镇，暂时住一晚，

◎ [饯行]

也叫"饯别"。亲朋好友要出远门，准备酒席，为他们送行，表示祝福和离别的感情。

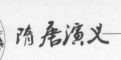
到明日五更天再走。"

这个地方叫皂角林，也是叔宝时运不济，又遭遇一场大祸来，未知性命如何，且听下回分解。

 人物点击

魏徵

唐代著名政治家。他是巨鹿下曲阳（今河北晋县）人，字玄成。他从小父母双亡，家境贫寒，但他特别喜欢读书，志向远大。隋朝末年，他当了道士。后来，他跟随李密，被任命为元帅府文学参军。李密失败后，魏徵也跟着归顺了唐朝，自己请求去安抚山东；又劝说了黎阳守将归附唐朝。窦建德攻占黎阳，魏徵被俘虏；建德失败后，魏徵在太子李建成的府中任职，多次劝说建成要防范秦王李世民，积蓄力量、准备夺权。李世民发动了玄武门之变，当上皇帝。出于爱才之心，唐太宗诚意请魏徵为他出谋划策。在以后的几十年中，魏徵担任谏议大夫，经常出入内廷，与太宗讨论政治得失。魏徵性格刚强正直，知无不言，经常以历代兴亡作为借鉴，劝说太宗任用贤臣，广泛采纳大臣意见，减轻百姓负担。魏徵还参与了编修史书的任务。当时，天下太平，太宗逐渐骄傲奢侈，魏徵又不断提醒他要居安思危、始终如一。魏徵死后，太宗叹息自己失去了一面明亮的镜子。

秦叔宝投宿的这家店的店主名叫张奇，是当地的保正，被蔡刺史责令捉拿皂角林的响马。这晚，张奇和捕盗们刚进门，他的妻子就对他说："有个来历不明的汉子，刚才来店里住下。浑身都是新衣服，随身有兵器，骑的是高头大马。这样的人，却独自投宿，十分可疑。"众人认为有理，就悄悄地在门缝外窥视叔宝的举动。叔宝此时打开铺盖正要睡觉，发现了缝在褥子里的马蹄银。叔宝又惊又喜，心中暗道："单二哥真正有心人也。"

众捕盗看他暗喜的光景，心想必是强盗无疑，就先去后边把他的马牵来藏过了，腰间解下十来条绳索，准备绊他的脚步。然后，张奇一口气吃了两三碗热酒，将门一脚蹬开，竟直接抢银子。

叔宝以为是歹人进来抢劫，怒火直冲，动手就打，把那张奇打得撞在墙上，脑浆喷出，哎呀一声，气绝身亡。外面齐声呐喊："响马拒捕伤人。"张奇妻子举家痛哭。叔宝见误伤了人命，转身想逃，却被众人合伙捉住，押往潞州城来。这却是秦琼二进潞州。

到了衙门，法曹斛参军审讯他们，叔宝极力辩解，并报上了单雄信、魏徵、王小二等人的姓名。第二天，斛参军传唤这些人。单雄信得知情况，赶紧请来早有交情的童环、金甲两个捕快，给了一大笔银子，

◎ [保正]

宋代宰相王安石推行保甲法，规定五百家设立都保正一人，副都保正一人，下面还有大保长、保长，分别掌管户口治安、武艺训练等等。后来就把保长称为保正。

◎ [马蹄银]

一种银锭，因为形状像马蹄一样，所以叫马蹄银，也就是我们常说的"元宝"，也叫"宝银"。大的大概重五十多两，上面有银匠的姓名、铸造时间和地点等。而金元宝一般是用来保藏的，极少流通。

◎ [充军]

古代的刑法之一。把减免死刑的罪犯，或其他重犯押到边远地方去做苦工。最远的四千里，最近的一千里。有本人终生充军和本人死后，由子孙亲属接替两种。

恳求他们找人帮叔宝减轻罪名。结果，叔宝只被判了充军幽州，由童环、金甲押解。单雄信又托他们带一封信，给与他有八拜之交的涿郡顺义村豪杰张公谨，请他照顾叔宝。

三人上路，数日后已来到顺义村，在店里吃饭时得知今日村中设有擂台，是幽州罗老爷为史大奈所设，如果三个月没有敌手，就任命他为旗牌官。到现在为止还没人能打过他，今天是最后一天了。叔宝听了，跃跃欲试。三人来到擂台下，那台有九尺高，阔二十四丈。台上的史大奈长相威武，插两朵金花，横披彩缎；台下有数千人围绕争看。童环先跳上台去，史大奈从右肋下攒在童环背后，叫道："我也不打你了，下去吧！"把童环摔了个燕子衔泥，一脸灰沙。秦叔宝急得火星爆散，喝道："待我上去！"平地九尺高一蹿，就跳上擂台来，直奔史大奈。两人就如一对猛虎争食，在擂台上打作一团。一个青狮张口来，一个鲤鱼跌子跃。一个忙举观音掌，一个急起罗汉脚。一个饿虎扑食最伤人，一个蛟龙狮子能凶恶。

此时，张公谨听人报信，和另一个豪杰白显道也来到台下，见正打得凶，不好上去，就问底下看的人那豪杰是谁。他从童环、金甲口中得知原来此人正是鼎鼎大名的秦叔宝。童、金也才知道眼前这位便是单雄信的朋友张大哥。于是，史、秦二人收拳，六友相逢，彼此赔罪。张公谨看了单雄信的信后，备好马匹，一行人朝幽州而来。

到了帅府后，张公谨叫人把两位尉迟老爷请来。这二人是北周相州总管尉迟迥的族侄，哥哥叫尉迟南，兄弟叫尉迟北，向来与张公谨相好，现在罗公手下任旗牌官。

张公谨给他们看了单雄信的书信，亲手替叔宝解开刑具，教取垫子过来相拜道："久闻兄长大名，如春雷轰耳，恨不能相会。今日得见，三生有幸。"尉迟南又说："兄长不知我们本官的厉害，他原是北齐勋爵，姓罗名艺，见北齐国破，不肯降隋，联合突厥可汗反叛。皇帝只得招安，将幽州割与本官，自收租税养老，统雄兵十万镇守幽州。本官自恃勇武，凡解进府去的人，恐怕顽劣不遵约束，见面时要打一百棍，名杀威棒。十人解进，九死一生。如今我们只好使个手段，单独押解秦大哥进去。"

众朋友听到这儿都吐舌吃惊。尉迟南道："兄却有所不知。里边

◎ [擂台]

武术家比试武艺的台子。现在常用"摆擂台"比喻向别人挑战，决定胜负。

◎ [招安]

也就是招抚、劝降。劝说反对力量，让他们归顺。历史上最著名的招安就是宋江领导的梁山好汉。

◎ [杀威棒]

古代被发配充军的犯人一到目的地，为了杀杀他的气焰，便于以后管理，一般都会先打上十棍、二十棍，这就是"杀威棒"。即使是身体强壮的人，被打了杀威棒，也要养一两个月才能好。杀威棒是额外的刑罚，可打可不打。

太太十分好善，每遇初一月半，必吃斋念佛，老爷坐堂，她屡次叮嘱不要打人。今日恰是三月十五日。倘解进去的人多了，触动本官之怒，就不好了。"于是，众人商量好对策，押着叔宝去见罗艺。

这潞州刺史蔡建德，正是罗公的得意门生。罗公看了文书和犯人叔宝，便吩咐午堂后听审。他退到后堂，请夫人秦氏出来议事。秦夫人，带了十一岁的公子罗成，管家婆丫鬟相随出后堂。罗公叹道："当年你的哥哥死后，可有后人吗？"夫人落泪道："先兄秦彝，在齐州战死。嫂嫂宁氏，生个太平郎。二十多年过去了，也不知是死是活。不知老爷为何问这事？"罗公道："刚才河东押来一名军犯，倒是与夫人同姓，正是山东历城人。"夫人道："既是山东人，或许是太平郎。老身如今要见这姓秦的一面，问问他。"罗公叫家将垂帘，传令带军犯秦琼进见。罗公问了几句叔宝的来历后，又问："你原是军丁，我再问你，当年有个武卫将军秦彝，听说他家属流落在山东，你可晓得吗？"叔宝泪滴阶下道："武卫将军，就是我的父亲。"秦夫人在帘子后面叫道："那姓秦的，你的母亲姓什么？"秦琼道："小的母亲是宁氏。"夫人道："呀，太平郎是哪个？"秦琼道："就是小人的乳名。"夫人走出后堂，抱头而哭，秦琼却不敢就认，哭拜在地，罗公也顿足长叹道："你既是我的内亲，起来相见。"尉迟南兄弟二人听说，鼓掌大笑出府，告知张公谨等众朋友。这边姑侄相认后，罗公要叔宝明日到演武厅比试武艺。公子罗成也央求母亲，瞒着父亲，去看表兄比试。

第二天，罗公坐帐中，帐前大小官将头目，全装披挂，各持锋利器械，排班左右。罗公命家将："将我的银铜取下去。"叔宝跪在地下，抬手接过银铜，使个身法跳起来，舞动那两条铜，如银龙护体，玉蟒缠腰。罗公在座上自己喝彩："舞得好！"又问道，"还会什么武艺？"叔宝道："枪也晓得些。"罗公叫取枪上来。叔宝接在手中，把虎身一矬，右手一迎，牛筋都迸断，一连使折两根枪。叔宝跪下道："小将用的是浑铁枪。"罗公点头道："真将门之子。"命家将："枪架上把我的缠杆矛抬下与秦琼舞。"两员家将将缠杆矛抬将下来。那缠杆矛重一百二十斤，长一丈八尺。秦琼接在手中，打一个转身，把枪收将回来。罗公暗暗点头道："枪法差了些，但此子还可教。"这些军官见舞这重枪也吃惊，看他舞得精神，不管好坏，也随着罗公喝彩，连叔宝心中未必不自道好哩！

叔宝舞罢枪，接下来比试弓箭。罗公问："你可会射箭。"叔宝此时正得意，便随便回答："会射。"罗公先让手下官员射枪杆，个个射中。叔宝心中十分懊悔。罗公是有心人，见叔宝精神恍惚，就知道他不擅长射箭，令他过来，说："你看我这些手下，都是奇射。"谁知叔宝不解其意，出言不逊道："我还会射天边不停翅的飞鸟。"罗公就命人取生牛肉，挂在大旗上，把那山中的饿鹰，引了几个。

公子罗成在东辕门外，看见这种情况，想："我这表兄，今日定要出丑。我助他一支箭吧。"他取出一支软翎竹箭，放在弩上，藏在怀中。那些官将都看叔宝射鹰，却不知公子在辕门外发弩。众人催逼，叔宝没奈何，扯满弓弦，射出一箭。只见那鹰裹着那一支箭，落下来。大小官将人等，一齐喝彩。

连叔宝也不知这个鹰怎么射下来的。罗成急忙上马，先回帅府。此事不曾对母亲说，怕表兄面上无光。中军官取鹰来献上。罗公亲自下帐替叔宝簪花挂红，吹吹打打迎回帅府。罗公在家宴上，对夫人道："令侄双铜绝伦，弓矢尤妙，只是枪法欠了传授。"自此，叔宝和罗成表兄弟二人，天天在后园中走马使枪。罗公有空时亲自来指点几下，教他使独门枪。

转眼半年多过去，叔宝是个孝子，他思母之心，无时不有，却又不好开口。直到仁寿三年八月间，一日罗公在书房中看见叔宝写在墙上的思乡诗，这才明白。叔宝哭拜于地。

罗公用手相挽道："不是老夫屈留你在此，我欲等你立功，得一官半职回乡，以继先人之后。如今打发你回去，我写了两封信：一封

◎ [弩]

古代一种射箭的兵器，也叫"窝弓"、"十字弓"。这是一种装有臂的弓，主要由弩臂、弩弓、弓弦和弩机等部分组成。弩比弓的射程更远，杀伤力更强，命中率更高，对使用者的要求也比较低，是古代一种威力巨大的远距离杀伤武器。强弩的射程可以达到六百米。

到潞州蔡建德取行李；一封你到山东投与山东大行台兼青州总管来护儿。我是他父辈。如今举荐你到他标下，去做个旗牌官。日后有功，也还图个进步。"叔宝叩谢，又与尉迟兄弟、张公谨等人辞别。

叔宝归心如箭，马不停蹄，两三日间，竟到潞州。王小二先看见了，往家飞跑，叫："娘子不好了！"柳氏道："为什么？"小二道："当初在我家少饭钱的秦客人，如今倒挣了一个官来。想他最生我的气，这可怎么办？"

柳氏道："古人说了：'去时留人情，转来好相见。'当初我叫你不要这等炎凉，你不肯听。如今没面目见他。你躲了吧。"小二道："我躲不得。只说我死了。人死不记冤。他去了，我才出来。"柳氏是个贤妻，只得依了丈夫，在家假装哭哭啼啼。叔宝到店门外下马，看见柳氏道："贤人，我还不曾进来拜谢你。"叫手下看住行李，自己到府中投文书。

此时蔡公正坐堂上，看了罗公的书信，命人取来叔宝当年留在潞州的物品。只有碎银五十两，贮封未动。那匹黄骠马，已被卖了，马价银三十两。

秦琼将五色潞绸十匹，衣服四套，缎帛铺盖一副，熔金马鞍辔一副，金装铜两条，一一点过。蔡刺史又吩咐库吏："拿一百两银子，送罗老将军令亲秦壮士为路费。"

叔宝拜谢蔡公，童环、金甲替他搬了许多行李，来到王小二店中。叔宝正与童、金二人叙话，只见柳氏哭倒在地道："我那笨拙的丈夫当年太不应该了，得罪秦爷。他已经得病亡故了。"

叔宝道："昔年也不干你丈夫事。我钱袋空虚，使你丈夫看不起。世态炎凉，古今如此。只是你那一针一线之恩，至今铭刻于心。今日暂且以这一百两银子作为报答。"柳氏拜谢。叔宝留童环、金甲在店里等着，却往南门外去探望高开道的母亲，不想高母半年前已迁往他处去了。

叔宝回到王小二店中，把领出来的那些物件，捎在马鞍鞯旁，马就压矬了，难驮这些重物。童环道："我们陪兄长到二贤庄单二哥处，重借马匹回乡。"辞别柳氏，三人往二贤庄去了。

◎ [马鞍]

　　一种固定在马背上的座位，用包着皮革的木框做成，前后凸起，形状做成适合骑马人的臀部。西汉时，没有马鞍，骑兵的战斗力不能发挥到最强。后来，勇猛的匈奴人在西征时，把马鞍传入了欧洲。

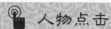

人物点击

罗艺

　　隋末唐初将领。襄州襄阳（今湖北襄樊）人，字子延。他性格刚愎自用，勇猛善战，善于使槊。隋朝末年，担任虎贲郎将。天下大乱时，他驻守在涿郡，打开仓库发放财物、粮食给士兵和贫民，自称幽州总管。宇文化及到山东后，派使者劝他投降。罗艺说他是隋朝旧臣，绝不会投靠贼人。他杀了使者，为隋炀帝发丧三日。后来，罗艺归顺唐王李渊，被封为燕王，赐姓李氏。他多次出征，击败窦建德、刘黑闼等人，因战功被封为左翊卫大将军。突厥入侵，因为罗艺曾经率领"燕云十八骑"击败过突厥，一直有很高的威名，就令他领天节军，镇守泾州，抵御突厥。贞观初年，因为曾经侮辱过太宗身边的人，罗艺心怀不安，占据幽州造反，兵败后被部下所杀。在《隋唐演义》中，罗艺的夫人是秦叔宝的姑姑，儿子罗成与叔宝的关系很好，还娶了窦建德的女儿窦线娘为妻。

第六回 红拂慧眼识英雄

早有人报知单雄信，叔宝回潞州取行李。雄信忙备好酒席倚门等候。等到月上东山，忽听林中马嘶。雄信高声问："可是叔宝兄来了？"答道："正是。"雄信鼓掌大笑，真是月明千里故人来。相见携手，欢喜万分。原来叔宝的黄骠马被雄信买下，养在库中。叔宝说明思乡情切，立刻辞别三友，骑马出庄，如逐电追风。到第二天中午，已到齐州。叔宝回到家中，夫妻母子重逢，又悲又喜。叔宝便将所有事情，包括与姑父罗艺相认，一一说给母亲听。

第二天，叔宝拿着罗公的荐书去来总管帅府。来公看了信，见这秦琼身高八尺，两根金装铜悬于腕下。身材凛凛，相貌堂堂，一双眼光射寒星，两道眉黑如刷漆，正是一个好汉子，十分喜欢，于是便让他做了本衙门的旗牌官。三个月后，时值隆冬天气，来公说明年正月十五，是越国公杨素的六十大寿，命叔宝运送寿礼去长安。叔宝匆匆辞别了母亲，马上和两名健步，骑上黄骠马出发。

他们一行人来到华州华阴县少华山，只见地势险恶，突然前面来了一队人马，拦住去路，叫道："留下买路钱！"叔宝举起双铜，与为首的那人打得不分胜负。这时有人大喊："叔宝兄！"原来这人正是王伯当。他早先经过此地时，被山中的豪杰齐国远拉了入伙。与叔宝打斗的就是齐国远。众豪杰邀叔宝同上少华山，摆酒接风洗尘。到了三更时分，王、齐、李三人和叔宝一起骑马奔赴长安。

走到离长安有六十里的地方，正值傍晚，众人望见一座修缮一新的寺庙。叔宝提议在寺中借宿。四人于是进了山寺，走南道上大雄宝殿。月台下搭了高架，有工匠在修屋檐。架木的黄罗伞下坐着一位紫衣少年，旁边站着五六人。月台下竖两面虎头硬牌，还有刑

◎ [大雄宝殿]

寺庙中供奉佛祖的大殿。大雄宝殿是整座寺院的核心建筑，也是僧人们每天集中修行的地方。大雄宝殿中供奉着释迦牟尼的佛像。在释迦牟尼佛像的两旁有两位和尚的塑像，这是佛的两位弟子。年老的叫"迦叶尊者"，中年的叫"阿难尊者"。大殿两侧还有十八罗汉的塑像。

恩公瑷五生位

信官李渊沐手奉祀

具排列。叔宝等人走进去，看见新建了一座报德祠，祠中立了一尊高的塑像，戴一顶荷叶檐粉青色的范阳毡笠，穿皂布衫，披着黄罩甲，挂着牙牌解刀，穿黄鹿皮的战靴。旁边有一面红牌，上面用楷书写有六个大金字"恩公琼五生位"。又有几个小字儿"信官李渊沐手奉祀"。叔宝便把当年救李渊的故事告诉了王伯当等人。正说着，那紫衣少年听到消息，赶忙进来。这少年正是李渊的女婿柴绍。他命手下铺拜毡，顶礼相拜，各问姓名，将他四人挽留在寺内；一方面又写信到太原通报李渊。

没几天，就到了正月十四。叔宝和大家商议着出发，柴绍也陪同进京送礼。离长安明德门还有八里路远，大家来到陶家店投宿。店主见众豪杰的排场，知道是有身份的人，忙笑脸殷勤接待，叔宝趁着众友休息，迈着健步和店中的陶容、陶化两个仆人，拿着礼物，往明德门走去。

话说越国公杨素乃朝廷重臣，十分受皇帝宠信。在他的众多姬妾中，有一个执拂美人，叫张出尘，不仅美貌出众、聪颖过人，还是个侠义的奇女子。曾经有一天，杨素叫人对众姬妾说："你们在这里侍奉这么久，老爷怕耽误了你们的青春。如今有愿意出去另择配偶的站左边，不愿去的站右边。"众女听了这番话，如开笼放鸟，蜂拥出来。她们虽然在府中生活豪华、养尊处优，但一想到一夫一妻小两口的日子，该是多么快乐啊。近百位女子，倒有一大半跪在左边。只有那执拂的开口说道："老爷恩情深厚，让我们出去嫁人，也是千古奇缘，难得的好事；但我在府中，耳目口鼻，都是富贵的享受。又怎么肯出去随便嫁一个平凡的穷小子，过一辈子？古人说：'受恩深处便为家。'况且我不但没有家，现在天下也并没有那个我能托付的人。"杨素听了，不住点头。从此以后，他对张美人更是另眼相看。

这天上元节，又值越国公六十大寿，天下大小官员，无不到府中送礼祝贺。李靖恰巧也在侧房等候观见，因而和叔宝攀谈起来，互问姓名来历。这时，有官吏来喊李靖。原来，李靖的父亲李受和杨素早有交情，所以杨素吩咐单独接见他。李靖跟随着来到院内，只见越公坐在胡床上，戴七宝如意冠，披暗龙银裘褐。床后立着翡翠珠冠袍带的女冠十二人，以下站立着众多姬妾。杨素与李靖随问随答，娓娓无穷。杨素很高兴，打算将他留在身边做事。那时有个执拂的美人，屡次偷偷看李靖。李靖不是纨绔子弟，并未将这事放在心上。到了中午，杨素命这位执拂的张美人送李靖出去。张美人让人问明了李靖的住所，在西明巷第三家，暗暗记在心上。

这边山东一路的礼物，却派在李密处交收，李密见到叔宝，喜出望外。二人叙完话后，叔宝来到西明巷。李靖说看他的印堂发黑，恐怕会有惊恐之灾。正月十五三更，切不可观灯游玩，还是速回山东为妙等等。一番话，说得叔宝毛骨悚然。

再说张美人，暗想："我张出尘在府中多年，从没见过像李靖这样少年英俊的杰出男子。他日功名，绝不会在越公之下。如果错过了他，天下更无其人。他如果不娶我，恐怕也再难找到合适的女子。乘着今晚府里演戏开宴，我私自到他寓所一会，岂不是好？"主意已定，她把室中箱笼封锁，又写一封信，放在案上。她又去偷了兵符，打扮成官员的样子，大模大样走出了杨府。

张美人来到西明巷，李靖并未认出她女扮男装，便问来意。张氏道："越国公有一位继女，才貌双绝，年纪及笄，非常受越国公的宠爱。如今见先生是个英武不凡的奇才，想天下佳婿，没有像先生这样的。因此，他老人家命我前来，想促成这门婚事。"李靖道："这哪里说起！小弟一身四海为家，行踪漂泊不定。况且我的理想抱负还没实现，哪有心思考虑个人的婚姻之事？承蒙越国公对我青眼有加，然而门不当户不对，尊卑有别，这事绝对不行。还烦请您为我婉言拒绝。"张氏道："先生太迂腐了！我的主人是皇家重臣，一句话，

◎ [翡翠]

玉石名称。翡翠，本来是一种鸟的名字。红色的雄鸟叫翡，绿色的雌鸟叫翠。翡翠作为一种玉石又叫硬玉、缅甸玉，以缅甸出产的质量最好。有白、红、绿、紫、黄、粉等各种颜色，绿色的最名贵。一般颜色鲜嫩，质地透明，玻璃光泽强的翡翠是上品。翡翠自古以来深受人们喜爱，被称为"玉中之王"。

◎ [纨绔子弟]

纨，是细致洁白的丝织品。纨绔，就是用这种丝织品做成的裤子。纨绔子弟指富贵人家整天不干正事、吃喝玩乐的子弟。

◎ [及笄]

笄，是束发用的簪子。古代女子年龄到了十五岁，就要用笄束起头发，许配男子。后来用"及笄"来表示女子满十五岁，也用来指女子已经达到可以出嫁的年龄。

就能决定他人的荣辱。如果先生答应了这门婚事，将来的富贵不可限量，您何必固执地拒绝呢？先生还是好好儿考虑考虑吧。”李靖道："如果再苦苦相逼，我马上就起身，周游全国，你们也找不到我的踪迹！"张氏神情严肃地说："先生不要把这事看轻了。如果我回府转达了您的意思，越公他老人家一时震怒，先生虽有双翅，也不能飞出长安，那时就有性命之忧了。"李靖变了脸色，立起身来道："你这官儿，好不恼人。我李靖岂是怕人的！随你声高势重，在我眼中就像傀儡。此事头可断，决不敢从。"

两人正在房里乱嚷，只听见隔壁房间的一人，推门进来，是武卫打扮，问道："哪位是李靖兄？"李靖此时气得呆了，随口应道："小弟便是。"张氏注目把那人一看，忙举手道："尊兄贵姓？"那人道："我姓张。"张氏道："妾也是。"说了两个字，缩住了，忙改口道："小弟我也姓张，如果您不嫌弃，不如咱们结拜为兄弟。"那人听见她这么说，又仔细看一看，哈哈大笑道："你与我结弟兄太妙了。"李靖这才问道："张兄尊字？"那人道："我字仲坚。"李靖上前执手道："莫非是虬髯公？"那人道："不错。我刚才在隔壁，听见你们谈论，知是李靖兄，因此走过来。前面的话我都听到了，但这位贤弟，并不是为兄长您做媒。这位张贤弟的心事，还是让我说出来，为二位做个媒何如？"张氏道："我的装扮，既然被张兄识破，我就不便隐瞒了。"她走去把房门闩上，然后除下乌纱、卸去官装，便道："妾是越国公府中的女子。因为仰慕李爷是个豪杰男子，甘愿托付终身，不因自荐而羞愧，乘着夜色前来投奔。"仲坚见到这种情况，大笑称快。李靖道："莫非您就是白天执拂的美人吗？您既然有此美意，为什么不早早说明白，免得我胡乱猜想了这么多。"张氏道："郎君眼力不精。如果是我的张兄，早已认出，也就不劳烦贱妾多费口舌了。"仲坚笑道："你夫妇原非等闲之人，快快拜谢了天地。待我去取现成酒菜来，权当花烛，畅饮了三杯何如？"两人欣然对天拜谢了。

张氏重新把官裳穿好，戴上乌纱。李靖道："你为何还要这么装扮？"张氏道："刚才进店来，是差官打扮；如今见我是个妇人，反有许多不妥了。"李靖暗暗寻思道："好一个精细女子！"仲坚叫手下，送了酒菜进来。大家举杯畅谈，酒过三杯，张氏问仲坚："大哥什么时候出发？"仲坚道："心事已完，明日就走。"张氏站起来说："李郎陪我张哥畅饮，我到一个地方去，马上就来。"李靖道："这又奇了，还要到哪里去？"张氏道："郎君不必猜疑，等一会儿就知道了。"说完点灯走出房门。李靖看到这种情况，心中十分怀疑。仲坚道："此女子举止行为不同常人，也是人中龙虎的奇女子。她等会儿肯定来。"两人又说了些心事，只听见门外马嘶声响，张氏早已走到面前。仲坚道："贤妹又往何处去了？"张氏道："妾逢李郎，终身有托。今夜趁此兵符在手，刚才到中军厅里去，讨了三匹好马。我们吃完了酒，大家收拾上马出门。我想有兵符在此，城门上也不敢拦阻。咱们借此脚力去太原，岂不是方便？"两人听后，称奇赞叹。吃完了酒，即便收拾行装，谢别主人，三人上马，扬长而去。

到了第二天，杨素久久不见张美人进来伺候，就派人查看。那人来回禀道："房门封锁，人影俱无。"杨素猛然省悟，叹道："我大意了，这个女子肯定和李靖走了！"他叫人开了房门，只见房中的衣服首饰、珠宝绸缎等都放在原处，没有带走，只有一封信留在案上。杨素叫人呈上，一看，上面写道：

"越国公府红拂侍儿张出尘，叩首上禀：我出身低贱、无依无靠，有幸能侍奉在您的身边，虽然比不上金屋藏娇，也算是深得您的宠爱，我还有什么不满意的呢？我如今突然离去，只是因为识得了一位天下的大英雄。我依附他，正像柔弱的小草依附兰花、娇嫩的藤萝依附着竹子一样。我的态度光明正大，不仿效那些男女私奔而去的丑态。因此离去前留下这封书信给您。"

杨素看完后，心中完全明白，又知道李靖也是个英雄，便告诫下人不许将这件事张扬出去。

 人物点击

李靖

　　唐朝杰出的军事家，凌烟阁二十四功臣之一。京兆三原（今陕西三原东北）人，本名药师。他从小就文武双全，很有建功立业的雄心。他的舅舅是隋朝名将韩擒虎，曾经和他谈论军事，对他非常赞赏。隋朝末年，李靖准备去江都告发李渊谋反的计划，结果在长安被李渊捉住。李靖进入李世民的府中，跟随他消灭了王世充。以后，他随李孝恭平定了萧铣；又赶赴桂州，招抚岭南地区。唐高祖十分欣赏他的军事才能，说连古代名将卫青、霍去病也比不上他。贞观三年，李靖与徐世绩等人出击东突厥；第二年，捉住颉利可汗，杀死隋朝义成公主，东突厥灭亡。李靖虽然富贵到极点，却又能急流勇退。他以生病为由请求退休。唐太宗允许他每二三天可到中书门下参与政事，又特赐一条灵寿杖。但没过多久，吐谷浑进犯，年过六十的李靖主动要求出战，平定了吐谷浑，被封为卫国公，后人因此又称他为李卫公。李靖七十九岁去世，死后陪葬昭陵。他写有《六军镜》等多部兵书。

第七回 宇文公子戏民女

叔宝见了李靖后，回到住处，又和诸位好友，各带随身暗器，领着柴绍的两员家将进城看灯。众人来到司马门，这里是宇文述的兵部尚书衙门，现在被扎彩匠打扮成了灯楼。宇文述有四个儿子，分别叫化及、士及、智及、惠及。惠及不好好儿读书，一天到晚和一群随从到处喝酒游荡。他把父亲的射圃当成了球场。

灯节这天，把月台上用五彩花缎搭了帐篷，正面一座五彩球门，写着"官球台"。公子左右坐着两个美人，是长安城平康巷请来的，绰号金凤舞、彩霞飞。叔宝等人正来到这里赏灯，只见中间挂着一盏麒麟灯，下面有各种兽灯围绕：獬豸灯，张牙舞爪。狮子灯，睁眼团毛。青熊灯，长相奇怪。猛虎灯，虚张声势。锦豹灯，活像咆哮。老鼠灯，偷瓜抱蔓。山猴灯，上树摘桃。骆驼灯，不堪载辇。麋鹿灯，衔花朵朵。狡兔灯，带草飘飘。走马灯，跃力驰骋。斗羊灯，随势低高。

众人看了麒麟灯，又奔杨素越公府中而来。那灯楼挂的是一盏凤凰灯，牌匾上四个金字：天朝仪凤。凤凰灯下，有各色鸟灯悬挂：仙鹤灯，身栖松柏。锦鸡灯，毛映云霞。黄鸭灯，欲鸣翠柳。孔雀灯，回看丹花。野鸭灯，口衔荇藻。鹭鸶灯，窥鱼有势。鹦鹉灯，骂杀

◎ [平康]

也叫平康里、平康巷。在唐代长安的丹凤街，是妓女聚居的地方，其中最出名的地段叫"北里"。当时，很多文人都喜欢在那里喝酒欢乐。后来，用"平康"代指妓女的住处。

◎ [獬豸]

传说中的神异动物。它能够分辨是非曲直；如果看见有人争斗，就会用头上的角去撞不正直的那一方。古代法官戴的帽子就叫"獬豸冠"。

◎ [鹣鹣]

一种传说中的鸟，也就是比翼鸟。据说这种鸟只有一只眼睛、一个翅膀，飞行时必须两只一起。后来常用鹣鹣来比喻夫妇。白居易在《长恨歌》中写道："在天愿作比翼鸟，在地愿为连理枝。"

俗鸟。喜鹊灯，占尽鸣鸦。鹣鹣灯，温柔缠绵。鸳鸯灯，欢喜冤家。左右有两个古人，分别是西王母乘青鸾、南极寿星跨白鹤。

众朋友看了凤凰灯，已是初鼓了，直奔东长安门而来，穿过皇城，来到五凤楼前，设了一座御灯楼。两个大太监，都坐在银花交椅上，左手是司礼监裴寂，右手是内检点宗庆，带五百禁军，都穿着团花锦袄，每人执齐眉红棍，把守着御灯楼。这座灯楼却不是用纸绢颜料扎成的，摆设的都是海外异香，宫中宝玩。上面悬一面牌匾，用珠宝穿成四个字："光照天下。"还有一对联句："三千世界笙歌里，十二都城锦绣中。"王伯当、柴绍、齐国远、李如珪一班人看了御灯楼，东奔西走，时聚时散，或在茶坊，或在酒肆，或在戏馆，哪里思量回住处？叔宝屡次催他们出城，只是不听。

这长安城中有位姓王的寡妇，这天晚上，也带着女儿出来看灯。她的女儿小名婉儿，十八岁，长得腰似三春杨柳，脸如二月桃花，十分娇嫩美丽。宇文公子的手下看见了这样的美女，赶紧去报告。宇文公子听了，急忙追上，百般调戏婉儿。众家人把她掳到了府里。可怜王寡妇哭天喊地，苦苦哀求。

叔宝一班豪杰正巧来到这里，见有几百人围绕喧哗，一个老妇人，白发蓬松，匍匐在地，放声大哭。叔宝等人问清原因后，一个个都气得双眼爆火，叫王寡妇先回家去，他们替她去找女儿。

叔宝又问两边的人："那公子抢他的女儿，果有此事吗？"众人道："不是今天才抢，十二日就抢起。长安的世俗，元宵赏灯，百姓人家的妇女，都出来走桥踏月，院中看灯，公子拣长得好看的就抢了回去。次日或叫父母丈夫进府去，赏些银钱就罢了。有那不会说话的，冲撞了公子，打死了丢在夹墙里，也没人敢与他索命。十三、十四两日，又抢了几个，今晚轮着这个老妇人的女儿。"众人又说："宇文公子有一所房子，养了许多亡命之徒，都是些不怕死的人。这么冷的天，都不穿衣服，每人拿一条齐眉短棍，有一二百个在前边开路，后边是会武艺的家将，真枪真刀。"叔宝道："多谢诸位了。"于是，在那西长安门外御道上，寻找宇文公子。

三更时候，月亮又大又圆，照得街市像白天一样。众人正在找寻间，只见宇文公子到了，果然周围短棍有几百条，和狼牙一样。公子穿了礼服，坐在马上，后边簇拥着一大群家丁。自古道：不是冤家不聚头。众人躲在街旁，正要寻他的事，刚刚才到他面前，就听到有人来报告："夏国公窦爷府中家将，有社火前来。"公子问："什么故事？"答道："是虎牢关三英战吕布。"舞罢，公子道好，众人前去讨赏。公子才打发这伙人去，叔宝高叫道："还有社火哩！"五个豪杰，隔着人头蹿进来道："我们是五马破曹。"公子是个识货的人，暗暗疑心这班人却不是跳社火的。秦叔宝是两根金装锏，王伯当是两口宝剑，柴绍是一口宝剑，齐国远是两柄金锤，李如珪是一条平磨竹节钢鞭。那鞭锏相撞，叮当噼啪之声，如火星爆裂，众人只管舞动。街道虽然很宽阔，众豪杰却展不开手脚，手里拿的兵器又沉重，舞到人面上，寒气逼人，两边人家门口，都站不住了，挤到两头去。

齐国远心中暗暗想道："此时打死他不难，难的是围观的人挡住了去路，不能脱身。除非这灯棚上放起火来，大家忙着要救火，就顾不上阻拦我们弟兄了。"这么一盘算，于是他便往屋上一蹿。公子只道有这五个人正舞着，一个要从上边舞下来，却不知道他放火。秦叔宝见灯棚上火起，料想阻止不了这件事了，就用身法来一个虎跳，跳到了马前，举起金装锏，照着公子头上就打。

那公子坐在马上，仰着身躯，毫无防备的；况且叔宝金装锏足足有六十四斤重，打在头上，连马都打矮了，果然轻易地就把宇文公子撞了下来。公子手下众将看了大叫："不好了，打死公子了！"各举枪刀棒棍，如雨点般向叔宝打来。叔宝抢着金装锏，招架众人；齐国远从灯棚上跳下来，也挥动金锤。这些豪杰，一个个心头火起，

◎ [社火]

西北地区古老的民间艺术形式，，也叫"射虎"，指在节日或祭祀时表演各种杂戏、杂耍，如踩高跷、划旱船等。社，本来指土地神，后来成为一种组织单位，方圆六里为一社，以社为单位组织各种活动。比较有名的有陕西社火、山西社火等。

口角雷鸣。猛兽身躯，直冲横撞。打得前奔后拥，杀得东倒西歪。正是威势踏翻白玉殿，喊声震动紫禁城。

这些豪杰，在人群中打开一条血路，向大街奔明德门而来。这时已是三更以后。城门外却有二十二人，黄昏时候吃过晚饭，上过马料，备好了鞍辔，待在那宽阔街道口，等候主人。他们也分作两班，一班人看了马匹，一班人进城门口街道上，换这看马的进去。到三更时候，换了几次，才进城看灯。只见大群的百姓们披头散发，光着脚，露出身体，满面汗流，身带重伤，口中叫喊快走。那看灯的几个喽啰，听见这话，慌慌张张地奔出城来道："诸位，可能是我们老爷，在城里惹出祸来，打死了叫什么宇文公子的。你们叫几个人看马，再叫几个有力气的，和我一起去把城门拦住，不要叫守门官把门关了；如果关了，我们主人就出不了城了。"众人道："说得有理。"于是，十几个大汉来到城门口，几个故意要进城，几个又故意要出城，互相拉扯，就打起来，把这些看门的军人，都推倒了。此时巡街的金吾将军与京兆府尹，听说打死了宇文公子，怕犯人逃走，飞马传令来关门。这如何关得住？众豪杰恰好打到城门口，见城门没关，都有生路了，便夺门而去。喽啰们见主人来了，也一哄而出。

七人骑马，带了一千人，齐奔潼关道，来到永福寺前。柴绍要叔宝留下，等候唐公回信。叔宝道："恐怕有所不便。"还嘱咐寺中，把报德祠赶快毁了，那两根泥铜不要让别人看见。然后叔宝举手告别，马走如飞。快到少华山，叔宝在马上对伯当说："明年九月二十三日，是家母的六十整寿，贤弟可来光顾光顾？"伯当和李如珪、齐国远都说："小弟们自然都来。"叔宝也不肯进那山，两下分手，自己回齐州。

正所谓贼去关门。那街坊就如同尸山血海一般，百姓们的房屋，被烧毁得数也数不清。此时宇文述府中，因为天子赐灯，在大

堂大摆宴席。蜡烛高烧，阶下奏乐，一门权贵，享天子洪恩。饮酒之间，府门外如潮水一般，涓涓不断，许多人拥了进来，口称："祸事！"宇文述连忙离开宴席走下来，摇着手叫众人不要乱叫。有几个本府家将进来禀道："小爷在西长安门外看灯，遇响马以舞社火为由，打死了小爷。"宇文述平时最溺爱这个宝贝儿子，这会儿听说他好端端地就死了，气得肚子都快炸了，喊道："我的儿子和强盗们有什么冤仇，为什么被他们打死？"这些家将，不敢说是公子强抢民女，干了坏事，撒谎说："小爷因酒后与王氏女子玩耍，那女子的母亲向强盗们哭诉，强盗们就乘机行凶，伤了小爷的性命。"宇文述问："那老妇与女子在哪里？"答道："老妇不知去向，女子现在在府中。"宇文述大怒道："快把这个贱人给我拖出仪门，一顿乱棒打死！"

他又命令家将每人带刀斧，去查看那王寡妇家，还有几口家属，都统统杀死；将居住的房屋，也都拆毁，放火焚烧。众人得到命令，便把王婉儿拖出来打死了，丢到夹墙里去；王寡妇的所有家人，都被杀尽。

◎ [丹青]

　　丹指丹砂，青指青䨥，是两种可以用作颜料的矿物，中国古代绘画中经常使用。于是，常用"丹青"指绘画艺术。另外，由于这两种颜色很牢固、不容易消失，也用这个词来比喻坚贞不渝。

虽然吩咐了这些，那宇文述仍然不能解气。他又叫本府中擅长丹青的过来，问在街市上拒敌的家将，把打死公子的强盗面貌打扮，一一报来，要画成图形，派人捉拿。众人先报道："这人有一丈身躯，二十多年纪，青素衣服，舞着双铜。"一说到双铜，旁边有一人突然想起了往事。这人是宇文述的家丁，东宫护卫头目，忙跪下道："老爷，如果说这人的兵器是双铜，这就好追查了。仁寿元年，小的奉您的命令，在植树岗追杀那李渊时，正巧碰上这人。当时也吃了他亏，不能杀掉李渊。"宇文述道："这么说是李渊知道我当年要害他，因此派人来报仇了。"

此时，宇文述的三个儿子都在面前，化及忙道："这不用说，明日禀告皇帝向李渊讨命。"智及也骂李渊，要报杀弟之仇。只有宇文士及，他平日懂点道理，说："也不是这样。天下人长得像的很多，会舞铜的也多。如果李渊要报仇，怎么会等到今天？况且强盗没逮到，也没证据，再说真是因为植树岗的事而来，这能公开对别人说吗？现在也只能慢慢地查找吧！"宇文述听了，也就不去捉唐公家丁。到了第二天，也只说是不知道姓名的人，把他儿子打死了，烧毁民房，杀伤人口，赶快进行逮捕。

 人物点击

宇文化及

　　隋末叛军首领。大臣宇文述的儿子。他性格凶狠阴险，不遵守法律，喜欢带着弹子在大路上骑马飞奔。长安人都叫他"轻薄公子"。隋文帝时，他担任太子仆，多次因为接受别人贿赂被免官，幸亏太子庇护他，才能官复原职。隋炀帝即位后，他任太仆少卿，仗着自己的弟弟士及娶了南阳公主，十分骄横猖狂。他跟随炀帝到榆林，违反禁令与突厥做生意，和弟弟智及被贬为奴。宇文述死后，炀帝又任命化及为右屯卫将军，一起到江都巡游。当时天下大乱，到处起义，宇文化及和禁军统领司马德戡在江都发动兵变，勒死了炀帝，立秦王杨浩为皇帝。宇文化及自称丞相，率领军队北上，在童山被李密打败，向北逃到魏县，毒死了杨浩，自己当上皇帝，国号"许"。他有一句名言："人本来就要死的。如果不当一天皇帝，实在太可惜了！"他称帝的第二年，就在聊城被窦建德捉住杀死。

太子杨广自从独孤皇后死后，本性渐渐显露。他的父亲隋文帝也将朝政交给他管理，自己专心享乐；无奈文帝年纪大了，病情逐渐严重。到了七月，文帝在仁寿宫养病，尚书左仆射杨素、礼部尚书柳述、黄门侍郎元岩三个人也住在这里侍奉。杨广则住在大宝寝宫中，经常入宫问安。

一天清晨，杨广入宫，恰好宣华夫人也在那里调药给文帝吃。宣华夫人袅娜娇美，杨广一见，立刻魂飞魄散。过了几天，他又入宫，正巧碰见宣华夫人一个人出宫换衣服，杨广大喜，心想机会来了！他悄悄跟着夫人来到僻静处，极力调戏。

正在这时，皇帝派人找夫人，夫人衣服已被扯破，神情惊慌地走了，杨广也只得出宫。隋文帝看见宣华夫人举止奇怪、满脸红晕、头发蓬松，便质问她。夫人只得跪下说道："太子无礼。"文帝听后，不觉怒气填胸，在御榻上敲了两下道："畜生何足托付大事？独孤误我！独孤误我！快叫柳述和元岩来。"

杨广此时正在宫门窃听，一听文帝的话，知道大事不好，忙找来张衡、宇文述等人商议。这时，杨素听到消息，也赶来了，说皇帝要召见被废掉的前任太子。众人商量好了一条毒计，便分头去办。

宇文述带人把柳述和元岩绑了起来；张衡带着二十几个太监来到文帝的宫殿，让在旁边侍候的人都出去，也请宣华、容华二位夫人回避。不到一个时辰，那张衡走出来道："皇上已经去世了，你们还不赶快报告太子！"又吩咐不许哭泣。

宣华夫人心中暗想："这分明是太子怕圣上害他，所以先下手为强；他忍心害父，难道不忍心害我？与其遭他毒手，倒不如先自杀。圣上为我亡，我为圣上死，却也应该。"只是难以下决心。这真是：轻盈不让赵飞燕，侠烈还输虞姬。

这边杨广正像热锅上的蚂蚁，只见张衡前来报告大事已经成功，并说宣华夫人可能要自杀。杨广一听着急了，忙叫人取出一个黄金小盒，悄悄拿了一件东西，放在里面，外面用纸条紧紧封了；派一个内侍，赐给宣华夫人，叫她亲手开启。

夫人正在痛哭中，只见一个内侍说了杨广的意思，夫人心里疑惧，不敢开封，就问内侍："莫非是鸩毒？"内侍说不知道，夫人认定是毒药，放声大哭道："妾自国亡被掳，已准备老死掖庭。蒙先帝宠幸，谁知红颜命薄；倒不如沦落长门，还可保全性命。"一边说，一边哭。宫女们也一起哭起来。内侍见大家哭成一团，忙催促夫人开盒。夫人被催不过，只得长叹一声道："怎么会想到今日死于非命！"于是将封条扯去，把金盒盖轻轻揭开。仔细一看，哪里是毒药，却是几个五彩缎带制成的同心结。宫女们看见，欢笑起来，恭喜夫人。

夫人知道太子不能忘情，转而又闷闷不乐，也不来取结子，也不谢恩，竟回转身，坐于床上，沉吟不语。内侍又催促。夫人只是低头不做声，宫女们劝道："娘娘之前一时任性，惹怒了皇爷。今日皇爷不但不生气，还赐娘娘同心结，已是万分幸运，为何还这样？万一又惹怒了皇爷，娘娘只怕又要像刚才那样哭了。何不快快谢恩？"左右催促得夫人无可奈何，只得叹一口气，勉强起

◎ [赵飞燕]

汉成帝的皇后。她本来的名字叫宜主，因为身体轻盈，擅长舞蹈，被称为"飞燕"。汉成帝在阳阿公主府见到赵飞燕后，非常喜欢，把她带入皇宫，封为婕妤，后来又废掉了许皇后，立赵飞燕为皇后。飞燕的妹妹赵合德也进宫当了成帝的妃子。姐妹二人害死了不少皇子。后来，飞燕成为皇太后，最后被迫自杀。

◎ [虞姬]

秦末女子。西楚霸王项羽的姬妾，经常伴随项羽四处打仗。后来，项羽被刘邦军队围困在垓下，哀叹快要失败了，说虞姬啊虞姬，我该拿你怎么办呢？虞姬也唱了一首歌给项羽，然后就自杀了。

◎ [掖庭]

也叫"掖廷"、"液廷"。皇宫中旁边的房子，是妃嫔、宫女居住的地方。汉武帝时，改称"掖廷"，由掖廷令进行管理。一般用掖庭指皇帝的后宫。

◎ [同心结]

用锦带打成的连环回纹样式的结子，含有永结同心的意思，用做男女相爱的象征。在婚礼上，同心结不可缺少。新娘被迎娶到男方家时，两家各出一根彩缎打成的同心结，新郎新娘各拿一头，牵着行走，拜祖先，夫妻对拜。然后，新郎新娘各剪下一缕头发，结成同心样式的髻，和新娘的花一起，抛在新房的床下。喝交杯酒时，也要把同心结拴在两个酒杯上。

◎ [方胜]

形状像由两个菱形部分重叠相连而成的一种首饰。后借指这种形状。方胜，则谓结成方形者。许地山《换巢鸾凤》："走路时，珠鞋一步一步印在软泥嫩苔之上，印得一路都是方胜了。"

身来把同心结取出，放在桌上，对着金盒儿拜了几拜，依旧到床上去坐了。内侍便回去复命。当天晚上，杨广就住在了夫人的宫中。

过了一段时间，太子杨广正式举行仪式，成为新皇帝，这就是隋炀帝。他走上御座时，也不知是喜极，也不知是慌极，或者是有愧于心、有所不安，差点摔了一跤。众宫人连忙上前，要扶他上去。谁知他的脚才上去，不知为何，又要跌下来。杨素在殿前，看见这场面不大雅观，只得自己走上去。他虽然年纪大了，毕竟是武将出身，有些力量，只一双手，便轻轻地把太子推上了御座；然后走下殿来，率领百官，山呼朝拜。炀帝下圣旨诏告天下：改明年为大业元年，给文武百官加官进爵。犒赏边疆的将士。杨素、宇文述、张衡等功臣都一一升官赏赐，又追封被废掉的太子杨勇为房陵王，以掩饰自己迫害他的往事。

炀帝当上皇帝后，天天和宣华夫人寻欢作乐，萧皇后得知后，特别愤怒，和炀帝大吵了一架。这些话传到宣华夫人耳中，夫人听了，又悲伤地偷偷哭泣。这时，炀帝来了，看见她低着头，满脸泪痕，便安慰说那是皇后的意思。宣华夫人求炀帝将自己罚入冷宫。

炀帝叹息道："情之所钟，生死不易。朕和夫人，虽欢乐不久，恩情如同海深。我怎么忍心轻易地抛弃你？难道夫人心肠倒硬，忍心把朕抛弃？"宣华抱住了炀帝，悲泣道："万一皇后一怒，妾必死无疑！也坏了陛下的名声。"炀帝只好吩咐把外边仙都宫院打扫干净，让宣华夫人搬出去。

炀帝自宣华去后，整天叹气，思念夫人。萧后见这样，便说自己并不是妒忌，让炀帝接她回来。炀帝大喜，立刻派人去接宣华夫人。夫人却不愿再回去。她在信笺上写了一首《长相思》词，叠成方胜，让人转交给炀帝。炀帝看了，也笑着和了一首词，也叠成一个方胜，仍叫那人再去。宣华见了这词，见炀帝情意深厚，不便再推辞，只得回宫。炀帝见了，喜得眉开眼笑，浑身舒服。

从此，二人比以前更觉亲热。然而不到半年，宣华夫人竟病死了。炀帝非常伤心，成天打不起精神。萧皇后便建议炀帝在后宫进行选美。可是选来选去，都没看见什么出色的美人，更别说和宣华夫人相比的了。萧后让炀帝不要烦恼，说自己去后宫一定能为他选出一位中意的女子；如果找不到，情愿让炀帝罚她三大杯酒，说完便上了宝车，出宫去了。

谁知萧皇后来到长乐宫，重新化妆打扮，又换了一套艳丽的宫女衣服。此时炀帝已喝得半醉，只见一个内侍，进来禀道："娘娘选中一位女子，让奴婢先送进宫。娘娘又到别宫去了。"这时萧后婀娜多姿地走进来，炀帝举目往下一看，果然一位女子一步步走进殿来，妩媚文雅，说不出的韵味，俯伏在地。炀帝狂喜道："果然后宫还有这样女子！"连说了三次平身，那女子还俯伏不起。炀帝此时心神荡漾，竟然走下御座，用手去搀。那女子被搀起来，低头而立。炀帝仔细一看，不觉哈哈大笑道："原来是皇后，真是心思聪慧！"二人挽了手，一起来到御座。萧皇后又建议派人到天下各处去选美女，炀帝担心大臣们反对，萧皇后让炀帝找杨素来商量，看看他的意思。

第二天，炀帝忙派人叫来杨素，赐座。杨素也不谦让，只是一拜就坐。君臣二人池边看鱼。炀帝道："朕与贤卿同钓，先得者为胜，迟得者罚一大杯如何？"杨素道："最妙。"不多时，炀帝已钓上两条鱼，而杨素扯了两次，却都是空钩。众人看了，掩口而笑。杨素看见，微微露出怒色，便说："燕雀安知鸿鹄之志。等我钓一条金色鲤鱼，怎么样？"

炀帝见杨素说这种大话，全无君臣之礼，心中很不高兴，把竿儿放下，起身进后宫，满脸怒气。萧后问原因，炀帝道："杨素这老家伙，骄傲无礼，在朕面前，十分放肆。朕想叫人杀了他，才能消我胸中之恨。"萧后急忙劝阻，炀帝便换了衣服，仍旧回到太液池。

◎ [平身]

古代称行完跪拜礼后起立站直。

◎ [鸿鹄]

古代对天鹅的叫法。又叫鹄、鸿、鹤、白鸿鹤、黄鹤、黄鹄。鸿鹄飞得很高，因此常用来比喻志向远大的人。秦朝末年的陈胜曾经说：燕雀怎么知道鸿鹄的志向呢？

◎ [太液池]

古代池名。有三处，一处是汉代修建的，在建章宫北，池中有高台，上面有山、神仙等。一处是唐代的太液池，在大明宫北，分为东西两部分。还有一处是元、明、清的太液池，也就是今天北京故宫西华门的北海、中海、南海。

这时，杨素坐在垂柳之下，风神俊秀，相貌魁梧，几缕白须，随着微风飘起，很有帝王气象。炀帝看了，十分妒忌，勉强笑问道："贤卿钓上了几个？"杨素道："化龙之鱼，能有几个？"还没说完，便钓起了一尾金色鲤鱼。杨素把竿儿丢下笑道："有志者事竟成，陛下认为老臣怎么样？"炀帝亦笑道："有臣如此，朕复何忧？"便叫人摆上宴席，君臣入座。

杨素喝了不少酒，这时有人送酒到他面前，杨素用手一推，那人不曾防备，金杯泼翻，溅了杨素满身是酒。杨素勃然大怒："这些蠢才，竟敢在天子面前，戏弄大臣！要朝廷的法度何用？"高声叫道："拉下去打！"炀帝正要发作，见杨素这样，不好拦阻，反而默默不语。众人见炀帝不语，只得将那泼酒的宫人，拉下去打了二十棍子。杨素才转身对炀帝说道："这些宦官宫女，最是可恶。古代帝王常常被他们坏事。今天不是老臣粗鲁，要惩治他们一下，以后他们才会小心谨慎、不敢放肆。"炀帝此时忍了一肚子气，那选美女之事，也不便去挑动他，假作笑容道："贤卿真是功臣。"杨素喝到大醉，炀帝叫两个太监，将他扶出。

杨素才出苑门，忽然一阵阴风，扑面刮来。抬头只见宣华夫人，对着杨素喊道："当初晋王谋夺太子之位时，有你没有我，有我总有你。"杨素此时竟忘了宣华是已死的人，便道："夫人何必再提往事？"还没说完，只见文帝头戴龙冠，手执金钺斧，拦住骂道："你这杀君主的老贼，还敢狡辩！"照头砍来，杨素躲避不及，跌倒在地，口鼻中鲜血直流。

◎[金钺斧]

古代仪仗用的大斧。

众人赶忙报告炀帝。炀帝大喜，命卫士扶杨素回家。不到半夜，杨素便死了。炀帝听到这消息，大喜道："老贼已死，朕再也不怕了！"马上叫许庭辅等十个太监："你们去各地，精选十五至二十岁的美女。不得耽误！"

一晚，炀帝又和萧皇后商议，道："朕想古代帝王都有离宫别馆，作为行乐之地。朕如今如此富强，如果不及时行乐，真是空留遗憾。洛阳是天下的中心，不如改为东京，造一所显仁宫，逍遥游乐？"他立刻召来两个专门会讨好的臣子：宇文恺、封德彝，当面要他二人主管这件事。宇文恺道："陛下建造显仁宫，是和舜帝一样的圣明举动，真是古往今来的一件宏伟盛事啊！我们做臣子的怎敢不效力？"封德彝又奏道："天子造殿，不广大不足以壮观，不富丽不足以显示德行；必须规模宏大，并且选天下的奇石和各种珍稀花草、贵重动物充实其中，才能被天下所有的国家崇拜和瞻仰。"炀帝大喜道："你们二位非常用心，朕肯定会重重赏赐的。"于是，炀帝传旨命令宇文恺、封德彝在洛阳建造显仁宫。大江以南，五岭以北，各种材料，都听凭他们选用。建造的各种费用，除江都东都，现在有劳役的地方外，每省府、每州县出银三千两。二人领旨出去，随即起程前往洛阳，分头做事。这下子，真是弄得四方骚动，百姓遭殃。

 人物点击

宣华夫人

　　陈国公主，隋文帝的妃子。她本来是陈宣帝的女儿、陈后主的妹妹。从小就聪慧过人、美貌举世无双。陈朝灭亡后，她来到长安，被送到隋朝后宫。那时，独孤皇后专宠，掌握大权。皇后是个嫉妒心很强的女人，因此隋文帝根本不敢亲近后宫其他的女子。晋王杨广为了夺取太子的位置，就想办法讨好陈氏，经常送给她很多贵重的礼物，像金蛇、金骆驼等等。于是，在废立皇太子的问题上，陈氏给了杨广很多帮助。后来，独孤皇后病逝，陈氏被封为贵人，独占皇帝的宠爱，掌管后宫大事，没人能比得上她。隋文帝病情越来越沉重，就封她为宣华夫人。当时，她和已经是太子的杨广一起在仁寿宫服侍病重的文帝。她外出换衣服的时候，杨广乘机调戏，被文帝知道了，想废掉太子。结果杨广先发制人，登上了皇位。宣华夫人以为必死无疑，谁知杨广派人送给她几个同心结表示恩爱。后来，宣华夫人虽然深受杨广宠爱，却一直心情抑郁，二十九岁就去世了。

山东兖州东阿县武南庄有一个豪杰，姓尤名通，字俊达，在绿林中行走多年，家里非常富有，山东六府都称他尤员外。他听说青州有三千两银子运往京城，兖州是必经之地，就打算截下来，但又怕护送的官兵看守太严，便叫手下再找几个能干的帮手。手下便推荐了刚刚充军回来的程咬金。

事有凑巧，一天，尤通路过郊外，走进酒家，刚坐下，只见一个大汉，衣衫破烂、驮着柴，走进店来。他长得双眉倒竖，两眼发亮。疙瘩脸横生怪肉，遢遇嘴露出獠牙。腮边生有弯曲的淡红胡须，耳后蓬松的长发。魁梧身材、气质粗豪，好像生铁打成的人。

尤通便上前搭话，那人说自己叫程咬金。尤员外一听，好像拾了活宝一般，便邀请咬金去家里详谈。到了尤府，尤通说想和咬金做伴，一起上路做生意，并马上和咬金结拜为兄弟，还给了他一锭银子送给母亲。不料银子被咬金揣在破袖子里掉了。回家后，母亲责怪，咬金只好驮了母亲来到尤家。尤通对程母说明了原因，程母是个明白事理的人，她客气了几句，表示感激。尤通与咬金重新喝酒，乘机把想打劫皇银的事告知。咬金笑道："不劳兄长费心，只须小弟一马当先，这银子就滚进来了。"又说："小弟会用斧，却也没有

◎ [绿林]

西汉末年，王匡、王凤等召集众人起义。他们占据了绿林山（在今天湖北当阳东北），号称"绿林军"。后来就把聚集在山林反抗封建统治的武装力量称为"绿林"，那些人称为"绿林好汉"。有时，也用来指强盗土匪。

人传授，将劈柴的板斧，装了长柄，自家舞得十分顺手。"尤通叫人取来一柄斧，却是浑铁打成的，两边铸了八卦，名叫八卦宣花斧。又取一副青铜盔甲，绿罗袍，一匹青骢马。尤通自己也穿戴好盔甲，二人乘兴比试了一回。

到了二十四日，咬金带人埋伏在长叶林，将押运银子的官军卢方等人打得弃银而逃。尤通忙率人把皇银都搬回武南庄去，杀猪羊还愿摆酒，等咬金回来贺喜。咬金此时追着押解官薛亮十数里之远，薛亮叫道："响马，如今银子已都丢在长叶林！"薛亮又骂两声，"响马，我回去禀了刺史，差人来捉你，你别逃！"咬金怒喊道："我不是无名的好汉，我叫程咬金，我的朋友叫尤俊达。正是我二人取了这三千两银子。"咬金在回去的路上马上懊悔刚才不该说名字，就决定不把这事告诉尤通。

解银官薛亮，向刺史斛斯平禀告当堂，说抢劫的人自称靖山大王陈达、牛金。斛刺史大怒，一面写文书禀报宇文恺，一面发公文去齐州，要缉拿陈达、牛金。过了数日，齐州刘刺史看了公文，便急躁起来，叫来捕盗都头樊虎、副都头唐万仞，责问为何几个月了还没强盗的消息，把樊虎、唐万仞各打了十五板，限期三月后汇报。转眼就到了期限，樊虎和唐万仞商量着请叔宝来帮忙，或许能抓到强盗。众人把这个主意告诉了刘刺史。刺史忙去拜见来总管，果然要了叔宝来。叔宝同众朋友齐心协力捉拿，此事却踪迹全无。

时值九月，单雄信在家中正忙着秋收，王伯当、李密二人前来造访。伯当把叔宝打死宇文公子的事说了；又说九月二十三日，是叔宝母亲的六十岁生日，邀请雄信等朋友一起前往贺寿。李密说不如乘机多找一些朋友同去。雄信就取了两支自己的令箭叫手下出发。朋友们看到此箭，如同见面，会快速前来。

十四日，北路的朋友就到了三位：张公谨、史大奈、白显道。雄信又叫手下请来了童环、金甲。大家一共八人，部下随从不下几

◎ [令箭]
　　以前军队中用来传递命令的小旗子。因为旗子的杆头像箭头一样，用铁制成，所以称为令箭。在清朝，大将军、将军、总督、巡抚等都用三角旗；驻防将军、都统、副都统等用方旗。

十人，行李礼物、随身兵器均用小车推着，奔山东一路而来。

　　众豪杰正走着，有人来报说前面有强盗拦路。童环、金甲两个立刻纵马前去。伯当不放心，也追过去。果然金、童败了下来。却是柴绍来贺叔宝，不小心撞了尤通、程咬金拦路要截他。恰好童、金赶来，便拔刀相助。伯当高叫："朋友慢来，我和你都是道中。"咬金不懂，举斧就砍，道："我又不是吃素的，怎么道中？"伯当

暗笑："好个粗人，我和你都是绿林中朋友。"咬金道："就是七林中，也要留下买路钱来。"斧子如疾风暴雨，砍剁下来。伯当的枪法厉害，咬金连人带马都招架不住，拍马逃跑，叫道："尤员外救我！"伯当忙说："柴郡马、尤员外，你两人不要战，都是一家人，往齐州去的。"这时，单雄信一行也过来了。大家收手，互报姓名，欢喜相认，共十一人同进济州。

众人来到离齐州四十里地的义桑村，找店住下。忽然又有两人来到店里，正是尉迟兄弟，在楼下喝酒吃饭。楼上的那十一个豪杰，也在饮酒作乐。程咬金喝醉了，把酒杯往桌上狠狠地一放，大叫一声："好快活！"手放杯落，杯子粉碎，还不打紧，脚下一蹬，把楼板蹬折了一块。山东人家的楼板都是杨柳木锯的薄板，一下子折了，掉下灰尘，把尉迟兄弟酒席都打坏了。

尉迟北朝着楼上就骂："上面是什么畜生，把蹄子乱捣！"咬金跳下来，二人力大无穷，挥舞拳头乱打。还亏那草楼盖得结实，不然一会儿就倒了。尉迟南不好动手，就叫酒保："这个地方是什么衙门管的？"说的是幽州方言。楼上的张公谨，是幽州朋友，便下去看是谁，竟是尉迟兄弟。众位豪杰忙收手，十三个好汉重新聚在一起喝酒聊天。

大家到了清晨起身进齐州，到城中还有二十里路的时候，贾润甫派人来接他们。雄信让贾润甫请叔宝到府中相会，贾润甫不便说明，就先含糊答应下来。叔宝虽然武艺高强，但捉拿盗贼却不是好手，一直就没什么进展。到了最后期限这天，叔宝同五十三人进府。刘刺史问秦琼响马可有踪迹，回答没有踪迹。刘刺史便红涨了脸道："哪里有几个月中，抓不到两个响马的道理！分明是你们与他瓜分了，在这里故意拖延，害我老爷。"不由分说，命人就打，五十四家亲戚朋友邻舍，都到府前来看，大门里外，都塞满了。他这顿打，却不是打一个就放一个出来，他直等打完了，

◎ [幽州]

古九州之一。今河北北部及辽宁一带。

才一起放出五十四人。每人三十板，直到太阳落山才打完，开门出来，外边亲友，哭哭啼啼地迎接。那里面搀的扶的、驮的背的，都出来了。

出了大门，各人相邀，也有往店中去的，也有归家饮酒暖痛的。只有叔宝他比别人不同，经得起打，把腿伸一伸，竹片震裂，行刑的虎口都裂开了。叔宝不肯难为这些人，反而把气平下来，让他打。皮虽然破了，却不能动他的筋骨。

◎ [虎口]

手的拇指和食指之间的连接部分。

叔宝出了刺史府，自己收拾杖疮，被一名老人邀请到自家酒店饮酒。正说着，樊虎进来了，低声说贾润甫家中来了十五骑大马，有可疑之人，只怕陈达、牛金就在。叔宝大喜，连忙和樊虎来到贾家，先矮着身体，混在人丛中，不停窥探。只见都是些熊腰虎背的好汉，却又看不太清长相。直到点了灯，望见一个人很像单雄信。此刻，听到主人叫："单员外请坐吧。"碰巧王伯当又向外与人说话，又被叔宝看见了。叔宝转身往外就走，骂了樊虎一顿。

有几个朋友却看见了叔宝躲躲藏藏的，贾润甫急忙出去，找到叔宝，叔宝谎称衣服破烂，羞于见人。贾润甫让人拿来两件新衣服，叔宝换了衣服，同贾润甫笑着进来。众人都欢呼起来，重新摆下八桌酒。叔宝并未认出咬金，所以态度不热情。不料咬金厉声高叫："太平郎，你今日怎么就骄傲到这等田地！"如同春雷一般，满座震惊。

叔宝也不知是哪一个叫，慌得站起身来："哪位仁兄错爱秦琼，叫我乳名？"贾润甫道："就是尤员外的好友，程知节兄，呼唤大哥乳名。"叔宝走到咬金面前，扯住衣服，定睛一看，问道："贤弟，您住在哪里？"咬金落下泪来，出席跪倒，说："小弟就是斑鸠店的程一郎。"叔宝也跪下道："原来是一郎贤弟。"

这些朋友，一个个都点头感叹。雄信见叔宝似乎有心事，便关心询问。贾润甫让仆人和手下都退去，又关上房门，才把皇银被盗、叔宝挨打的事说了。尤通赶紧在桌子下面捏咬金的腿，暗示他不要

◎ [斑鸠]

动物名称。身体淡红褐色，头部蓝灰色，尾巴尖白色。在地面觅食，吃浆果及种子。中国的主要是山斑鸠，飞行时像鸽子，常常滑翔。叫声单调低沉，警惕性非常高。斑鸠羽毛光滑，性情温驯，有很高的观赏价值。

说。咬金却叫起来："尤大哥，你不要捏我，就是捏我也要说出来。"咬金便直接说出这事正是他俩干的，是解官记错了姓名。众人听见这话，连叔宝的脸都黄了。

贾润甫将左右小门都关了，众友都围住了叔宝三人的桌子。雄信说："叔宝兄，这事可怎么办才好？"叔宝道："兄长不必惊慌，没有此事。程知节与我从小相识，他的诨名叫做程抢挣。听见贾润甫说，我有这些心事，他说这句呆话，想让我解闷开心，好陪大家喝酒。流言止于智者，诸兄都是高人，怎么会把戏言当真？"程咬金急得暴躁起来，一声如雷喊道："秦大哥，你小瞧我！这是什么事，会开玩笑？如果说谎就是畜生了！"一边口里嚷，一边用手在腰里，摸出十两一锭的银子来，放在桌上。这下子，许多豪杰，个个吓得说不出一句话。雄信想了想，觉得真是为难，出主意说就当不知道此事，让叔宝带兵围住武南庄；而程、尤二人肯定会搏斗，至于谁胜谁负，也管不得了。

叔宝听了道："兄长你知道自己是豪杰，却轻视天下再没有英雄了。"雄信道："你这是责怪我了。"叔宝道："小弟怎么敢怪兄长？不要说尤俊达、程咬金是兄长请来的。就是他弟兄两个，自己来的，咬金又与我是小时候的好友，刚才听我一说，就直接说出来小弟没捉他二人的道理。兄弟们不放心，请看这个。"叔宝取出捕批递给众人，上面只有陈达、牛金两个名字，并无他人。咬金道："就是我两人。拜寿之后，我就和兄长去官府。"雄信把捕批交还叔宝。叔宝接过来，却"豁"的一声，扯得粉碎。李密与柴绍来抢夺时，早就在灯上烧光了。

咬金叫道："秦大哥你没了批文，怎么回话？我们连累了你！"柴绍拍着手道："两位不用担心，由我柴绍一人来承担吧！"众人面前，柴绍怎敢说这大话？原来刘刺史是他父亲的门生。而且刘刺史肯定是向叔宝要赔被盗的银子的，却不知道有李渊带来酬谢叔宝

◎ [诨名]

也就是绰号。根据一个人的特点，给他（她）取的具有代表性的称号。绰号最早出现在汉代，例如杨震因为很有学问，就被起了绰号叫"关西孔子"。还有《水浒传》里的一百零八位英雄好汉，每人都有一个绰号，像："黑旋风"李逵、"及时雨"宋江、"母大虫"顾大嫂等等。

◎ [门生]

东汉时，原来指被传授学业的人。后来没有被亲自传授学业而登上门生名录的，也叫门生。甚至去依附有名望有权势人的，也叫门生。现在的门生，主要是指学习方面的师生关系。

的三千两银子。

所以，柴绍说："不瞒大家说，刘刺史是我父亲的门生，我去处理这事吧！"尤通说："只要柴大哥能劝说刺史不难为叔宝，银子我去借。"柴绍道："这银子也由我来想办法。"于是，众人仍又欢欢喜喜的，入席饮酒，分外欢畅。

 人物点击

程咬金

　　唐代著名将领，凌烟阁二十四功臣之一。济州东阿（今山东东阿）人，本名咬金，后来改名知节，字义贞。他的曾祖、祖父和父亲都曾是北齐的官员。程咬金性格豪爽，勇猛过人，擅长使用马槊。隋朝末年，他聚集百姓保护家乡，后来加入瓦岗寨的起义大军。李密让咬金和秦叔宝担任内军骠骑。内军是李密从军队中精心挑选的八千个最优秀的勇士，分为左右两队，主要任务是保护李密。李密对内军十分满意，常说这八千人比得上百万人。此后，程咬金改名为程知节。李密失败后，他归顺王世充。武德二年，他与秦叔宝投奔唐王，担任秦王府的左三统军。程咬金跟随李世民先后打败了宋金刚、窦建德、王世充。他和秦叔宝率领的玄甲骑兵是唐军的精锐部队。后来，因为参与玄武门之变有功，被封为右武卫大将军、卢国公。永徽六年，程咬金担任葱山道行军大总管，讨伐西突厥。

第十回 逃选美窦小姐出走

叔宝和大家喝完酒后回到家中，告诉母亲朋友们要来贺寿的事。叔宝又找来樊虎、唐万仞等人帮忙准备。到了日子，单雄信等朋友纷纷带着礼物上门，又唱贺寿词，又喝寿酒，热闹万分，叔宝的母亲也非常高兴。

当天，连魏徵的道友徐洪客也赶来了，他还带了一封魏徵的信给叔宝，说自己马上还要去太原拜访刘文静。叔宝便托他也带封信给文静。

到了第二天，李密、柴绍分头办事。李密去见来总管，说明情况，恳请来总管发了一张批文。这边，柴绍去见刘刺史，刺史说起自己的烦恼："正是这银子难的。小弟是赔不起的，就算要在本州各县搜刮，哪个肯拿出来？所以不得不严加命令秦琼等人捉拿。"

柴绍看这刘刺史的意思，是非要叔宝等人出这银子了，就笑一笑道："等各捕盗的赔了钱，这事就了结了吧。"刘刺史同意了，还叮嘱说："千万别听他哭穷，就少赔钱。"柴绍满口答应，起身告别。

柴绍回到贾家，说了这事，单雄信等人说这群捕盗的大多家里贫穷，哪里凑得齐那么多银子。柴绍说："都包在我身上，这原本也是秦大哥的银子。"大家不明白，柴绍解释道："叔宝在植树岗救了岳父，小弟在报德祠相会时，写信告诉岳父，等岳父派人送银子来时，叔宝已回。他是好汉子，不求报答的，肯定不会收这银子，不如用来了结这事。"程咬金笑道："太便宜了我两个。"

柴绍叫家人带了银子，同单雄信、李玄邃、王伯当四人，来到秦叔宝家中。樊虎也在。柴绍取出李渊的书信和银子，说明代为赔钱。叔宝本不答应，众人劝说，也就接受了。这时，李密又拿出来总管的批文，任命叔宝为领军校尉，三日内前往河道大总管那里。

第二天一大早，叔宝去向来总管道谢。来总管说："我一时疏忽，让你蒙受了许多凌辱。如今你暂且去，我看你也是前途远大的人。"叔宝出来后，大设宴席，请北边来的朋友。贾润甫、樊虎、唐万仞三人也感谢柴绍不尽。

叔宝又请李玄邃写三封信：一封托柴绍带给李渊；一封托尉迟南送给罗帅，有礼物给他姑妈姑夫；又有信给罗家表弟。一班朋友话旧谈心，比平时更快乐。叔宝说："遇到了李、柴二位兄长，真是因祸得福。"李密道："大丈夫的事业正是不可限量。"众人一笑而散。明日巳时，叔宝拜别了母亲、妻子，穿着红刺绣的衣服，骑上黄骠马，同五十名队长领着五百人的队伍，出了西门。

叔宝走后，柴绍在齐州完结了赔钱的事，起身去汾阳。尉迟兄弟、史大奈三人与张公谨、白显道同去幽州。童环、金甲赶回潞州，单雄信、王伯当、李玄邃三人无拘无束，游山玩水、一路游览。没多久，他们出了临淄地界，来到鲍山脚下。

这鲍山，是管鲍分金之地。三人来到一个酒店，却正巧碰见了李如珪。李如珪道："里边还有一位好朋友在内，待我请他出来。"便向门内叫道："窦大哥出来，潞州单二哥在此。"只见走出一位很有气势的大汉。李如珪道："这是贝州窦建德兄。"单雄信道："前年刘黑闼兄，曾到山庄来说到窦兄是位重义气的豪杰，今日一见，真

◎ [管鲍]

管鲍分别是战国时的管仲和鲍叔牙。管仲和鲍叔牙一起做生意，鲍叔牙出了很多的银两，而管仲出得很少。在之后的日子里，管仲经常从柜台上拿钱，让鲍叔牙的手下很生气。到了分红的时候，鲍叔牙还想一人一半。鲍叔牙的手下就说："他天天不干活，而且经常用柜上的钱。"鲍叔牙说："他家里穷，如果我直接给钱，他一定不会要。我和他做生意，就是想让他能正大光明地拿钱来用。"

◎ [三生]

也说"三世"。
佛教用语。指前生、
今生和来生，也就是
过去世、现在世和未
来世。在浙江杭州的
莲花峰，有一块三生
石，是"西湖十六遗
迹"之一。

◎ [亡命之徒]

亡命，意思是改
换姓名，逃亡在外
面。原指逃亡的人，
后来也用来指不顾性
命、不怕死，犯法做
坏事的人。

◎ [令爱]

对别人女儿的敬
称。令，美好的意
思。

◎ [钦差]

官名。明朝规
定，凡是皇帝亲自派
遣，外出办理重大事
件的官员就叫做钦
差。清代沿用。后来
也用来讽刺被派到一
个地方后，不作调查
研究就指手画脚、乱
发议论的人。

是三生有幸。"王伯当等人又把咬金和叔宝的事告诉了这两人。李
如珪赞叹道："叔宝与咬金，真是天下一对快人，大豪杰！"窦建
德则拍桌子叹道："国家这些赃狗，恨不得在我们弟兄手里杀尽！"
大家便问发生了什么事。窦建德说他的女儿线娘今年十三岁，长得
非常漂亮，又有才艺，还喜欢读兵书，剑也舞得好。谁知皇帝派人
选美女，线娘被排在了第一等。线娘找人希望挽回，不成功后，她
就卖光了家产，召集亡命之徒，竟然要和官府对抗，幸亏家人及时
阻止，又花了很多钱，才答应不选线娘了。现在她和窦建德守寡的
嫂子离开了家乡，暂时住在介休张善士家。

听完后，单雄信邀请众位朋友到他家里散心。没走多远，窦建
德遇见了老仆人窦成。窦成说因为贝州选不出出色的美女，官府又
要来抢线娘。雄信让李密、王伯当和建德一起去介休。李如珪、齐
国远也道别离去。李如珪说："我们火速赶回到山寨里去看一看，也
去介休打听窦大哥令爱的消息，或者他们三人办不成，我们两个倒
做得来。今后单二哥也知道咱们不单是杀人放火，原来有用的。"
二人在路上商议好了，连夜奔回山寨，带了两三个手下，抄近路赶
到介休来。谁知窦小姐见情况不妙，在窦成走了两日后，自己便打
扮成男子，同婶娘和兄弟，离开介休，恰好在路上撞见了父亲。建
德喜极，送小姐到二贤庄去了。

再说李如珪和齐国远，赶到介休，在城外找了个僻静处住下。
次日进城中查找，只听到大街上人们东一堆西一堆，说某家送了几
千两，某家送了几百两；可惜夏家独生女儿，把家产用光了，只凑
得五百金，还是被选入了。

听来听去，二人走了几条街巷，不耐烦了，找了个店喝酒。听
见两位老人议论钦差刚从县里出发，去永宁州了。李如珪想了一想，
便拉齐国远回去，说："窦兄没处找，现在有一桩大生意，我同你
去做。"说着，向齐国远耳边说道："你带了手下们走小路，到清虚阁，

他们肯定在那儿休息。你须如此如此。我回寨里，选几个能干的人，再取了重要东西，和你会合。"说完大家上马，分头前往。

那钦差许庭辅离开介休，先派人到永宁州去；自己乘了暖轿，十来个随从、十来名官兵，慢慢行来。突然遇到狂风暴雨，个个淋得浑身透湿。看见了清虚阁，赶紧进去躲避。清虚阁，里边三间、外边三间，一个老和尚住在后边看守。

众人正烤火，只见门外四五个车辆，载着许多饭菜和酒，饭食有猪、肥羊、鸡、鹅、火烧、馒头等类，一二十盘。一个自称永宁州驿丞贾文的人进来拜见。那驿丞捧上一大杯热酒，敬给许庭辅。许庭辅一口喝下，一跤跌倒在地。原来那驿丞就是李如珪假装的。齐国远则把蒙汗药倒在酒里，把那些官兵也放倒了。李如珪叫手下把钦差和两个小太监都绑了，带回山中。

许庭辅醒来后，只见面前一伙强盗，摆满刀枪、杀气腾腾；居中两把虎皮交椅，李如珪身穿红锦战袍坐在上面。许庭辅偷偷一看，就是昨日的驿丞，吓得魂飞魄散，只得跪下去。

李如珪在上面说道："你这狗奴才，朝廷差你选美女，虽然是君王的旨意，也该体谅民情。为什么要人家几百、几千两银子？"许庭辅道："大王，咱哪里要百姓的？这是官府那些人乘机敲诈。"李如珪喝道："放屁！我一路打听到的，还要狡辩。拉下去砍了！"许庭辅听了，哭着哀求。只见外边报道："二大王回来了。"齐国远问道："李大哥怎么这么对他？以后朝廷招安，我们还要仰仗他哩。"李如珪笑道："我是戏弄他一番。"

两个人忙下来，替他松开绳索，搀入屋中，口称"冒犯"，又吩咐手下摆酒席。许庭辅道："二位好汉，不知为什么要捉我？"李如珪道："我们兄弟两个，占据这儿打劫很多年了。眼下手下越来越多，竟没什么客商往来，山中的粮草不够。我们想向公公这儿借点银子，希望公公不要推辞。"许庭辅道："咱奉命办事，比不上客商带了金

◎ [暖轿]

一种靠人扛、供人乘坐的交通工具。因时代、地区、形制的不同而有不同的名称。如肩舆、檐子、兜子、眠轿、暖轿等。现代人所熟悉的轿子大多是明、清以来使用的暖轿，又叫帷轿。结构是木制长方形的框架，从中部固定在两根具有韧性的细圆木轿杆上。轿底用木板封闭，上面放的靠背坐厢。轿顶及左、右、后三面用帐子封好，前面挂着可以掀动的帘子，两侧有小窗。

◎ [火烧]

一种面粉做成的北方食品。外形又圆又扁像烧饼一样。火烧分为有馅的（肉火烧）和无馅的两种。山东地区的火烧一般是无馅的。有馅的最著名的是保定的驴肉火烧。

◎ [蒙汗药]

一种麻醉药。据说是用曼陀罗的花做成。蒙汗药是粉末状，放在酒里，酒色会变得浓黄。喝了蒙汗药被迷倒后，可以用甘草汁使人清醒过来。在古代小说中，强盗常利用蒙汗药来打劫人们的钱财。

银出门。就是经过的州县，官员们送些礼物，也是有限。哪有那么多银子可以孝敬你们？"

　　齐国远一听，瞪大了眼睛："公公，我实话对你说，你如果乖乖地拿一万两银子来，我们便放你回去；如果再说半个没有，你这颗脑袋，别想留在脖子上！"说完，拔出腰间明晃晃的宝刀，放在桌上。李如珪道："公公不要被这人吓呆了。你们到外边去商量一下。"

许庭辅起身，和两个小太监来到外边。一个是满眼流泪，一句话也说不出。那个大些的说道："如今哭也没用。强盗只要银子，老公公肯拿些给他，三人就太平无事回去了。有一点不如意，不要说脑袋，连这几根骨头恐怕也没人来收拾。这些人杀人不眨眼的，哪会同情我们三个？"许庭辅听了这话，又思及两人那种吓人的样子，便道："既然如此，我去求他放你到州里去报告，看这些官员怎么商议。如果他拿不出这么多，只好将我寄放在各府各县库上的银子取来吧。"

李如珪叫手下拿酒饭，给那个大些的太监吃饱了，又取出一锭银子来赏了他，对他说道："你叫什么？"那太监道："小的叫周全。"李如珪道："好，这一锭银子，赏你做盘缠的。限你五日内，拿银子来赎你家主人；若五日内不见来，这里主仆两个，别想活了。"李如珪叫手下把他在清虚阁骑来的马，骑了去。许庭辅与那小太监被锁在一间房内，好酒好肉地招待。

太监周全，骑着马跑到清虚阁边，只见阁门封锁，并无一人。只得问到州里，此时官员正在那里盘问人，只见太监周全回来，官员们都起身来盘问他。太监周全把桃花山强盗的种种行为一一告诉。众官儿听见，个个如同塑像，说不出话来。大家商议，有的说："这事必须上报，派兵捉拿强盗。"有的说："强盗只要银子。"又有一个说："假如送了五百又要一千，送了一千，又要两千，这笔银子谁出呢？不如再等待几天，强盗们看见我们不拿银子去，他要这两个人有什么用？自然就放下山。"那汾州府官说："不是这么讲的。这几个钦差太监，多是朝廷的宠臣，如果在我们地方上有些闪失，不但革职问罪，连我们的性命，也保不住了。不如且在官库中暂时挪用一笔钱，赎了钦差回来再说。"

商量好了，大家在官库中取出二千两银子，叫人扛了，同周全到山中去。齐国远、李如珪只是不肯，许庭辅只得自己又凑出三千

◎ [清虚]

清净虚无。老子曰："清虚者天之明也，无为者治之常也。"

两银子，再三哀求，才被放下山来。从此，许庭辅到了州县，更加装模作样，要人家银子，千方百计要把钱捞回来。

 人物点击

窦建德

　　隋代农民起义领袖。贝州漳南（今河北故城东北）人。世代务农为生，他曾经担任里长，为人豪迈仗义，被百姓们敬重。隋炀帝要攻打高丽，窦建德在军队中担任二百人长。因为帮助孙安祖起义，被朝廷迫害，建德率部下反隋，投靠高鸡泊的高士达，任军司马，掌握兵权，定下计谋大破涿郡隋兵。高士达战死后，建德自称将军，拥有军队十多万人。第二年，建德自称长乐王，定都乐寿。随即消灭了隋朝将领薛世雄的三万多人，声威大振，河北地区很多人都来归顺他。建德改称夏王，国号夏，进兵聊城，杀死了宇文化及，祭奠隋炀帝，又将俘获的大批隋朝皇室、官员等放回，选拔其中有才学的人。裴矩被任命为右仆射；制定朝廷礼仪、法律制度等。后来，李世民围攻王世充，他率军前往救援，兵败被俘。窦建德平时非常俭朴，每次作战获得的财物，都分给将士们；俘虏的一千多名宫女，也全部放走。他重视农业，对百姓宽厚仁爱，很受敬重。魏州百姓建了夏王庙，每年祭祀。

炀帝派许庭辅选美女；命宇文恺在洛阳建显仁宫；令麻叔谋、令狐达开通各处河道；又要去洛阳，又想游江都，弄得这些百姓东奔西跑，各官府州县，忙乱极了。不久，显仁宫建好了，炀帝十分高兴，和萧皇后，带领众宫女妃子，前往洛阳观看。只见楼台殿阁华丽宏大。又来到西苑，有五湖、十六院，风景特别秀丽。炀帝每处仔细看过后，根据景色不同，一一起名字。分别是翠光湖、迎阳湖、金光湖、活水湖、景明院、迎晖院、秋声院、晨光院、明霞院、翠华院、文安院、积珍院、影纹院、仪凤院、仁智院、清修院、宝林院、和明院、绮阴院、降阳院。还有一条长渠，起名龙鳞渠。

这时，许庭辅也将选来的一千多名美女送来了西苑，炀帝美中选美，从中再选出十六名端庄文雅的美人，封为夫人，分别掌管十六院。又选三百二十人封为美人，每院二十人，学习吹弹歌舞。其余也都一一分配。炀帝天天和这些美女享乐，好不快活。另外，外国各岛也来进贡各种珍奇。其中，有一个长相清秀的小矮子叫王义，心灵手巧，让人十分喜爱。炀帝不论去哪儿，都带着他。

一天，炀帝在后宫看见一名宫女，长相普通，举止庄重，便问她是哪里人。谁知这宫女说的话谁都听不懂。炀帝想到王义会说各

隋唐演义

◎ [鲛绡]

鲛人织的丝织品，又叫"龙纱"。中国古代书籍中记载的鲛人就是西方所说的美人鱼。鲛人哭泣的时候，眼泪会变成珍珠。鲛人织的鲛绡，像霜一样洁白，放在水中不会湿，价值一千两黄金，非常珍贵。后来也常用"鲛绡"比喻贵重的手帕。

◎ [蓬莱]

古代传说中的神山，发生过"八仙过海"的美丽传说。相传有蓬莱、方丈、瀛洲三座神山在渤海中。蓬莱后来成为仙境的代名词。

◎ [金屋藏娇]

汉武帝刘彻小时候，他的姑姑，也就是阿娇的母亲馆陶长公主问他，你想娶妻子吗？刘彻说想。长公主指着旁边的那些宫女，刘彻都说不要。长公主便问他阿娇怎么样，刘彻说如果能娶阿娇做妻子，就给她盖一座黄金的屋子。长大后刘彻果然娶了阿娇。后来，用金屋藏娇比喻男子纳妾。

地的语言，便派人把他找来。王义与她一问一答，竟像鹦鹉画眉在柳树荫中对话一样，婉转好听。萧后与众美人笑个不停。王义问完，对炀帝奏道："那女子是徽州歙县人，叫姜亭亭，十八岁。为因父母都死了，哥哥心眼坏想把她卖了换钱；正好皇上选美，她自愿入选。"炀帝听了，说："也是个有志女子。朕就把她赐给你做妻子，怎么样？"王义慌忙和亭亭磕头谢恩。炀帝又赐了些金银绸缎，萧后也赐了珍珠。此后，王义深深感激炀帝的恩情，与亭亭早晚点香遥拜，夫妇非常恩爱。王义一次回家后说有人献了一辆神奇的车给皇帝。车子四周用鲛绡织成了帐子，从里往外看十分清楚，从外往里却什么也看不见。姜亭亭笑着说这算什么，她还会做比这更奇妙的。

到了仲冬，炀帝和夫人们在苑中举行宴会。他嫌花草凋谢，没有意思。清修院秦夫人说："这有什么难的！等我今夜向天宫祈祷，明天一定百花齐放。"炀帝以为她是在开玩笑。到了第二天，炀帝和萧皇后一进苑门，就望见万紫千红，桃杏竞相开放，如锦绣一般，二人大吃一惊，问怎么回事。众夫人都笑道："不过是大家花了一夜的工夫。"说着请炀帝走近细看。原来那些花都是用五色彩缎，细细剪成，拴在枝上的。炀帝大喜道："真是巧夺天工！蓬莱阆苑，不过如此。"这时，仁智院的美人雅娘出来唱了一首歌，好听得像黄莺在歌唱。迎晖院的朱贵儿也唱了一首，炀帝也鼓掌称赞。正在高兴的时候，王义献来了一顶帐子，黑得像漆、软得像绵，一只手还捏不满，打开后却可以罩住一间大屋子。原来这是姜亭亭用自己的青丝织成的，冬天暖和、夏天凉爽。炀帝和后妃们非常惊奇，赏赐了王义夫妇，马上试用这帐子，果然很好。

后宫有一位姓侯的妃子，是位娇媚动人的美女，又聪慧过人，很有文学才华。她以为自己能像金屋藏娇那样马上受到皇帝的宠爱；不料运气不好，进宫多年，连皇帝的面也没见过，心里十分悲伤。

一天听说皇帝派许庭辅到后宫选美，有人劝侯夫人给许庭辅送礼。侯夫人说："王昭君宁愿远嫁单于，也不肯做这种事，我也羞于这样。"侯夫人越想越伤心，将写有诗歌的信笺装在袋子里，系在左臂。哭了很久，在半夜悄悄上吊死了。宫女们发现后，赶快报告萧皇后，皇后又告诉炀帝。炀帝看见侯夫人写的诗词，大惊道："宫中还有这样的才女？"没读完，就忍不住落泪说："是朕的过错也！朕这么爱才，不料后宫中却失去了一个才女，真是痛惜。"再往下看，炀帝大怒道："原来是这人干的坏事！"后妃们问："是谁？"炀帝道："朕叫许庭辅到后宫去选美，肯定是他做了手脚。"炀帝亲自来到侯夫人的住处，只见侯夫人虽然死了，却仍像一朵带着露珠的桃花。炀帝放声痛哭，反复感叹，派人隆重地准备侯夫人的葬礼，自己还亲自写了一篇非常感人的祭文，连萧皇后也感动得哭了。炀帝因为这事，特别悔恨，就让许庭辅在监狱中自杀了。

经过这件事，炀帝和萧皇后便让后宫所有的女子长得美或有才艺的，自己报名表演。果然又选出了不少，只有一位叫袁紫烟的美人，不作诗，不写字，不歌不舞，与众不同。她的长相、气质也和一般的女子不同，特别清俊飘逸。原来她的才能竟然是观察天象，了解国家未来的发展。炀帝十分惊奇，封她为贵人，并主管天象观察。到了晚上，炀帝拉着紫烟来到高台，紫烟指示出了三垣和二十八宿。她又说隋朝的国运可能不太昌盛长久，并发现太原一带有天子的气势，而且将来很可能是姓"李"的人成为皇帝。

第二天，明霞院杨夫人派人报告炀帝，院中的李树突然开花无数，十分吉利，请去观赏。炀帝因为袁紫烟说木子是"李"字，心里先有几分不快。这时，晨光院周夫人也派人来说杨梅树也突然开满了花。炀帝听见杨梅盛开，暗含了自己的姓氏，才高兴起来，和袁紫烟一起来到西苑。炀帝非要先去看杨梅，见到果然开得茂盛，特别欢喜。夫人们听到消息赶来，议论说李树也开得很盛。炀帝道：

◎ [单于]

　　匈奴族最高首领的称号。全称是：撑犁孤涂单于。在匈奴语中，"撑犁"是"天"，"孤涂"是"子"，"单于"是"广大"的意思。通常简称为单于。匈奴一共有六十三位单于。

"肯定没有杨梅这般繁盛。"

　　众人来到明霞院，一进院门，早就闻得浓郁的香气扑鼻；只见奇花满树，异蕊盛枝，就如珠玉做成，满院光芒万道，远胜过杨梅。炀帝看这李树不像树木，就像什么宝贝放光一般，吓得目瞪口呆。众夫人只管称赞。炀帝很生气地大声命令把树连根砍去。夫人们大惊，不停地劝阻。这时，萧皇后来了，仔细一看玉李，果然是雪堆玉砌，十分茂盛，也沉吟了一会儿，问炀帝："陛下为什么要砍它？"炀帝道："皇后是明白人，何必细问？"萧后道："这是天意，砍了也没用。"炀帝道："皇后说得很有道理。"于是不砍树了，起身一起到晨光院来。萧后看那杨梅，虽然繁盛，怎敌得过李树？然而萧皇后是个聪明人，明白炀帝的意思，勉强说道："杨梅香清色美，得天地正气；在我看来，还是杨梅最好。"炀帝才笑道："还是皇后有眼力。"

炀帝马上叫人取酒来，大家就围坐在花下喝酒。喝了一阵，都觉得没什么趣味，炀帝忽然站起来道："这样春光明媚，到处都有美丽的风景，何苦守着一株花树吃酒？"萧皇后道："陛下说得有理，不如我们到五湖中去喝。"炀帝道："索性过北海一游，好开开眼界、舒展一下心胸。"众夫人听了，忙叫侍者将酒席移入龙舟。安排好了，炀帝与皇后、夫人们，一起同上龙舟，往北海中来。只见微风不动、景色明丽，水天一色，比湖中更觉不同。

炀帝他们在龙舟上，把帘子卷起，细细地观赏那些山水风光。早游过了北海，到了三神山脚下，一起登岸。正准备上山，忽然听到水中一声响，只见一条大鱼，扬着鱼鳍，翻腾波浪，逼近岸边，游来游去。见了炀帝，就好像认识一样。炀帝定睛细看，是一条一丈四五尺的大鲤鱼，浑身锦鳞金甲，照耀在日光之下，就如同万点金星。鱼额上隐隐有一个像是朱砂写的"角"字，偏在半边。炀帝看了，忽然想起，说道："原来就是那条鱼啊。"萧后忙问道："是什么鱼？"炀帝道："皇后不记得了？从前朕曾和杨素在太液池钓鱼，有个洛水来的钓鱼人，拿了一条金色鲤鱼来。朕见那鱼和普通的鱼不太一样，十分奇特，就用红笔题了'解生'二字在鱼额上，放入池中。不知它什么时候游到海中，长得这么大了。现在'生'字被水泡没了，只有'解'字半边的一个"角"字在上面，可不就是它！"萧皇后道："鲤鱼有角，绝对不是一般的鱼！"袁紫烟道："趁这条鱼没变成龙以前，陛下应当早点儿杀掉，避免以后有灾难。"炀帝：

◎ [杨梅]

常绿灌木或乔木，叶子狭长，果实表面有粒状突起，开紫红色或白色花。

"妃子说得很对。"就叫人赶快取弓箭。

炀帝瞄准了鱼腹之上，嗖地射出一箭。忽然水面上，卷起一阵风，刮得海中波浪滔天，像有几百万鱼龙跳跃的模样。浪头的水，直喷上岸来，连炀帝与萧皇后、众夫人，衣服全被打湿，吓得众人个个魂飞魄散。萧后同众夫人慌忙退避。炀帝也吃了一惊，站不住；只见袁紫烟反而走到炀帝面前说："陛下站稳了，看我的。"炀帝慌了，正要扯住她，只见袁紫烟从袖子里取出一件东西，像算盘珠那么大。她左手挽住一条五彩绳子，右手把那丸儿丢下水去，靠近鱼身，那鲤鱼一见，掉转头，悠然地到海里去了。

此时炀帝已经平静下来，问紫烟取那件东西来看。原来是圆溜溜的一个五色丸儿。炀帝道："这是什么东西，竟能使怪鱼退避？"袁紫烟道："这是我小时候师父送给我的，说是叫太乙混天球，是当年太上老君炼成的，能驱赶水中的妖怪，叫我常常带在身上，防止不测。"正说时，只见萧皇后同夫人们走到面前；炀帝受到了这种惊吓，也再没心情上山游览了。于是大家上了龙舟，从北海返回。

才登上南岸，只见中门使段达伏在地上，手里捧着几道奏章，说："边防有紧急文书，臣不敢耽搁，请皇上定夺。"炀帝笑道："现在天下太平，有什么紧急事情，这等大惊小怪？"叫取上来看。左右忙将第一道献上。炀帝展开看时，上面写着：弘化郡至关右一带地方，连年旱灾，出现了许多盗贼，官府不能消灭，恳请朝廷早日派将军前去捉拿。炀帝道："这都是当地官员说谎，等以后好邀功请赏。"萧皇后道："这种事，虽然不能完全相信，但也不能不信。陛下还是要派一名能干的将领前去。"炀帝又取第二道奏章来看，却是：吏部和兵部认为卫尉少卿李渊有才能，又懂谋略，善于管理下级。因此，推荐他去弘化郡消灭盗贼、安定百姓，请皇帝决定。炀帝看了，就同意了，交给段达。段达马上去吏、兵二部传旨。炀帝却猛然想起李渊当年出主意杀了张丽华，况且又姓李，恐怕符合上天

◎ [太上老君]

道教对老子李耳的尊称。"老君"的名称，最早出现在汉代。太上老君是道教教主，道教的最高神明"三清尊神"（元始天尊、灵宝天尊、太上老君）之一，排第三位。在三清殿中，塑像在右边，手拿扇子。《西游记》里的太上老君，住在兜率宫，炼金丹，常骑青牛。

的谶语，怎么能给他兵权呢？炀帝正在犹豫，却又有人来献美女。于是这事就这么定了。

◎ [谶语]
迷信的说法，意思是将来会应验的话。

 人物点击

萧皇后

　　梁明帝萧岿的公主，隋炀帝杨广的皇后。萧氏出生于二月。江南风俗认为二月出生的女子很不吉利，因此她被萧岿的堂弟萧岌收养。养父萧岌过世后，萧氏又由舅父张轲收养。杨广为晋王时，文帝通过占卜，选中了萧氏为晋王王妃。萧氏性格温婉柔顺，喜爱读书、很有见识，文帝很喜欢她；她与丈夫杨广的关系也十分融洽。炀帝即位后，封她为皇后，每次外出巡游，都带着她。萧皇后看见炀帝整天荒淫、不管国事，就写了《述志赋》规劝。炀帝在江都游玩，有宫女把外面的实际形势告诉炀帝，反而被杀死；于是，萧皇后也不敢说实话。宇文化及发动兵变，杀死了炀帝。萧皇后和宫女们用床板做成棺材，将炀帝草草安葬。萧皇后先后流落在宇文化及、窦建德那里。由于处罗可汗的妻子义成公主是炀帝的妹妹，突厥派人把萧皇后接到了那里。后来，唐朝攻破突厥，把萧皇后迎回长安皇宫。最后，她以八十岁高龄病逝，唐太宗按皇后的礼节把她和炀帝合葬在一起。

第十二回 帝后观画思扬州

◎ [檀板]

乐器名称。因为经常使用檀木制作，所以叫檀板。唐玄宗时，黄幡绰善于演奏，故又称绰板。古代的檀板，是由西北少数民族地区传入中原。唐代制作檀板，用檀木或桑木。不同时期，板的数量也不一致。通常由五六块板组成，最多的九板，最少的三四板。

◎ [阳春白雪]

古代楚国歌曲。在当时被认为是较高级、艺术难度很大的音乐，楚国能够演唱的不过只有几十人。后来，用阳春白雪泛指高深的、不通俗的文学艺术作品。

长安给炀帝献来的这位美人叫袁宝儿，十五岁，长得甜美可爱，尤其是娇憨的样子实在让人喜爱。炀帝一见就特别欢喜，封她为美人，每天都带在身边。宝儿和后宫里的妃子们也相处得非常和睦。

一次，炀帝正在午睡，袁宝儿去找朱贵儿、韩俊娥、杳娘、妥娘玩耍。她们来到后院，朱贵儿提议每人唱一首歌曲，唱得好的，送一颗明珠；不好的，就罚喝酒。韩俊娥敲着檀板先唱了，众人称赞真是阳春白雪。然后妥娘、朱贵儿、杳娘都唱了。最后袁宝儿唱完，朱贵儿说："大家唱得都不错，但是说到意思的美妙，我们都不如宝儿。应该送她明珠。"这时，炀帝从屏后面出来了，原来他一直躲在后面听。他指着袁宝儿说："你这个小姑娘，真是聪明，可喜可爱。"宝儿也不答应，只是憨憨地嬉笑。

炀帝赏了她们每人两匹绸缎，宝儿还有两颗明珠。忽然听到许多笑声，十六院夫人们来了。炀帝赶快藏在一个橱子里，假装不在。

不一会儿，七八位夫人走进来，四周一看，并不见炀帝。众美人都说不知道。景明院梁夫人笑着让宝儿快说。宝儿憨憨地答道："我一个娃娃家，怎么可以藏得万岁？"正说着，翠华院花夫人只见壁橱里边有一个人影，便道："万岁在这里，我找到了。"正要开门，听见里边"咯吱吱"笑声传出，炀帝跳出来，拍手大笑。文安院狄夫人笑道："这里是凤池，哪里知道却是个龙窟。"大家都大笑起来，商量着准备作诗，便派人去请另外八位夫人，只有仪凤院李夫人、宝林院沙夫人身体不舒服没来。

　　夫人们各自占了座位，开始静悄悄地构思。炀帝坐在中间，四面观看：也有手托着香腮；也有皱着眉头；也有看着地弄裙带的；也有拿着笔仰天想的；有几个倚靠栏杆，有几个花中散步；有的咬着指甲，有的抱着护膝。炀帝看了这些佳人，忍不住站起身来，好像元宵走马灯，东边去磨一磨墨，往西边来镇一镇笺；那边去靠着桌子，这边来坐着椅子。

　　正开心时，一个太监进来奏道："皇后娘娘见木兰庭上，百花盛开，请万岁去赏玩。"炀帝便让夫人们继续作诗，带了宝儿等五人，坐上玉辇，正好路上碰见了仪凤院李夫人，便也一起前去，亲亲热热地说了许多体己话。不一会儿来到萧皇后宫中，众人一边说，一边走，来到木兰庭上。炀帝向四周一看，只见千万朵花，一起怒放，非常壮观。

　　炀帝与萧后众人，四下里玩赏了一会儿，来庭上饮酒。萧后问道："陛下刚才在苑中做什么？"炀帝道："朱贵儿等躲在后院赌唱歌，被朕窃听了半日，倒是唱得有些趣味。"萧后道："怎样有趣？"炀帝遂把众美人如何唱、如何赌与自家如何评定，细细述了。萧后看众美人说道："你们既有这等好歌儿，何不再唱一遍，与我听听？万岁评定的，公也不公？"炀帝道："有理有理，也不要你们自唱，唱一双，朕与娘娘饮一杯酒，李妃子也陪饮一杯。"众美人不敢推辞，一个个重新唱了一遍。最后轮到袁宝儿唱时，想不到她聪明乖巧，却不唱旧词，意思却更好。萧后大喜道："年纪虽小，倒有些才情。"因此叫她到面前，亲自赐了一杯酒，说道："你小小年纪，懂得事理，

[淑女]

淑，意思是美好、善良。淑女就是美好的女子。《诗经》中有"窈窕淑女，君子好逑"的句子。

真是个淑女！"又把自己的一副金钏，取下来赏给她。宝儿谢恩，接了也不做声，只是憨憨地嬉笑。

大家说说笑笑，炀帝不觉微有醉意，起身到各处闹耍。偶然走上殿来，只见中间挂着一幅大画，画上都是山水人物，也有楼台寺院，也有村落人家。炀帝见了，便立住细看，并不转移。萧后叫宝儿去请来饮酒。宝儿去请，炀帝也不答应，只是看画。萧后又叫宝儿拿龙团茶，送给炀帝，炀帝只是看画，也不吃茶。

萧后见炀帝看得有些古怪，忙起身同李夫人走到面前，问道："这是哪个名人的画？陛下为何这样喜爱？"炀帝道："这画是一幅《广陵图》。朕见此图，忽然想起广陵风景，有些恋恋不舍。"萧后道："此图与广陵不知有多少相似？"炀帝道："说起广陵山明水秀，柳媚花娇，这图哪里能画得出？如果只说宫殿寺庙，倒是画得就像在眼前一样。"萧后用手指着问道："这条是什么河道，有这些船在里面？"炀帝见萧后问得详细，就走近一步，将左手搭在萧后肩上，把右手指着图画，细细说道："这不是河道，是扬子江。此水自三峡中流出，奔腾万余里，直到大海，由此分南北。"李夫人道："沿江一带，都是什么山？"炀帝道："这正面是甘泉山，左边是浮山，从前大禹治水，曾经过这里，山上还有个大禹庙。右边这一座，叫做大铜山，汉时吴王濞在此铸钱，背后的小山，叫做横山，梁昭明太子在这儿读书。四面是瓜步山、罗浮山、摩诃山、狼山、孤山。"

萧后又问道："中间这座城，是什么地方？"炀帝答道："这叫做芜城，又叫做古邗沟城，曾经是吴王夫差的首都。"炀帝又用手指着西北一带地方说道："只这一处，有二百余里，与西苑大小差不多。朕如果在这儿建首都，可以修造十六宫院，与西苑一样。"又四下里乱指道："此处可以筑台，此处可以起楼，此处可以造桥，此处可以凿池。"

这炀帝说到得意之时，不觉得手舞足蹈。萧后见了笑道："陛下既说得如此高兴，为什么不派人赶快去修？"炀帝道："朕早就有这个意思，只恨这是一条旱路，路途辛苦，再带了许多妃子，人多事杂，如何能够快活？"李夫人道："为什么不找条水路，多造龙舟，咱们都可以安全地前往？"炀帝笑道："如果有水路，也不会等到今天了。"萧后道："难道就没有一条河路？那条扬子江，恐怕有路。"

◎ [龙团茶]

宋代用茶叶压制成的一种小茶饼。最初是丁谓在福建做官时，专门做了给宫廷饮用的。茶饼上印有龙、凤花纹。印盘龙的叫龙团或龙茶、盘龙茶、小团龙；印凤凰的叫凤团或凤饼、小凤团等。团茶要煎了才能喝。

◎ [大禹]

姓姒，名文命，夏后氏首领。他的父亲叫鲧，母亲是有莘氏女修己。他是我国传说中与尧、舜齐名的帝王，他最显著的功绩，就是治理洪水，又划定中国国土为九州。后来舜把首领的位置禅让给他。大禹的儿子启后来建立了夏朝。因此后人也把大禹叫作夏禹。

炀帝道："太远，太远，通不得。"萧后道："陛下明天召见群臣商议，或者另外有水路。不要烦恼。"

第二天，炀帝聚集大臣商量，要开一条河道，直通广陵，以便巡游。众臣奏道："旱路却有，并没听说有河道可以相通。"炀帝再三要众臣想出一条河路来，各官俱你看我，我看你，无言可答。大家磨蹭了一会儿，只得奏道："臣等愚昧，希望陛下宽限，臣等回去后和各地方官，细细查找再回报。"

炀帝回到后宫，萧后问道："陛下与众臣商议的水道怎么样？"炀帝道："群臣商量了半天，也没找出一条路。"萧后道："那就等他们来回复再说，陛下不要思量未来，倒耽误了眼前。"炀帝问道："对了，为什么妃子们不把写好的诗送上来？朕与皇后到院中去问她们。"萧后道："这主意不错。前几天绮阴院派人来，说院中景色美丽，请妾去赏玩。今日天气很好，陛下一起去那里乐一乐吧？"炀帝笑道："皇后真会消遣。"萧后道："妾是妇人家，只好这样消遣，比不得陛下十分快乐。"炀帝道："皇后既然这么说，朕就不去，在这里与你谈心如何？"萧后不好意思道："妾是戏言，陛下怎么认真了。"一边说，一边挽着炀帝的手，走出宫来，去叫袁宝儿等人，到绮阴院伺候。

萧后与炀帝来到绮阴院。夏夫人接住。炀帝就问夏夫人道："昨日妃子们吟的诗词，怎么不送来给朕看？"夏夫人笑道："诗交给了清修院秦夫人，她一齐送上。"于是，炀帝与萧后大家说说笑笑，各处游赏，只见鸟啼花落，日淡风和，春夏之交，光景清幽可爱。炀帝玩了多时，心里舒畅，因对萧后道："幸亏皇后邀来游玩，不然将这样好风光，都错过了。"夏夫人摆上宴席，炀帝饮了数杯，忽问道："袁宝儿等人，怎么不来？"众人慌忙去叫，却都不在院中，各处去找，寻了半天，一个个慌慌张张地走进来。炀帝见她们举止失常，便问道："你们这群小妮子，躲在何处，这时候才来，又这般模样？"众美人隐瞒不住，只得一齐跪下道："妾等在仁智院山上看舞剑，不知皇上与娘娘驾到，罪该万死。"炀帝道："是谁舞剑？"宝儿道："是薛冶儿。"炀帝道："薛冶儿从没说过她会舞剑，莫非是你们说谎？"萧后道："说没说谎，只要叫冶儿来，便知道了。"炀帝点头。

冶儿来了，穿一件淡红上衣，像薄薄的朝霞；系一条白色的裙子，像水波一样明亮。炀帝见了薛冶儿，便说道："你这小妮子，既然会舞剑，为什么不舞给朕看，却在背后卖弄？"冶儿答道："舞剑也不是什么了不起的事。被众美人逼不过，偶然舞一两下。有什么值得炫耀的，哪敢在皇上与娘娘面前献丑？"炀帝笑道："美人舞剑，乃是美观，如何反而说不好？赐她一杯酒，舞一回给朕看。"

冶儿不敢推辞，饮了酒，取了两口宝剑，走到阶下，也不揽衣，也不挽袖，便轻轻地舞起来。一开始，还袅袅婷婷，就如蜻蜓点水、燕子穿花，都是些美人的姿态，后来渐渐舞得快了，便看不见来去踪迹。两口宝剑，寒森森的就像两条白龙，在上下盘旋。再舞到妙处时，剑也看不见，人也看不见，只见冷气飕飕，寒光闪闪，一团白雪，在阶前乱滚。炀帝与萧后看了，开心得眉欢眼笑，拍手称好。

冶儿舞了半天，忽然就地一滚，直滚到东南角上。炀帝疑惑，在席上直站起来看。只听得翻天的一声响，碗大的一株枣树，被一剑砍了下来，吓得太监宫女与众美人都躲避到院子里。冶儿身体一闪，缓缓地收住宝剑，好像雪堆销尽，呈现出一个美人的模样。她轻轻地走到檐前，将双剑放下，气也不喘，面也不红，发丝一根也不散乱，阶前并无半点尘土飞起。大家望着她走来，仍旧衣裙干净、笑容动人。炀帝不觉拍桌赞叹道："好神奇的冶儿！简直令人爱死！"就叫冶儿靠近，看她娇小温柔，妩媚可爱，就像连剑也拿不动的。炀帝心里十分喜爱，就对萧后道："冶儿美人姿容，英雄伎俩，不是

◎ [蜻蜓]

动物名称。又叫猫猫丁、丁丁猫、咪咪洋。腹部细长，眼睛突出，有两对窄长而透明的翅膀。蜻蜓的飞行能力很强，每秒钟可达十米。既可突然回转，又可直入云霄，有时还能后退飞行。脚上有钩刺，可在空中飞行时捕捉害虫。下雨前喜低空往返飞行，我们常说的蜻蜓点水，其实是它在产卵。

◎ [我见犹怜]

形容女子容貌秀美、姿态动人，惹人喜爱。桓温娶了李势的女儿为妾，他的妻子南康公主知道后，带着刀子气势汹汹地想去杀死她。结果公主见李势的女儿，就被她吸引住了，扔掉刀子说："我都这么喜爱你，就更不用说那个家伙了！"

有仙骨，不能这么奇妙。如果不是今日，朕又几乎错过了。"萧后道："如今也不迟，真是个我见犹怜的女子。"炀帝听见这么说，就大笑起来。

👆 人物点击

袁宝儿

隋炀帝时，长安进贡的御车女。她当时只有十五岁，身段纤细、样子娇憨动人，性格天真可爱。炀帝特别喜欢她，每天都要带在身边。洛阳进贡了一种并蒂花，说是从嵩山中采到的，花朵奇异。正好炀帝到了这里，就命名为"迎辇花"。炀帝让宝儿拿着花，称为"司花女"。一天，炀帝叫当时著名的才子虞世南起草诏书。宝儿也拿着花站在一边，痴痴地盯着虞世南写字，被炀帝看见了。等虞世南写完，炀帝听说赵飞燕能在掌上舞蹈，常怀疑是虚假的描写。世界上的女子，哪有这样柔软。今天看见宝儿的憨态，才相信古人的话一点不假。于是炀帝要虞世南为宝儿写首诗。虞世南也不推辞，一会儿就写好了："学画鸦黄半未成，垂肩亸袖太憨生。缘憨却得君王宠，长把花枝傍辇行。"炀帝看了大喜，就开玩笑说要把宝儿赐给虞世南做妾。宝儿脸色大变，竟出去投水自尽，被太监们救起。后来，宇文化及发动兵变，杀死炀帝，宝儿怒骂贼兵后自杀。

这天，炀帝召集大臣，询问河道的事。宇文述奏道："谏议大夫萧怀静，说有一条河路可以通。"这萧怀静是萧皇后的弟弟。怀静说："这是一条旧河路，如果能召集民工，重新疏通，就可以直接到广陵。臣又听说，睢阳有天子气，修河道一定要从睢阳穿过，天子之气，必然挖断。"炀帝大喜："好主意！"于是任命麻叔谋为开河都护，又让太原留守李渊为开河副使。

原来麻叔谋为人最残忍，又贪婪，一听说升官当开河都护，满心欢喜，马上赴任。当时柴绍夫妇在鄠县，知道这是宇文述的奸计，故意把岳父调离太原，要害他。

李氏对丈夫道："这事不仅有祸，还惹动民怨。"慌忙一面派人报告父亲，叫他谎称生病，一面叫丈夫多带些金银珠宝，去洛阳通关节，想另换一人。柴绍到洛阳，买通了萧皇后的弟弟萧炬和大臣宇文晶，于是朝廷让李渊养病，另外改派令狐达。这两官员便集了民工三百六十万人，哪里管正是农忙时，农夫们天天辛苦万分。

一天，一队人从地下挖出了一座白石砌成的屋子，那石门却怎么也打不开。麻叔谋和令狐达只好在香案前祷告，这时一阵冷风吹过，石门突然打开了，里面几百盏漆灯，点得雪亮，如同白昼，中

◎ [篆文]

一种文字书写形式。分为大篆、小篆。广义的大篆是指秦代以前的甲骨文、金文、籀文和春秋战国时期通行于齐、楚、燕、韩、赵、魏六国的古文；小篆则指秦始皇统一文字后，秦代通行的篆书，笔画粗细划一，排列整齐。

◎ [兜率天]

佛教名词。又叫妙足天、知足天、喜足天、喜乐天。兜率天宫分为内外两院，内院据说是即将降生于人世的菩萨所居之处。按佛教教义，释迦牟尼佛去世后，将来会有弥勒佛降生。弥勒佛是未来佛。弥勒佛在降生人间之前，就在兜率天宫的内院中说法。

◎ [聂政]

战国时韩国的刺客。韩烈侯时期，严遂和相国侠累争夺大权，结下了仇怨。严遂就找来聂政为他报仇。聂政杀死侠累后，怕连累长得和自己很像的姐姐，就毁容自杀。他的姐姐找到聂政尸体后，也自杀了。

间放着一个石棺材。麻叔谋同令狐达又拜了拜，叫人打开盖儿细看，只见里面仰卧一人，容貌同活人一样。旁边又有一块石板，上写着许多篆文，写着："我是大金仙，死来一千年。得逢麻叔谋，葬我在高原。更候一千年，方登兜率天。"麻叔谋见连他姓名，都先写在上面，惊讶不已，赶快与令狐达将这人隆重地改葬。

过了些天，在雍邱的树林中又发现一座坟墓，墓上有一座祠堂，正阻挡着开河的道路。乡民们说这叫隐士墓。谁知挖来挖去，好像永远也挖不完，还死伤了不少民工。令狐达只得派管粮米的狄去邪下去看看。狄去邪身长八尺，腰大十围，双眼生光，满脸堂堂正气。他有胆量又有智慧，喜爱剑术，常自比荆轲、聂政。

狄去邪换上紧身甲，带着宝剑，下到地底，走着走着，来到一座宅院，非常宏伟。他听得东边石房里有声音，从窗眼里一看，只见屋里石柱上拴着一个怪兽。那怪兽长得尖头贼眼，脚短体肥，仿佛有一头牛大，也不是虎，又不是豹。狄去邪看了半天，猛然想了一想，又定睛一看，原来是一个大老鼠。

这时正门突然开了，一位童子说皇甫君请他进去。狄去邪进去后，见殿上坐着一位贵人，身穿紫色的龙袍，头戴八宝冠，佩戴玉饰，就像一位帝王。左右站着许多官吏，阶下侍卫森严。

那位贵人开口问道："狄去邪，你来了吗？"狄去邪答道："狄去邪奉圣旨开河，误入仙府，实在得罪。"那贵人便道："你认为当今皇帝尊荣吗？我叫你看一个东西。"就对旁边卫士道："快去牵阿摩过来。"不多时听得铁链声响，卫士牵了一个怪兽前来。狄去邪仔细一看，就是那只大老鼠，它很得意的样子。那贵人在上怒目而视，大声喝道："你这畜生，我让你暂时成为皇帝，你却干尽坏事，今天我要杀死你！"卫士举起大棍，朝鼠头上打一下，那鼠疼痛难忍，咆哮大叫，好像雷鸣。正要再打，忽然半空中降下一个童子，手捧着一道天符，对皇甫君说道："上帝有命。"皇甫君慌忙下殿来，俯伏在地。童子宣读天符道："阿摩现在还不该死。再等五年，可用头巾把他勒死。"皇甫君便仍叫卫士牵去锁了。

皇甫君又对狄去邪说："你记住了，以后自然应验。这是九华堂，你不是有仙缘，也不能到此。"又说："你有很好的前程，不可自甘堕落。麻叔谋小人得志，不能饶恕他的罪过。你对他说：感谢他破坏我的城，明年用金刀相赠。"说完，遂吩咐一个绿衣人引他出去。

狄去邪跟着绿衣人绕回了大路，回头问时，绿衣人早已不见，再转身看时，连那座洞府，都不知哪里去了。狄去邪惊异极了，道："神仙之妙，原来如此。"

他又走了一二里地，来到一个村庄问路。一位老人问他为什么步行到这里，狄去邪不敢隐瞒，将入穴遇皇甫君，以及棍打大鼠的事情，叙述了一遍。老者听了笑道："原来当今皇帝，是老鼠变的，大奇大奇，难怪这样荒淫无度。"狄去邪就问到雍邱还有多远。老者道："这是嵩阳少室山，向大路往东去，只二里便是宁陵县，不消又往雍邱去。"又说，"我看将军容貌气度非凡，何苦和这群虐民的奸人在一起？"狄去邪饱餐了一顿，起身谢别而去。老翁一直送到大路上，狄去邪走了十几步，回头看时，已不见老者，哪里有什么人家，两边都是长松怪石。去邪看见又吃了一惊，心上恍惚，忙赶到县中，在公馆中等候。

麻叔谋来到宁陵县，狄去邪将穴中所见所闻之事详细汇报。麻叔谋完全不信，反而羞辱了他一顿。狄去邪想道："我是个顶天立地的汉子，何苦与豺狼同干害民之事。倒不如隐居山中，逍遥自在。"麻叔谋讨厌他说谎，就批准了，狄去邪在回乡的路上想鬼神之事不可不信，也不可全信，于是来到洛阳打探消息。

秦叔宝离开齐州，打听到开河都护麻叔谋已经快到睢阳了。他赶快去睢阳投批。正好在路上碰见了旧时同窗狄去邪。去邪把之前遇到的许多奇异说给叔宝听，并叮嘱他小心麻叔谋。两人告别而去。

◎ [同窗]

就是同学，在一起或一个学校学习的人。

叔宝也是个正直不信鬼神的人，听了也当做谎话不信。

叔宝来到睢阳时去见麻叔谋。麻叔谋见叔宝一表人才好生欢喜，就让他当壕塞副使，监督睢阳开河事务。麻叔谋原先奉旨要掘断睢阳的天子气。城中大户，央求河工壕塞使陈伯恭，叫他去探叔谋口气，保护城池。

不料叔谋大怒，几乎要将伯恭斩首，决定河道穿城直过。满城百姓慌张，要保护城外的坟墓，城里的屋舍。有一百八十家大户，共凑了黄金三千两，要买通叔谋，却没有门路。叔谋的亲信陶京儿在外边嚷嚷自己是老爷最亲信的人。众人听他这么说，就派了几个人去求他保护城池。陶京儿道："我还有一个弟兄更亲近，我指引你去见他。"

他为众人引见的是麻爷最得意的管家黄金窟，众人许诺酬谢他俩白银一千两。黄金窟满口答应道："都拿来，明天就有好消息。"众人果然将这些金银，都交给黄金窟。

黄金窟知道主人最是见钱欢喜的，便趁他在房中午睡时，悄悄将一个恭献黄金三千两的本子，以及金子都摆在桌上，一片辉煌，只等他醒来。

黄金窟站在旁边许久，只见叔谋从床上跳起来道："你这厮骗我，怎么给我金子，又推我一跤！"叔谋把眼连擦几下，见了桌上的金子大笑道："我说宋襄公绝对不会骗我的。"黄金窟看了，笑道："老爷，是哪个宋襄公送爷金子？"叔谋道："是一个穿紫色衣、戴进贤冠的。他求我护城，我不肯。又跑出一个大肚皮大胡子的，叫什么大司马华元的，这厮要把我捆住吓我。我不肯，他两个只得答应送我黄金三千。我正不见金子，与守门的争吵，被他推了一跤。没想到金子已经摆在这里了，让我点一点，不要少给了。"黄金窟又笑道："爷可能是做梦了。这金子是睢阳百姓，央求我送来给爷求方便的，哪有什么宋襄公？"叔谋道："岂有此理，明明我和宋襄公、华司马说话，怎么是梦？"

黄金窟道："爷再想一想，爷去见宋襄公，宋襄公来见爷，如今人在哪里，相见在哪里？"叔谋又想一想道："明明听说上帝赐金三千两，取之民间，这金子岂不是我的？"黄金窟道："说取之民间，这金子，原本就是爷的。"叔谋笑道："我只要有金子，就让他保护全城好了。"于是，麻叔谋吩咐明天改定道路。

第二天，麻叔谋升堂叫壕寨使来。此时陈伯恭正在督工，只有叔宝来了。叔宝领命去查看改道，又回去汇报。

恰巧这天副总管令狐达听说要改河道，来见叔谋，彼此议论争执不和。只见叔宝跪下禀道："如果由城外取道，较城中差二十余里。"

◎ [进贤冠]

古代冠名。根据史书记载，进贤冠是官员和读书人的服饰，前面高七寸，后面高三寸，长八寸，按照地位高低的不同，帽梁的数目有所不同。汉代进贤冠非常流行，到了明代，发展为梁冠。

叔谋正没处发火，就说："我派你查看城外河道，你管什么差二十里、三十里？"叔宝道："路远所用人工要多，钱粮要增，限期要长。"叔谋更生气道："人工不用你家人工，钱粮不用你家钱粮，你多大官，在此胡说！我不用你，看你还管得了！"叔宝出门来，衙门已挂出一面白牌道：城壕塞副使秦琼，生事扰民，阻挠公务，革职回乡。

秦叔宝看了道："狄去邪说这人难伺候，果然。"便收拾行李回家，却不知这正是老天暗中救了叔宝，暂且不说。

当日工程急，人死了一大半，后来炀帝南巡，因为河道有浅处，做了一丈二尺的铁脚木鹅，试水深浅，发现浅处一百二十多处。在浅处，两岸民工、督催官骑，都埋在地下道，叫他生作开河夫，死为执沙鬼。麻叔谋因此被问罪处死。这时如果是叔宝督工，想必也难免死罪。

这时，叔宝又想："来总管平日待我很好，且看在李玄邃、罗老将军分上，没有亏待我。如果回到他那儿，毕竟还会用我。但我高高兴兴出来，现在这样回去，这叫做此去好凭三寸舌，再来不值半文钱了。如今皇帝到处巡游，百姓怨愤，不出十年，天下定然大乱，这时还不是我辈出来扫除平定？功名富贵，只是迟早的事，何必着急。况且家有老母，要尽孝道。"又想："如果到城中，来总管必要用我，不如还在山林隐居。"

因此，叔宝就在齐州城外村落，找了三间茅屋，周围短墙，种了桑榆，篱笆外有数十亩麦田枣地。叔宝就将城中宅院赠给樊虎，自己和母亲、妻子，移到村居。

樊虎与贾润甫，还劝他再进总管府，叔宝不愿意。后来来总管得知，仍叫他回来。叔宝只推辞说母亲老了，自己有病，不肯去。叔宝每天寻山问水，种竹浇花，黄昏喝酒，白天下棋，一切英豪壮气，都收敛了。

樊虎、贾润甫都说："可惜这个英雄，只为连遭折挫，就意气

◎ [篱笆]

又叫栅栏、护栏，一种用来保护院子的设施。篱笆一般用木棍、竹子、石头等制成，在我国的北方农村十分常见。

消磨。"却不知道他已看明白局势，知道以后会大有作为，因此不肯把这英雄锐气，轻易用去。

 人物点击

柴绍

　　唐代晋州临汾人，字嗣昌。唐朝大将。他的祖父是北周的大将军。柴绍出身将门，从小就孔武有力，有侠客风度，曾经担任隋朝太子的千牛备身。李渊把三女儿平阳公主嫁给了他。后来，李渊准备太原起兵，召柴绍夫妇前往协助。平阳公主留在后方招兵买马，柴绍一人赶到太原，任右领军大都督、马军总管。在攻打霍邑、临汾、绛郡等战斗中，柴绍都立有战功。与此同时，平阳公主的队伍已经发展到七万人，被称为"娘子军"。李渊派柴绍渡过黄河去接应。这时，公主带精兵一万多人在渭河北岸与李世民会师，而后与柴绍重逢，一起包围长安。武德元年，柴绍被封为左翊卫大将军。他跟随李世民平定薛仁果、宋金刚、窦建德、王世充，被封为霍国公。在攻破吐谷浑的战斗中，柴绍巧妙地使用了美人计。同一年，平阳公主去世。柴绍病重时，唐太宗亲自前去探望，在他逝世后又把他列入凌烟阁二十四功臣。

第十四回 美人情深为天子

◎ [桃花源]

又叫"世外桃源"。陶渊明在《桃花源记》中，描述了一个与世隔绝、没有遭受战乱的地方。那里的人们生活宁静美好，充满欢乐的气氛。后来就用桃花源比喻理想中生活安乐的地方，或是与外界隔绝、脱离现实斗争的幻想境界。一般认为，桃花源的原型就在湖南省桃源县。

天炀帝在清修院，与秦夫人喝了几杯酒，因天气炎热，携着手走出院来，沿着那条长渠，看流水。忽然见渠中漂出几片桃花瓣来，瓣瓣都是真花，还微有香气。二人大为惊奇，于是同上了一只小龙船，沿着那条渠儿，弯弯曲曲，去找源头。过了一座小石桥，转过几株大柳树，远远望见一个女子蹲在水边。原来是妥娘，在那里撒桃花入水。炀帝看见大笑道："又是你这小妮子！你小小年纪，又不读书识字，如何知道桃花源故事？"妥娘带笑说道："妾虽是女子，书不能多读，《桃花源记》也曾看过。"

不一会儿，三人来到景明院。萧皇后、袁紫烟等人也在这儿。大家打趣说笑，不觉吃得烂醉，炀帝于是到碧纱橱中去睡午觉。众人也起身出殿，四散消遣。没多久，忽然听到炀帝在里面地动山摇地吆喝起来，萧后与众夫人大惊，忙走近前，看见炀帝睡在床上，昏迷不醒，双手紧紧抱住头，口中不住地喊道："打杀我也，打杀我也！"萧后急传懿旨，叫太医巢元方火速前来，开了一剂安神止痛汤。各院夫人飞一般地到景明院来看问。大家守在床前，一天一夜，炀帝还是昏迷不醒。朱贵儿见这样，也吃不下东西，坐在房里哭。别人劝她，朱贵儿擦了擦泪，说："做了女人，已是不幸；

又弃父母，抛亲戚，入宫来，只道红颜薄命。谁想遇着这个仁德之君，使我们朝夕欢乐。假如遇着强暴之主，不是轻视凌辱，就是在冷宫等死，怎比得上咱们皇上情深，个个体贴。谁想到遇到这个病，看来十分沉重。"说到伤心处，众美人也各自哭起来。袁宝儿提议摆设香案，诚心祷告，或许有用。大家来到后庭，对天发誓许愿。

炀帝吃了第二剂药，慢慢地醒过来，说："朕梦见一个武士，相貌凶恶，手执大棍，照脑门打一下，打得朕快死了，至今头中还疼痛难忍。"此时，狄去邪已到洛阳，听说炀帝果真头脑害病，于是把世情看破，到终南山访道去了。

炀帝病好后，翰林院大学士虞世基负责改建的御道已经建好，炀帝于是率文武百官摆御宴庆贺。先游北海，后游五湖，君臣尽情赏玩。炀帝又叫文臣作诗。虞世基、薛道衡、牛弘等人都有诗句献上。炀帝看了众臣的诗，大喜，各赐酒三杯，自饮一大杯，也写了八首"望江南"诗，描绘湖上景色。

晚上，炀帝和萧皇后又带着妃子们赏月。这夜月色分外皎洁，照得御道如同白昼。众宫人都浓妆艳服，骑在马上，从大内一直排至西苑。炀帝看见这等繁华，十分快乐，对萧后说道："听说，从前周穆王到瑶池参加西王母的宴会，传为美谈。在朕看来，也不过如此光景。"萧后道："今晚的游乐，是真瑶池。"炀帝笑道："如果今晚是瑶池，朕为穆天子，皇后便是西王母了。"二人相视大笑。大家来到西苑，美人们分别装扮成观音、王昭君等人，表演节目，一个比一个精彩。

这时，炀帝看见了贵儿，他已知道了生病时的事，便急急地向着贵儿说道："朕哪里晓得你这样真心爱主，若不是刚才妥娘告诉，几乎辜负了你的一片心。"说了，便百般叹息。贵儿道："妾蒙陛下恩德，虽死也在所不惜，何况这些小事。"炀帝道："宫中女子，成千上万。在朕看起来，不过一时助兴。怎能有像你这样真心爱主的。

◎ [瑶池]

古代传说中昆仑山上的池名，西王母居住的地方。瑶池种有三千年开一次花、三千年结一次果的蟠桃，吃了可以长生不老。传说每年农历三月初三、六月初六、八月初八，西王母在瑶池举行盛大的蟠桃会，各路神仙都会前来。西周天子周穆王曾经和西王母在瑶池相会。

◎ [西王母]

神话人物，也叫金母、王母。在不同的书里，她有不同的形象：或者是豹尾虎齿的怪物；或者是端庄平和、会唱歌谣的妇人；或者是三十岁左右、美丽无比的女子。据说她的丈夫是东王公，一年相会一次。民间把西王母当做长生不老的象征。

◎ [观音]

佛教四大菩萨之一。又叫观世音菩萨、观自在菩萨、光世音菩萨。观音端庄慈祥，经常手拿净瓶杨柳，具有无限的智慧和神通，大慈大悲，救助人间苦难。当人们遇到灾难时，只要念其名号，观音就会援救。传说观音有三十三种，或三十二种化身。

朕身边带着玉佩，价值千金，赐给你藏好。"说着，从腰间取下来，交给贵儿收好，又说道："如果我死后，你还年轻，朕准许你出宫去找一个丈夫过下半生。"贵儿忙从袖中取出玉佩来道："陛下这么说，妾不敢当，请收回宝物。"炀帝道："为什么？"贵儿道："我听说忠臣不事二君，烈女不嫁二夫。我虽然卑贱，却懂得大道理。不要说陛下年富力强，就算陛下去世，我是绝对不会还独自活在世上的。"说了止不住流泪。炀帝也掉下泪来道："美人，你既如此忠贞，朕愿与你结一生夫妇。"于是，就指天发誓道："大隋天子杨广与美人贵儿朱氏，情爱深厚，星月为证，愿来生结为夫妇，以了情缘。如若背盟，甘不为人。"朱贵儿见炀帝立誓，慌忙俯伏在地，听见誓完，也对天发誓。

第二天，中书侍郎裴矩来见炀帝，说高丽国不肯归顺隋朝。炀帝大怒，决定派兵攻打，命宇文述督造战船器械，任征高丽总元帅；来护儿为征高丽副使。又任命宇文恺为修长城副使。西边从榆林起，东边直到紫河。这时麻叔谋已经开河道，来洛阳禀报。炀帝大喜，赏赐了很多东西。

丞相宇文述道："河道已通，陛下巡游，要几百艘龙舟才气派。"炀帝便命王弘监督制造头号龙船十只，二号龙船五百只，杂船数千只，限四个月造完。虞世基又建议用蜀锦制成锦帆，再用五色彩绒，打成锦缆。"宇文述请炀帝派人去吴越，选十五六岁的女子，无风时叫她们牵缆而行，有风叫她们持揖绕船而坐。炀帝听了大喜，马上派人去选一千名殿脚女。虞世基又建议写一道诏书给高丽，就会顺服，不用出兵。

炀帝来到观文殿。打算亲自写诏书，好炫耀一下，却怎么也写不好。袁宝儿看见了，微微笑道："陛下又不是词臣，又不是史官，何苦如此费心？"炀帝想了一想道："有了，翰林学士虞世基的兄弟，叫虞世南，现任秘书郎，大有才学，只因他人不随和，因此多年没

◎ [蜀锦]

四川出产的一种染色丝织品。多用染色的熟丝织成，色彩鲜艳夺目、质地结实。后来，其他地方仿效这种织法生产的锦缎也通称为蜀锦。

有升官。今日这道诏书，必须叫他来写。"

　　虞世南来了后，听炀帝一说，也不思考，题笔便写，如龙蛇一般，在纸上游动。不到半个时辰，草稿就写好了。炀帝一看，满心欢喜，笑说道："笔不停辍，文不加点，卿真奇才也！古人说文章华国。今日这一道诏书，真能称得上是华国！平定辽东，卿之功不小。"于是，炀帝叫近侍将黄麻诏书纸铺在案上。虞世南不敢抗旨，提起笔来，端端正正地誊写。

　　炀帝因为诏书写得满意，要称赞他几句，又因他低头写字，不好说话。此时，袁宝儿侍立在旁，炀帝就侧转头来，要对宝儿说话，瞥见宝儿一双眼珠转也不转，痴痴地看着虞世南写字。炀帝看见，就不做声，任她去看。原来，袁宝儿见炀帝自己写诏书，费了好大的工夫，并不能成。虞世南这一挥便就，心里想道："无才的便那般吃力，有才的便如此敏捷。"又见世南长相清秀、文雅瘦弱，故憨憨地只管贪看。看了一会儿，忽回转头来，看见炀帝正盯着自己。如果宝儿有私心，未免要惊慌，或是脸红，或是不安。因为她出于无心，所以不动声色，看着炀帝，也只是憨憨地嬉笑。炀帝知道她平常就是这种憨态，也不猜疑。

没多久，虞世南写完了诏书呈上来。炀帝见他写得端庄有体，十分欢喜，叫左右赐酒三杯。虞世南再拜而饮，炀帝说："朕读赵飞燕传，称她能舞于掌上，身体轻盈，怕被风吹去，常怀疑是文人虚假的描写。世上妇人，哪有这样柔软。今天看宝儿的憨态，才相信古人的描写一点不假。"虞世南道："袁美人有什么憨态？"炀帝道："袁宝儿平时多憨态，不必说；单单今天看你写诏书，便在朕面前一直盯着看，很有怜才的意思，不是憨态是什么？你是才子，不要辜负了她的好意，不如写一首诗给她。"虞世南也不推辞，也不思索，走近案前，飞笔题诗四句献上。炀帝看了大喜，对宝儿说道："得此佳句，也不辜负你注视他的憨态了！"又叫赐酒三杯。

炀帝见虞世南出去了，对宝儿说："他竟然一会儿就作出来，又敏捷，又有意思。"袁宝儿笑道："诗中的意思，妾总是不太明白。但看他的字，觉得十分有韵致。"炀帝带笑悄悄说道："朕明日将你赐给他做小妾如何？"袁宝儿马上变了脸色，默然无语。炀帝还要取笑她，只听得蔷薇架有声响。炀帝便撇了宝儿，起身走出来看，回来不见袁宝儿。正要去找，只听得西边爱莲亭上，有人喊道："是哪个跳下池里去？"原来，袁宝儿自恨刚才无心看了虞世南写诏书，炀帝认为她喜欢他，要把她送给世南。宝儿不知道炀帝是开玩笑，反倒认为天子无戏言，因此悔恨万分。她悄悄走出，竟要投水而死，表明心迹。

◎ [蔷薇]

蔷薇科蔷薇属植物。大部分原产于亚洲，小部分原产于北美，有一百多种。花芳香美丽，常为白色、黄色、橙色、粉红色、红色。蔷薇的花语代表美好的爱情和爱的思念。

炀帝走到西边爱莲亭池边，只见一个太监在池内抱起一个宫女。炀帝一看，见是宝儿，吃了一惊，只见她容颜变色，双眼紧闭，满身泥水。炀帝走入亭中去，坐在一张榻上，问道："刚才她是在池里洗手，还是洗什么东西不小心掉下去的？"太监道："刚才偶然走来，只见袁美人满眼是泪，自己往池里跳下去的。"

炀帝笑道："你这妮子痴了，这是为什么？"自己忙和太监替宝儿脱下外边衣服，哪晓得里边衣裤都浸湿了，忙叫那太监快去取她的衣服来。炀帝说道："朕刚才偶然取笑，为何你当真了？朕哪一刻能离开你！"

宝儿听这么一说，又呜呜咽咽地哭起来。只见韩俊娥与朱贵儿两个人，手里拿着衣服，笑嘻嘻走进来。韩俊娥问道："陛下，为什么宝儿要做浣纱女，抱石投江？"炀帝便把虞世南草诏一段，与戏言要赠他的话，讲述了一遍。

朱贵儿点点头道："妇人家有些烈性也是对的。"两个人忙替宝儿换衣裳。朱贵儿见炀帝的衣服也玷污了几点泥汁，忙要去取衣服来更换。炀帝止住了道："朕要常常穿着这个，以显示美人的贞烈。"韩俊娥笑说道："陛下不晓得妾养这个女儿，平常就会撒娇，从小儿不敢触犯她。"袁宝儿把炀帝手中扇子，向韩俊娥肩上打一下，炀帝笑道："不要闹了，你们同朕到宝林院去。"

炀帝进了宝林院，问沙夫人身体好了没。沙夫人因为没了儿子，十分伤心。炀帝道："妃子不必烦忧。赵王杨杲，今年七岁，是吕妃所生，她已经去世了。朕将杨杲给你当儿子，怎么样？"沙夫人赶紧谢恩。

正说时，只见一个太监，双手捧着一个宝瓶，进来道："王义献万寿延年膏给陛下。"炀帝听见喜道："朕正有话要盼咐他，让他进来。"炀帝看到王义道："这也难为你了。朕马上要游广陵，你须一起去，管辖头号龙舟。"王义道："不但微臣有心要跟随陛下，臣

◎ [浣纱女]

浣纱，也就是洗纱。楚国伍子胥的父亲伍奢忠心报国，却被楚平王杀死。伍子胥连夜逃出。当他逃到黄金港时，浣纱女奋力救助他过了河。那时追兵来了，伍子胥肯求浣纱女为他保密，浣纱女让他尽管放心。伍子胥爬上一座山冈，又回头向浣纱女摇手。浣纱女看出伍子胥对她不放心，就转身跳进江中自杀了。

妻也愿来服侍娘娘。"炀帝喜道："舟中不比宫中，如果有你夫妇二人相随，更加显示出爱主之心。"

人物点击

虞世南

　　隋唐时著名诗人、书法家，凌烟阁二十四功臣之一。他是越州余姚人，字伯施。还在陈朝时，他和哥哥虞世基就是有名的才子。他沉默寡言，酷爱思考和读书。隋朝时，虞世南担任秘书郎。宇文化及杀掉炀帝，又要杀虞世基，世南哭着要求代替哥哥去死。窦建德打败宇文化及之后，虞世南在他手下当黄门侍郎。李世民抓住窦建德后，任命世南为秦王府的参军。李世民当上皇帝后，世南任弘文馆学士、秘书监，被封为永兴县子。因此，人们也叫他虞永兴。唐太宗经常与他谈论经史，他也借机多次规劝。虞世南和欧阳询、褚遂良、薛稷并称为唐初四大书法家。他的书法继承了二王的传统，用笔圆润、外柔内刚，尤其擅长行草。因为唐太宗喜爱王羲之的书法，所以对虞世南特别推崇。太宗称赞虞世南有"五绝"：德行、忠直、博学、文辞、书法。世南死时八十一岁，太宗哭得非常伤心，说："以后再也没有人能和我一起讨论书法了！"

第十五回　罗士信拜认义兄

当时天下盗贼蜂拥而起，翟让聚义瓦岗，朱灿在城父，高开道据北平，魏刁儿在燕，王须拔在上谷，李子通在东海，薛举在陇西，梁师都在朔方，刘武周在汾阳，李轨据河西，左孝友在齐郡，卢明月在涿郡，郝孝德在平原，徐元朗在鲁郡，杜伏威在章邱，萧铣占据江陵。

再说窦建德带着女儿在二贤庄一住就是两年多。一天，雄信有事去东庄了，建德无聊，走出门外闲玩，看见一个大汉，在和庄上的人打架，忙喝道："你是哪里来的，敢走到这里来撒野？"那汉子仔细一看，说道："原来是窦大哥，果然在这里！"扑地拜倒下去。原来这人叫孙安祖，与窦建德是同乡。当年安祖偷别人的羊，被抓住了。安祖持刀刺杀县令，被起了个外号叫"摸羊公"，藏在窦建德家一年多。正碰上朝廷选美，建德为了女儿，和他分散，直到今天才见面。

这时，雄信骑着高头大马，跟着四五个伴当回来了，建德赶忙介绍了孙安祖，三人进屋。安祖说他遇见一个叫齐国远的，极力称赞单员外。现在齐国远去秦中寻找李密了。又说希望建德和雄信这样智勇双全的豪杰，能出来领导大家，做一番事业。自己一千多人

◎ [伴当]

　　跟随做伴的仆人或伙伴。

的手下，就在高鸡泊。建德听这么一说，下定决心，把女儿托付给雄信照料，和安祖一同离去。

再说秦叔宝，自从住在齐州城外，每天十分清闲。一天在门外大榆树下，看见一个少年，生得容貌魁伟，气宇轩昂，牵着一匹马，戴着斗笠，问齐州秦叔宝是不是住在这里。原来乃是单雄信得知叔宝辞职回家，便叫这位少年带信来问候。

这人姓徐，字懋功，与雄信为八拜之交。豪杰遇豪杰，自然投机，叔宝和懋功也结拜为兄弟。两人一边喝酒，一边谈论天下的形势。懋功说单雄信、王伯当等人都是将帅之才，只是运筹帷幄、决胜千里的真正领导者还没遇见。又说自己在来的路上，看见两头牛在路中打架，一个十来岁的小厮大喝一声道："开！"一手揪住两只牛角，把它们分开一尺多。像他这样勇敢有力，如果有人教他，将来也一定能成为英雄。

三天后，懋功去瓦岗，叔宝托他带信给雄信和魏徵。送懋功回来的路上，叔宝看见一群小孩在用石块打一个只穿条破布裤的小孩子。可是奇怪，只见他浑身的筋鼓鼓的，石块打到身上，都倒转了弹回来。叔宝暗暗点头道："这便是徐懋功所说的孩子了。"叔宝忙问其他孩子怎么回事。原来被打的小孩是张太公家看牛的。他每天来要别的小孩替他放牛，自己却去睡觉；如果不肯，他就打人。叔宝便上前拉住那小孩，这小孩睁着眼道："干你什么事！你想替我来打吗？"正在拉扯，张太公来了，揪住那小孩的总角，叔宝劝道："太公息怒，这是您的孙子吗？"太公道："是我一个老邻居罗大德，他死了妻子，剩下这孩子，自己又被抓去开河，就求我照顾他。不料他爸爸又死在河上。"叔宝便说自己想把这孩子领去。那小孩去向太公叫道："你怎么随便把我扔给别人？"叔宝道："小哥不要不高兴。我叫秦叔宝，家中没有兄弟，想和你结拜做异姓兄弟。"这小子才欢喜道："你就是秦叔宝哥哥吗？我叫罗士信，平日早就听

◎ [斗笠]

用来遮挡阳光和雨的帽子，有很宽的边，用竹篾夹油纸或竹叶棕丝等编织而成，分尖顶和圆顶两种。在江南农村一带，几乎家家户户都有斗笠。外出时，不管天晴下雨，都戴在头上。

◎ [八拜之交]

八拜，是古代世交子弟拜见长辈的礼节。后来用八拜之交指非同姓结拜的兄弟姐妹。

◎ [小厮]

以前对于在家里做杂事的年轻奴仆的称呼。《红楼梦》中，宝玉就有很多小厮服侍。

◎ [总角]

古代的一种头发样式。大约是八岁到十三岁的孩子，头发分作左、右两半，在头顶各扎一个结，像两个羊角一样，称为"总角"。后来也把童年时代叫做总角。

说哥哥的大名。不要说做兄弟，你随便吩咐教导，咱也甘心。"说
着便拜倒下来，随叔宝回家。叔宝每天教他枪法，日夜指点，学得
精熟。

　　一天，叔宝正和士信比试，来了一个旗牌官，说海道大元帅来
护儿请叔宝去当先锋。原来来总管奉命攻打高丽，想到秦琼勇敢过

人，就派人来请。叔宝以母亲有病为理由谢绝了。来总管得知后又想了个主意，派人去找齐州郡丞张须陀。张须陀是一个义胆忠肝、文武双全，又爱民礼下的豪杰。他知道叔宝是个人品高尚的好男儿，就亲自来到秦家。见了秦母，张郡丞笑道："夫人年纪虽大，精神很好。再说，大丈夫死当马革裹尸。只要夫人吩咐，您儿子肯定听从。明日我再来。"说完就走了。

秦母就对叔宝说："难为张大人，你只有去了。但愿早日成功，回家团聚。"叔宝还在犹豫。罗士信道："高丽的事，以哥哥的才力，马到成功。士信本来想跟随哥哥前去，但是如果我不留在家里，怕有盗贼。"三人商量好了。第二天，叔宝去见张郡丞。张郡丞大喜，又嘱咐道："高丽兵非常狡猾，爱用计谋。你们一定要分兵把守。沿海的军事力量，定然薄弱。你是前锋，可以不要攻打辽水、鸭绿江。坝水离平壤最近，你可以乘他们不防备，派兵直接攻入；前后夹击，高丽这小小的国家，便不愁征服不了了。"叔宝道："你的高见我一定牢牢记住。"辞别出门，回家收拾了一下，便和旗牌官出发。罗士信送至一二里，大家互道珍重告别。

叔宝等人早晚赶路，没用多久，已到登州，进营参见了来总管。来总管大喜，马上调遣了水兵两万，青雀、黄龙船各一百号，等左武卫将军周法尚，打听皇帝离开都城，这边就发兵了。

这边，炀帝与萧后，正要选去游江都的嫔妃宫女，段达来禀告孙安祖与窦建德在高鸡泊造反，已经杀了地方官，并和张金称、高士达勾结，请派兵消灭。炀帝看了大怒，贵人袁紫烟便推荐了她的舅舅杨义臣去讨伐。杨义臣到了河北，杀了张金称，张金称残余的人马前去投奔窦建德。

杨义臣乘胜追击，进攻高鸡泊。建德建议诱敌深入，高士达却不听，让建德留守，自己和孙安祖率兵一万去袭击杨义臣的大营。谁知，杨义臣早就预料到了，设下埋伏，射死了高士达。建德让安祖带着金银珠宝去京城贿赂大臣，调走杨义臣。

　　安祖走到梁郡白酒村住店，正巧碰上了王伯当。安祖说了之前被打败的事，伯当说李密被朝廷抓了，今晚押送的人会经过这里，所以他专门在这儿等候救人。正说着，押送的人就进来了，八九个官差，在四个囚徒中，除了李密，还有韦福嗣、杨积善和邴元真。王伯当也不说话，只对李密使了个眼色，走了进去。李密心中暗喜。只见王伯当拿着几卷绸子，放在柜台上说因为缺盘缠，想把绸子卖给店主。那个解官和解差们也过来拿起绸子看，议论说质量真不错，可惜没钱买。李密也到柜边来看。伯当马上瞪着眼，喝道："死囚，你也来瞧什么？量你也拿不出银子。"李密道："客人，你若还有，再取出来，我都买了。"说着，又叫过一个老狱卒张龙道："张兄，你要买这潞绸吗？我有十两银子，送给你去买几卷。也感谢你一路上照顾我。"张龙道："这不用，你不如买几卷送惠爷。"李密道："我留钱财无用，不如买了送给你们，等我死后，你们好心把我埋了。我另外还有银子送给你们作为酬谢。"张龙和惠解官都是爱钱的，马上同意。

　　那惠解官，得了这么多银子礼物，便让那四个囚徒也和他们一起喝酒吃菜。四五桌酒席，连主人家，共十七八人。大家大杯小盏，开怀畅饮。孙安祖对店小二道："你们辛苦了，去睡吧，有我们在这里。"孙安祖见众人的酒，已有七八分了，大概是二更时分，王伯当道："酒不热，好气人。"孙安祖忙走出去，捧着一壶烫烫的热酒，笑着进来道："店小二与我家小厮，先喝醉了，都在那躺着，幸亏我自己去拿这壶热酒。"王伯当取来，先斟满一大杯，送给惠解官，又斟下七八大杯，对着解差道："你们各位辛苦，请先喝了。"众解差道："各位盛情，实在喝不下了。"孙安祖道："这一杯是一定要喝的，剩下的就是我们喝了吧。"张龙拿起杯来，一饮而尽，众公差只得取起来吃了。顷刻间，一个解官，八个解差，一齐倒在地上。

◎[枷锁]
　　旧时的两种刑
具。

　　孙安祖笑道："这下好了。只怕药力浅，他们一会儿就醒来。"忙在行李中，取出蜡烛一支点上。王伯当将四人的枷锁扭断了。李密赶紧从解官的箱子里找出公文来，在灯火上烧了。原来的潞绸和银子，也取了出来，王伯当收入包裹，小校背上行李，共七个人，悄悄开了店门走出，只见满天星斗，略有微光，大家一路叙谈，加紧赶路。

　　走到五更时分，离店已有五六十里，孙安祖对王伯当道："小弟在这里要和兄长们分手了，不能送李兄去瓦岗了。"李密等对安祖道："小弟承蒙你的恩情，能够逃脱这次灾难，还是到前面去，痛痛快快喝上两三杯再走。"王伯当道："不是这话，孙大哥还有窦大哥的重要任务要办，不能耽搁他。"孙安祖道："小弟还有句要紧话，跟哥哥们说：你们最好分三路走或是分两路走。如果成群地逃窜，再走一二里，恐怕就要被人认出来身份捉去了。咱们就在这儿告别吧。"李密道："既然是这样，麻烦兄长转告建德大哥，我这会儿去瓦岗，如果可以安定下来，还是要去饶阳拜访的。如果能看见单二哥，也代我问候。"

　　说完，众人分开，各往东、西走，只剩王伯当、李密、邴元真、韦福嗣、杨积善，又走了几里，已到三岔路口。王伯当道："在陷阱里面，不管死活，只好挤在一堆，如今已逃出牢笼，正好各自分飞逃命。趁这三岔路口，各自请随便，我和李密同行。"韦福嗣与杨积善是交情好的，便道："既然如此，我们走这条小路吧。"邴元真道："我是也不走大路，也不拣小路行，自有个走法，请哥哥们自己去吧。"于是杨、韦二人走了小路去，王李二人走了大路。

　　没走了一里地，王伯当只听得背后一人赶来，向李密肩上一拍说道："你们也不等我一等，竟自己去了。"王伯当道："你说有自己的走法，为什么又赶来？"邴元真道："兄长难道是呆子？我刚才是哄他两个。哪里有出了衙门，再走死路的道理？"李密问道：

"为什么？"邴元真道："那些公差醒来，自然要和当地的军队一起捉拿我们，肯定是小路来的人多，大路来的人少。如今我们三人就大胆走，就算有上百的兵赶来，估计也不是我们三个的对手。"于是李密化装成道士，邴元真装扮成客商，王伯当做伴当，一起出发。

人物点击

徐世绩

　　唐代著名政治家、军事家，凌烟阁二十四功臣之一。曹州离狐（今山东东明东北）人。本姓徐，名世绩，字懋功。唐高祖时赐姓李，唐高宗时改名。他家里富有，有很多粮食。隋朝末年，他投奔瓦岗寨，劝说翟让抢劫船运来召集人马。击败张须陀后，他提议推举李密为首领，夺取黎阳仓。后来归顺唐朝，被封为黎州总管，右武侯大将军，曹国公。他跟从李世民打败窦建德、刘黑闼、徐圆朗、辅公祐等人，屡立战功。唐太宗即位后，任命他为并州都督。他和李靖一起打败了突厥的颉利可汗。他在并州的十六年，治理有方，边疆安宁，被太宗称赞为"长城"。后来，被改封为英国公，任兵部尚书，还没来得及到长安，就被任命为朔州道行军总管，击败薛延陀。他跟随攻打高丽，任辽东道大总管。高宗即位后，任命他为宰相。高宗想要废掉王皇后，立武则天为后。褚遂良等人都极力反对，而徐世绩却说："这是皇帝的家事，外人管不着。"高宗出兵攻打高丽，他攻破平壤，俘虏国王凯旋。徐世绩死后陪葬昭陵。徐世绩一生出将入相，侍奉三代皇帝。他有计谋、善决断，又能广泛听取他人意见；胜利后不贪功、不贪财，将士们都愿意为他效命。

第十六回　栽垂柳炀帝风流

◎ [无盐]

古代女子。她姓钟离，名春，因为是齐国无盐邑的人，所以被人叫做无盐。她长得非常丑陋，但是很有智慧，关心国家大事。她去拜见齐宣王，当面指责他奢侈腐败。宣王听了十分感动，把她立为王后。后来就用"无盐"这个词指貌丑却有德行的女子。

◎ [杵臼]

一种捣粮食或药物的工具。又叫研钵、擂钵、乳钵，民间称为舂米桶、捣药罐或蒜臼子。

孙安祖到了长安，买通了段达、虞世基等奸臣，果然把杨义臣调回。窦建德的势力越来越大，部队发展到一万多人。他派人去二贤庄接女儿，并请单雄信一起来干大事。

这边，炀帝在宫中选带去游幸广陵的宫人。宫中的女子，绝没有无盐之类的，都是各有各的美丽。炀帝选来选去，难以取舍，干脆让萧后与众夫人去选，自己拉了朱贵儿、袁宝儿，跟了三四个小太监，驾了一只龙舟，去到三神山上看夕阳。忽然天色变暗，炀帝便懒得上山，就在观澜亭中坐了一会儿，恍惚间，海中有一只小舟过来。只见走上一个太监来，道："陈后主要求见万岁。"原来炀帝与陈后主，早年关系很好。后主从船中走来，到了亭中，要行君臣之礼。炀帝忙以手搀住道："朕与卿故交，何须行此大礼。"炀帝又道："垂髫之交，情同骨肉，过去的事，我都还记得。"后主道："陛下今日贵为天子，真令人羡慕。"炀帝笑道："富贵乃偶然之物。听说你曾为张丽华造桂宫，用水晶装饰。庭中空空，只种一株大桂树，树下放一个捣药的玉杵臼，旁边养一只白兔。丽华穿白衣裳，如同月宫嫦娥。不如请丽华出来相见？"

后主叫太监去船上请，只见丽华如白玉、雪花般美丽动人地走过来，为炀帝唱了著名的《玉树后庭花》，一边唱一边翩翩起舞。炀帝看得十分沉醉，不停地称赞。丽华便请炀帝为她作一首诗。谁知炀帝写的诗带有讥讽的意思，丽华脸红起来，后主也很生气，说："我也曾经是天子，却不像你这样狂妄！"炀帝怒道："你是亡国之人，怎么这么无礼！"后主也怒道："只怕你亡国时，结局还不如我！"炀帝大怒，过来要捉住后主，丽华却用泥水往炀帝脸上拂过来。炀帝吃了一惊，就像做梦才醒，想起他们二人已经死了很久了，吓了一身冷汗，赶紧和贵儿等人坐船回去了。

　　回宫后，萧后告诉炀帝张、尹两名妃子叫宫女们一起哭诉，结果没法挑选。原来张妃子名艳雪，尹妃子名琴瑟，两个是文帝时，与宣华夫人同辈的人，年纪与宣华差不多，而长相则稍微差点儿。现在正是二十七八岁，炀帝因为特别喜爱宣华夫人，便不把这两名妃子放在心上。况且，宣华夫人死后，接着就是杨素撞倒金阶，口里说出许多冤仇；文帝的阴灵，在白天出现，因此炀帝也觉得寒心，不敢再干之前那种事。她们从长安又被带到这里。许庭辅两次后宫选美时，张、尹二妃因为被文帝宠幸过，哪里肯送东西给他？导致她们一直得不到炀帝的宠爱，两人也就渐渐灰心丧气。萧后是最小气，喜欢别人奉承的，因为张、尹二妃平时不肯低声下气地讨好她，所以这次故意编出这几句，说张、尹二人的坏话。谁知炀帝竟然当真了。

　　到了第二天，这些没被选中的，正要看炀帝出宫上辇，只见十来个太监，走到张、尹二妃的宫中来，说："万岁爷有旨：余下宫女四百余名，命张、尹二妃子带领坐船，不得有误。"张、尹二妃听了，感到奇怪："我们两个又不曾去求朝廷，又不曾去求皇后，这种好事怎么会落到我们头上？"众宫人欢欢喜喜，收拾了细软，装满了几十车，一齐出宫门。在路上走了一日，黄昏时候停了船。到明日，张、尹二夫人心中更加疑惑，便问太监道："万岁爷的船在哪里？"太

◎［《玉树后庭花》］

　　南朝皇帝陈后主非常昏庸，他每天不关心国家大事，只顾和妃子、宫女们喝酒作诗、欣赏歌舞。他让大臣们写了很多艳丽的诗文，叫宫女们演唱。《玉树后庭花》是陈后主写的，其中有"玉树流光照后庭"的句子，描写了宫廷美人们的娇姿态和奢华生活。很快，陈朝就灭亡了，《玉树后庭花》也成为亡国之音的代名词。

◎［细软］

　　指精细贵重、又方便携带的东西，像金银、珠宝、首饰等。

监道："在前面。"张夫人道："听说朝廷新造了几百条龙舟，如今我们坐的却是民间的差船，并不是龙舟。这事肯定不对。你们究竟要把我们骗到哪里去，快快说来！"众太监知道难以隐瞒，只得跪下去道："二位夫人，不要生气。这是万岁爷的旨意，叫奴婢送二位夫人与众宫女到晋阳宫去，如果不信，圣旨就在这里。"太监取出来，张、尹二妃接来读道：张、尹二妃，系先帝宠幸过，不便在此伺候，命她们带领余下宫女四百余名，到太原晋阳宫中，由守宫副监裴寂按花名册清点看守。众宫女听见旨意，不是到江都去，反而要到西京太原，都大哭起来：也有要投河的，也有要自尽的。唯独张夫人哈哈大笑道："我看你们这班痴妮子，到江都去，又没有父母亲戚在那里，只不过游玩而已。再说，就算你们去了，也赶不上别人的宠眷。我都这样了，你们为什么不认命？倒是去太原自由自在，不少吃不少穿，好不快活，省得在那里看她们得意。"众宫人听这么一说，也想开了不少，一路上说说笑笑，一月之间，到了晋阳宫。太监们把两位夫人与众宫女，交给了副宫监裴寂。

炀帝离开洛阳，坐了龙舟去江都。他和萧后坐的十只大龙舟，用彩索接连起来，居于正中。五百只二号龙舟，分一半在前，分一半在后，簇拥前进。每船都插一面绣旗，编成字号。众夫人、美人，照着字号居住。这一行有数千只龙舟，几十万人役，把一条淮河，填塞满了；然而天子的号令一出，都整整齐齐，无一人敢喧哗错乱。

次日起来，炀帝传旨击鼓开船，恰恰这一日，没一点风，挂不了锦帆，只得用彩缆拴起，然后叫殿脚女，一起上岸去牵船。那十只大龙舟，被一百条彩缆，悠悠漾漾地扯着往前走。炀帝与萧后，在船楼中细细观看，真是从古至今，未有这般富丽。正在细看之时，只见殿脚女们，走了不到半里远近，粉脸上都微微透出汗来，喘息不定。原来这时已是三月下旬，天气变热，太阳正当头照着。这些殿脚女，都不过是十六七岁的娇柔女子，如何承当得起？炀帝看了，

◎ [殿脚女]

相传隋炀帝巡游江都时，牵挽龙舟的女子。

心下暗想道："要这些女子牵船，原本是为了美观，这样流汗便没趣味了。"慌忙传旨，叫停船。众女子都收了锦缆。

萧后见了，便问道："才走几步路，陛下为何便停住了？"炀帝说了原因，萧后笑道："陛下原来爱惜她们，怕晒坏了。妾倒有个法儿，不知皇上满不满意？"炀帝道："皇后有何妙计？"萧后道："这些殿脚女，两只手要牵缆绳，遮不了扇子，又打不了伞，怎么会不被日晒？倒不如在龙舟上过了夏天，等待秋凉再走，便晒不坏她们了。"炀帝笑道："皇后不要取笑。朕不是爱惜她们，只是这种场景，实在不雅观。"萧后笑道："妾也不是取笑陛下，只是没法给她们阴凉。"

炀帝只好召来大臣们商议办法。翰林学士虞世基奏道："这事不难，只要将堤岸两旁种满垂柳，绿荫遮盖，便不用担心太阳了。而且柳根四下长开，又可以巩固这新筑的河堤。"炀帝听了大喜道："这个主意好极了！只是河堤太长，怎么种得了这么多？"虞世基道："如果叫地方郡县栽种，只会相互推脱，耽误事儿。陛下只要下一道圣旨，不论官员还是百姓，有能种一棵柳树的，赏绢一匹。这些穷百姓，肯定连夜种起来。我想只要五六天，便能成功。"炀帝欢喜道："卿真有用之才。"马上传旨乡村百姓：有种柳树一棵者，赏绢一匹。只因这一匹绢，赏赐厚重，那些百姓，便不顾性命，大大小小连夜都赶来种树。近处没有了柳树，三五十里远的，都挖来种。小的种完了，连一人抱不来的大柳树，都连根带土扛来种。不到两三天，这一千里堤路，早已种得像柳巷一样，清荫覆地，碧影参天。炀帝道："朕今赐他国姓，就姓杨吧。"炀帝取了纸笔，御书杨柳两个大字，叫左右挂在树上照旧开船，殿脚女依旧手持锦缆，这下连一丝日色也透不下来，只有清风扑面，非常凉爽。炀帝看见众殿脚女走得自在缓慢，一点也不辛苦，心里也十分欢喜，便召十六院夫人与众美人，都来饮酒赏玩。

◎ [锦缆]

锦制的缆绳，精美的缆绳。

◎[新月]

也就是在朔日发生的天文现象。那一天（一般是夏历每月初一），月亮运行到地球和太阳之间，和太阳同时出现、消失。月亮的黑暗半球对着地球，因此，我们这时看到的月亮细细的像钩子一样。古代人常用"新月"来比喻女子又细又弯的眉毛。

炀帝吃到半醉，便去仔细观看那些殿脚女。看到第三只龙舟，忽然发现一个女子生得十分俊俏，腰肢柔媚，体态风流。炀帝看了大惊道："古人说：秀色可餐。果真这样！"便叫那女子走到跟前，只见她画了一双细长的眉毛，就像新月一般，更觉得眼睛黑白分明、光彩照人。原来她是吴郡人，名叫吴绛仙。晚上，炀帝和绛仙玩乐，萧后勉强同众夫人吃酒，袁紫烟说肚子痛，先回船。薛冶儿道："做人再不要做女人，不知要受多少苦难。"萧后道："做男子反不如做女人，女人没什么事，只要随机应变，管他外面什么变化，我只是落得快活。"李夫人道："娘娘也说得是。"秦夫人只顾看沙夫人，沙夫人又只顾看狄夫人、夏夫人，好久不说话。萧后随即起身，众夫人送到龙舟寝宫，各自回舟。沙夫人和秦、夏、狄三位夫人一起去探望袁紫烟。

　　众夫人刚走到紫烟舟中，只听得半空中一声巨响，夫人们跃倒，几百号船只，震动得窗开樯侧。四位夫人站起来，宁神定息了一会儿，问宫奴道："袁夫人睡了吗？"宫奴说道："袁夫人在观星台上。"原来袁紫烟那只龙舟，造有一座观星台。四位夫人刚要上台去，见袁紫烟、朱贵儿带着赵王，后边跟着王义的妻子姜亭亭走下船舱来。袁紫烟笑道："主人既然回寝宫了，我们自当告退。况且我昨夜见天象不好，没想到刚刚就发生了灾祸。"姜亭亭道："外边的事，只瞒住皇上一人。我们听到看到的，真是可以痛哭不止。"秦夫人吃惊道："怎么会到这种地步？"姜亭亭道："朝廷连年修建巡幸，弄得百姓家破人亡，最近又有各地盗贼劫掠，将来竟要弄得盗贼多而百姓少了。"袁紫烟道："前些日子陛下派杨义臣去消灭河北盗贼，不知怎么样了？"姜亭亭道："杨老将军特别厉害，幸亏他消灭了张金称。正要去抓窦建德，想不到又有人嫉妒他的功劳，说他兵权太重，又改调别人去了。"狄夫人道："乐极生悲，天下哪有不散的筵席；只是不知道将来我们这些人，会死在哪里呢？"朱贵儿道："死生荣辱，上天早已有安排。"说了一会儿，众夫人各自回舟。

　　炀帝自从得了吴绛仙，欢乐了七八日。这天来到了睢阳，看见河道淤浅，又见睢阳城没有挖断，龙脉还在，追究起来，连令狐达都叫了来当面质问。令狐达把麻叔谋干的一大堆坏事，以及自己接连写了三封奏章，都被段达受了麻叔谋的贿赂，不肯送给皇帝等事一一禀告。炀帝听了，大怒，马上派刘岑去搜麻叔谋的行李中的赃物。刘岑去了没多久，将麻叔谋囊中的金银宝物，都摆在炀帝面前。只见三千两金子，还没有动。太常卿牛弘赍去祭拜晋侯的白璧，也在里面。又有一个每个朝代相传的玉玺。炀帝看了大惊道："这玉玺是朕的传国之宝，前日忽然不见，朕在宫中找遍了，也没个影儿。谁知被这个陶柳儿的奸贼盗窃在这里。宫廷守卫严

◎ [龙脉]

　　看风水用的术语，说地势如游龙。

密，有这样的手段，太危险了！"炀帝立刻传旨：命内使李百药带领一千士兵，把宁陵县上马村围住，捉拿陶柳儿全家。陶柳儿完全不知消息，被众军围住了村口宅门，全族大小，共计八十七人，都被捉住处死。段达欺骗皇帝，也被降职。

人物点击

张丽华

　　陈后主的妃子。她出身贫寒，十岁的时候入宫当了龚良娣的宫女。她的头发长达七尺，黑得像漆一样，容貌非常美丽，举止光彩照人，而且机智聪慧。后主见了，特别宠爱她，和她生了后来的太子陈深，又封张丽华为贵妃。后主还特意修建了临春、结绮、望仙三阁，用檀香木做窗户、栏杆，装饰着珠宝玉石。张丽华住在结绮阁里，她经常打扮好了，靠着栏杆观赏风景；宫里人远远地看见，就像神仙一样。张丽华记忆力很强、口才好，又善于揣摩皇帝的心意，因此广泛参与国家大事。后主经常把她抱在腿上，一起处理朝政。大臣们纷纷讨好张丽华，著名乐曲《玉树后庭花》、《临春乐》等都是称赞她的美色。后来，隋朝的军队攻入建康，陈后主拉着张丽华、孔贵嫔跳到井里躲藏，结果被隋朝士兵们发现，拉了上来。那口井从此被叫做"胭脂井"。晋王杨广早就听说张丽华的大名，派人索取她。但是高颖毫不留情地在清溪将丽华处死。

王伯当、李密、邴元真三人早晚赶路，来到离瓦岗寨二百多里的一个山坳，看见一户有竹林、水亭的人家，见一个十七八岁的女子，手提桑叶，身穿蓝布青衫、素绸裙子，一方绢包在头上，兜着头，相貌清秀柔美、举止大方。那女子一步步移着三寸金莲，走进屋去。李密看见惊讶道："奇怪了，这里又不是苎萝山，怎么会有这样的美人？"王伯当道："天下佳人有的是，不过这不是我们现在关心的。"这时，一位老人请他们进去坐。这老人姓王，是从长安搬到这里的。正说着，他的侄子进来了，身长九尺，红头发红胡须，威风凛凛。王伯当仔细一看，竟然是早年认识的王当仁。王伯当便将救李密等事一一说了。这时，老人说想把女儿雪儿，就是门外提着桑叶的女子许配给李密。李密拿出一双玉环来作为信物。老人则将雪儿头上一支小金钗，送给李密。

这边，叔宝做了先锋，攻入平壤，杀死了高丽的大将乙支文礼。炀帝知道后大喜，升了叔宝的官；又命令宇文述、于仲文，火速进兵鸭绿江。高丽国大臣乙支文德，打听到宇文述、于仲文是爱钱的人，就赠送了许多人参、名马、貂皮等礼物，假装要投降。宇文述当真了，结果，反而被高丽军队围攻，幸亏叔宝勇敢过人，大败

◎ [貂皮]

貂的皮毛。貂是一种长相像狐狸的动物。貂皮丰厚柔软结实，光泽度高，是制作皮衣、皮帽的理想材料。貂皮又分为紫貂和水貂，其中以紫貂皮较为名贵。貂皮产量极少，价格昂贵，有"裘中之王"的美称。在国外，紫貂皮被称为"软黄金"。貂皮具有"风吹皮毛毛更暖，雪落皮毛雪自消，雨落皮毛毛不湿"的三大特点。

高丽军，还救了宇文述的儿子宇文化及和智及。谁知却被宇文述的家将认出，叔宝正是当年打死宇文公子的那人。宇文智及便想出一条毒计来陷害叔宝。叔宝不知道他们的阴谋，去大营见宇文述，却被绑了起来。宇文述说叔宝因得到了乙支文德的金盔，因此放他逃走，这是和敌人勾结的大罪，应当处死。正巧来总管去了叔宝的营中，得知这事，赶紧前来救他。宇文述部下见来总管发怒，也不敢阻挡。来总管怕宇文述又来害叔宝，就调走叔宝，让武茂功代替他当先锋。宇文述、于仲文，因为缺乏粮饷，也不通知来总管，擅自撤兵。隋军被高丽军反攻，死伤惨重。剩余的人逃到辽东，炀帝大怒，宇文述等人都被免官。

来总管和叔宝的这支人马平安无事回到了登州，叔宝便向来总管辞职。来总管让他当齐州折冲都尉，一来使他光荣地回乡，二来使他能照顾乡里；又送了银子和绸缎。叔宝回家，见了母亲。妻子张氏带了儿子怀玉出来拜见。罗士信也来接见。一家人高高兴兴。第二天，叔宝又去拜谢了张郡丞。张郡丞知到罗士信英勇，就让他当校尉，训练士兵。从此三人齐心协力，山东、河北、淮西的盗贼首领，谈到秦叔宝、张须陀，都十分害怕。炀帝又升了三人的官职。

李密、王伯当、邴元真三人从王当仁家离开后，李密另外去了单雄信那里。王伯当和邴元真则来到瓦岗寨。翟让出去了，只有徐懋功、李如珪在，徐懋功得知李密单独去二贤庄，知道他有危险，就让王伯当和李如珪、齐国远带着手下，扮成商人，火速去潞州找李密。李密走到离二贤庄有三四十里的地方，遇上了以前是杨玄感手下的詹气先。詹气先这时已经是潞州的捕快。他叫人悄悄地跟着李密，打算捉住他送到官府领赏。

李密进了二贤庄，雄信却不在。总管单全也是个有胆量有见识的人，他告诉李密，雄信护送窦小姐去饶阳了，然后还要到瓦岗寨去。李密说路上碰见了詹气先，单全听了，眉头一皱，把李密请到了后书房休息。这时，有人在外面叫门。单全忙出去一看，原来是巡检司。巡检说有一个叫李密的重要犯人逃到了庄上，要他们交出来。单全不承认，詹气先就说他亲眼见到过。单全立刻瞪着眼睛说道："你既然看见，就应该马上抓住他，为什么却放走了？要知道我家主人也是个好汉，不怕人诬陷的！"院子里站着一二十个大汉，也个个怒目而视。巡检司听了单全这话，知道单雄信不是好惹的。而且平时也有交往，便改口说惊动了，带人离开。李密正感谢单全，外面又有人敲门。喊道："我是王伯当，管家快开门。"单全听见，飞快开了。只见王伯当、李如珪、齐国远三个，跟着五六个伴当，走进门来。王伯当问："李密来过吗？"单全道："李爷在这里，请众位到里边去。"李密见了惊问道："三兄为什么连夜到这里？"王伯当便把瓦岗寨的事说了。单全道："不是我们怕事。刚才那个姓詹的，满脸杀气。如果再来，我们怎么办？"王伯当道："我们守到天明，没人再来，就同李爷起身去瓦岗。如再有人来，看他人多人少，对付他就是。"一会儿天亮了，众人吃完了饭，正准备上路。看门的惊慌走进来报道："又有兵马进庄来了，众位爷快出去看看。"

原来詹气先又报告了潞州漆知府，让庞三夹前来捉拿。这庞三夹，只要有犯人在他手里，不论是非，总是三夹棍。因为他是三甲进士出身，所以叫做庞三夹，这时李密让李如珪与齐国远领着壮丁，出后门去，看他们下了马，听见里面喊乱，去劫了他们的马匹。又让单全引他们到有机关布置的房间去。这些拥进来的官兵果然中计，掉到了坑里。王伯当他们又放倒了好几个。官兵前后受敌，只好放下武器投降。李密问詹气先在哪儿，一个壮丁说已经被齐国远用板斧砍死了。李密又对单全说，闯了这样的祸，不如让雄信的家属都和他们一起去瓦岗寨。单雄信有个守寡的嫂子，就是单道的妻子。加上雄信的妻子崔氏、女儿爱莲，至亲三口，连家人媳妇，共有二十多口人，都上了车儿。大家骑马起程，朝瓦岗寨进发。

◎ [进士]

　　意思是推举的人才。隋炀帝时开始设立进士科的考试。到了唐代，进士逐渐成为科举考试中最重要的，当时很多重要大臣都是进士出身。以后历代都把进士作为当官资格的第一选择。

◎ [板斧]

　　属于短斧的一种。斧头是扇形，刀阔十六厘米左右，斧端有弯刺，柄长一米。一对板斧常作兵器，用法有抢、劈、砍、扎、削、扫等。《水浒传》中的梁山好汉黑旋风李逵，使用的就是板斧。

　　却说单雄信送窦建德的女儿线娘到了饶阳。此时建德已经攻下了七八处郡县，有十多万兵马，很受百姓的拥护。建德再三挽留不住，就送了二三千两金子。雄信一行人也去瓦岗寨。这天傍晚，大家走了六七十里路，找到一户人家住一晚上。一个叫小二的伴当去敲门，出来一位老婆婆，竟然是他的外婆。这时，门内又走出一个大汉，见雄信身躯伟岸，是天神般的一个好汉，忙举手问道："潞州有个单二员外，就是您吗？"雄信答道："在下就是。"那人赶紧将他们请进草堂，原来他正是王当仁。他告诉雄信，王伯当、李密、邴元真都去瓦岗寨了。雄信说自己也正要去那里和他们相会。王当仁大喜，忙请出了伯父。那老人便把之前将女儿雪儿许配给李密的事说了。雄信道："李兄在外浪游多年，没想到今天能结成秦晋之好。"老人忽然长叹道："谁知道前几日亳州朱粲经过这里，小女偶然在门外打扫，被他看见，放下礼物，一定要娶她，约定了月初。正是难办。"雄信说："既然如此，就请小姐收拾东西，明天就走。我送你们一家到瓦岗去与李兄相会。"老者高兴坏了，忙领出女儿，叫她拜谢雄信。

雄信一看，那女子长得眉清目秀，虽然只穿着乡村衣服，也很秀美动人。第二天众人收拾好了，单雄信叫人把门封了，一起上路。三四天后，已来到瓦岗寨。雄信派人先去报信，远远望见翟让等七八个好汉，骑马前来迎接。大家来到了振义堂中，翟让吩咐手下，准备酒席，一来为李密举行婚礼，二来替单员外接风。单雄信也见到了妻子和女儿等家属，放下心来。

大家吃吃喝喝，欢呼畅谈。徐懋功说他已经叫连巨真，到兖州府武南店去请尤、程两弟兄来加入队伍。正说着，连巨真回来了，说尤员外和程咬金在豆子坑里七里岗上扎寨。程咬金说雄信、叔宝不去，他们也不去瓦岗寨。还说自己在路上看到官府派人去王家集去捉拿王伯当。徐懋功得知王伯当的家属都在他的小舅子裴叔方那里。他让连巨真和王当仁、齐国远打扮成卖杂货的，到齐州西门外鞭杖行贾润甫那里，叫他随机应变，负责照顾王伯当的家眷上山。如果能劝说他来瓦岗寨一起干大事，就更好了。这人也是很重要的。懋功又让翟让、雄信和邴元真，带三千人马，到潞州去，向潞州府借粮，并打听二贤庄雄信的房屋。懋功自己则和王伯当、李如珪带兵在后面接应。李密问道："那小弟呢？"懋功笑道："兄长今晚才合卺，只好代替翟大哥看守寨子，以后再劳烦你。"连巨真与王当仁、

◎ [秦晋之好]

春秋时期，各个国家为了政治、军事的需要，往往通过两国婚姻这种方式，联合双方的力量，变得更强大。当时的秦国和晋国的国君就是世代互相嫁娶。后来就把两个姓氏的婚姻关系称为"秦晋之好"。

◎ [接风]

摆设宴席款待从远方来的客人。

◎ [合卺]

古代婚礼仪式之一。最早是将葫芦剖成两瓣，新郎和新娘各拿一瓣装满酒喝下。表示两人从此成为一体。以后改用酒杯装酒，称为喝"交杯酒"。后来也用合卺借指结婚。

齐国远，五更起身，没多久，已到西门外。

原来贾润甫因为天下形势混乱，也不做生意了。连巨真敲门进去，润甫出来见了，忙叫手下接了行李去，引三人到堂中。连巨真取出单雄信的书信给贾润甫看。润甫把他们带到一间密室里去，问道："连兄是认得去济阳王家集的路的？"连巨真道："路虽然是走过，只是从来没有到伯当家里去。这里虽然有他亲笔写的信，难免让人不能完全相信；一定得兄长前去，这事才能办成。不知官府有没有来过，如果事情紧急，这该怎么办？"贾润甫道："这不要紧，如果走大路肯定要三天。如果穿出斜梅岭往小河洲去，只用一天，就到王家集了。"一边说，一边摆上酒菜来。润甫问瓦岗寨寨中有哪几位兄弟，有多少人马，三人都一一详细说明。连巨真问道："贾兄如今不做这生意了，倒也清闲自在。但只怕消磨了大丈夫的英雄气概。"润甫叹息道："说什么清闲自在，只是整天看枯山，守白浪。这些人每天张着口，哪里有那么多钱养活？前些日子秦大哥写信来，要我去帮他立功。我想全国共有二三十个地方起义，哪里消灭得完，就是立了功，皇帝无能，大臣奸诈，未必升官荣耀。你们看那杨老将军，便是后人的榜样了。"连巨真道："正是这话。"王当仁道："兄长怎么不到我那里去？将来翟大哥、李大哥做起事来，自然与众不同。"润甫道："翟大哥不知道做人怎么样？李密兄全国知名，而且他才识过人，又肯招收人才，将来的事业，肯定比别人要强得多。我再观察一下，将来一定会去和各位相聚。"连巨真问道："明天什么时候去王家集？"润甫道："五更就走。"即便收拾杯盘，大家上床睡觉。

到了五更，润甫与连巨真、王当仁、齐国远往济阳进发。赶了三日，傍晚到了王家集。原来王家集，也是小小一个市镇，共有二三十人家。贾润甫等人进去，正好王伯当的小舅子裴叔方，在他家里。那裴叔方是个光棍，平时也是使枪弄棒不学好的。连巨真取出王伯当的信，让裴叔方给他姐姐看了。幸亏王伯当家中，没有老人孩子，只有妻子一人和手下一对仆人夫妇。贾润甫对连巨真道："小弟不能远送，兄弟们路上小心。"众人向西，贾润甫往东回去了。连巨真没走几步，就对王当仁说："我忘了一件东西，你们先走，我去去就来。"说完飞一般地向东去了。众人正在那里疑惑，只见连巨真笑嘻嘻地已经赶回来了。

人物点击

来护儿

隋末大将。他从小就有远大的志向，当读到书中古人作战的场景时，他扔下书长叹道："大丈夫就应该这样！"在消灭陈朝的战争中，来护儿建立了很大的功劳。随后，又跟随杨素攻打高智慧。杨素采纳来护儿的建议，让他率领轻型战船偷渡突袭，烧毁了智慧的后方大营；杨素则乘机从正面突击，大败高智慧。来护儿因此被封为大将军、泉州刺史、襄阳县公。来护儿连续作战，战功显著。隋文帝为了表彰他，派人为他画像。隋炀帝即位后，来护儿被召入朝廷，当时他正担任瀛洲刺史，很有政绩。百姓知道他要走，上书挽留的多达几百人。炀帝去江都巡游时，还特别赏赐财物给来护儿，让他去祭拜祖先的坟墓。隋朝末年，来护儿三次率军攻打高丽。后来杨玄感起兵，他一日里三败杨玄感，很快平定了叛乱，被封为荣国公。宇文化及在江都发动兵变，来护儿因为忠于炀帝，也被杀死。来护儿为人重诚信，喜爱结交朋友，不看重金钱；对士兵既纪律严明，又能体谅关怀，手下都愿意为他效命。

宇文述派人到齐郡张通守处来抓王伯当一家，正巧被叔宝和罗士信听到了，正在想办法，又听见门外有人要见老爷。叔宝出来，见是连明，赶紧邀请到书房中。连明要叔宝通知贾润甫快点逃走，说完后匆匆又赶去潞州。叔宝马上叫罗士信悄悄骑马出城，找到贾润甫。润甫和妻子收拾了东西，和家里人朝瓦岗进发。走到齐州边界，碰见齐国远和王当仁，大家一起前往。

这边张通守带了官兵到王家集去，捉拿王伯当家属。只见大门锁着，闯进去看，一个人也没有；查问邻居，都说五天前就走了。张通守把邻居们带回衙门审问，问出是一个叫贾润甫的帮他们逃走的。张通守正要起身去抓贾润甫，有人来报告说盗贼刘武周带领宋金刚进入平原县了，请快派兵去消灭。张通守把叔宝叫来，让他去抓人。叔宝没办法，只得带着人，来到贾家，见门户锁着，叫人进去，房里没有一人。叔宝道："这叫我到哪里去追，我要赶上张老爷去剿贼。"说了上马前去。宇文述看见回报的公文里写都尉秦琼没有捉到贾润甫，便对儿子化及说："秦琼那家伙，没想到在山东做官。我干脆奏报秦琼一直与李密、王伯当往来，想要造反。"宇文化及道："但是张须陀有勇有谋，秦琼又特别勇猛。不如把他的家属，从齐州捉来京城。这样，那家伙肯定不敢随便反抗，这条计策更加万全。"
宇文述道："说得对极了。"此时，罗士信在齐州防贼，张须陀与秦
叔宝在平原拒贼，无奈贼多兵少，那边退了，这边又来，怎杀得尽？
幸亏他三人抵挡得住。

　　一天，张须陀在平原，正要请叔宝商量招集流民防守，忽然看
见一个差官，说有兵部机密文书送来。张须陀拆来看了，仍然放在
袋中，摆在桌上。差官道："宇文爷吩咐，要老爷马上去办。"张须
陀道："知道了，明日领回文。"须陀回到帐中，灯下写了一个替叔
宝申冤辩白的文章，说他不是李密的同伙。第二天，正要交给差官，
叔宝回来了。须陀与叔宝和颜悦色，谈笑商量。叔宝要起身，差官
怕他走了，忙过去说："兵部差官领回文。"须陀对差官道："你这
样性急！"叫人把回文给他。差官见只给回文，只得又说："差官
奉命押解犯人。"须陀道："这事情我已写在回文中，你只管拿去就
行了。"差官道："宇文老爷之前吩咐，没有犯人，你不要回来。现
在犯人就在这里。"张须陀道："你这差官好多事！这事我已经在公
文中说清楚了，你去吧！"这差官很有胆量，又道："老爷在上，
这事关系叛乱，不是小事。如果犯人不去，不光我有责任，老爷也
脱不了干系。"叔宝不知道原因，见差官苦苦恳求，就替他说好话："大
人，是什么犯人？如果是真的，就让他带走吧。"须陀笑道："别理
他！"这差官便着急了；嚷道："奉旨捉拿造反的秦琼，怎么你反
倒和他坐在一起，将我赶出。"秦叔宝听见造反的秦琼几个字，便
起身离坐，向须陀道："大人，秦琼不知道做了什么错事，得罪朝廷，
成为犯人。如果真的有圣旨，秦琼就跟他去，怎么能够连累大人。"

　　须陀最初只想暗暗地挽回这事，不让叔宝知道，到这时
不得不说道："昨日兵部有文书来，说杨玄感一党的逃犯韦福
嗣，招供说你和王伯当家属窝藏李密。我想都尉五年血战，今
在山东，每天都和我在一起，哪有和玄感往来？真是陷害忠

◎ [流民]

因受灾而流亡外
地，生活没有着落的
人。

隋唐演义

◎ [青史]

指的是史书。"青"
指的是竹简，因为古
代最初是在竹简上记
事，所以把史书称
为青史。另外，"汗
青"这个词也是指史
书。因为竹子表面有
一层竹青，含有水
分，不方便刻字。古
人就把竹简放在火上
烤干水分，这样处理
过的竹简容易刻字，
还能防虫蛀。当时，
人们把这种火烤的程
序叫做"杀青"，也
叫"汗青"。

良。所以我已经写了一个替你辩白的东西。这家伙仗着自己是官差，
竟敢如此放肆。"叔宝道："真假有辨。还是将秦琼押送到京城，我
自己去辩白。当天因为抓不到李密，就借着这事陷害我；我如果不
去，就会牵连到大人了。"须陀道："都尉不要这样。如今山东、河北，
全靠你我两人；没有你，我一个人也干不好。况且丈夫不死也就算
了，死也一定是要为国家的事，烈烈轰轰，名垂青史。怎么能让小
人随便陷害？"那差官见没办法了，只得回京城。叔宝道谢，须陀道：
"都尉不必谢，今日只为国家、地方着想，不为都尉。但是我两人要同心协力，消灭盗贼，为国家出力就好了。"自此，叔宝感激须陀，一心一意要建立功业，一来报答国家，二来报答知己；却不知道家中又出事了。

再说张须陀升任通守后，新任齐州郡丞名叫周至。一天，兵部派人来捉拿秦叔宝的家人。差役们来到鹰扬府，先见罗士信，呈上纸牌。士信道："我哥哥辛苦作战，才做了一个小官，怎么说他造反？这样可恶，还不走！"差人道："是宇文老爷吩咐的，奉旨捉拿。老爷还要三思。"士信瞪着眼道："叫你去就是了，再讲惹怒了我，一人打三十大板！"公人见他发怒，只得走了，报告周郡丞。郡丞没法，只好亲自去见罗士信。士信出来作揖，郡丞知道士信少年粗鲁，只得先不停地道歉："刚才得罪了，秦都尉也是个官，怎敢不给他面子；无奈是上面的命令，奉了圣旨，小弟实在担当不住，想这事也是包庇不了的。"士信道："下官与秦都尉，是异姓兄弟。他临行把母亲和妻子托付给我，我怎么会让她们受人欺负？这事也要大人行个方便。"周郡丞道："小弟怎么会为难你们，但是公文难回。"士信道："事无大小，只要大人有担当。就要去，也没有不抓本人先抓家属的道理。"周郡丞道："那么不如贿赂差官，安顿了他，先回公文去，说秦琼母亲和妻子，已被带到衙门，因为得了重病，不方便上路。等到病好了，就让差官押解到京城。这边先这样缓住了，然后一同去京中找人想办法，就可以两全无害。"

罗士信年纪虽轻，却明白事理的，道："我兄弟从来不要人的钱，哪里有钱给人？只要我在，你们要抓他的家人，是绝对不行的。"郡丞见说不通，只得回衙门。差官天天催逼，郡丞没办法，与手下商量计策。有个狡猾的手下道："如今罗士信在，又有人马，咱们强行去抓人，肯定是不行的，除非先把罗士信逮起来。况且罗士信与秦琼住在一起，自称异姓兄弟，也算是他的家属，一起抓了他，以后再没有麻烦了。"郡丞道："他勇猛如猎豹，怎么抓得住？路上

◎ [鹰扬府]

古代一种军事机构的名称。隋文帝时，曾经设置了骠骑府。到了隋炀帝时，把骠骑府改为鹰扬府，骠骑将军改为鹰扬将军，统领士兵。到了唐朝，又把鹰扬府改为折冲府，主要官员改称折冲都尉、果毅都尉。

◎ [作揖]

中国古代的交际礼仪。大概起源于周代以前，基本姿势为双手抱拳前举。作揖的方法有很多种：一个一个地作揖；按人的身份等级分别作揖；对许多人笼统地作揖三下。向人作揖，一般是表示礼貌和恭敬，但在特定场合下，又能表示高傲。

◎ [猎豹]

动物中的短跑之王，陆地上奔跑速度最快的动物。它的外形像豹子，但更瘦，头小而圆，全身淡色，有黑色的斑点，从嘴角到眼角有一道黑色的条纹。猎豹主要分布于非洲，它们虽然凶猛好斗，但很容易驯养，古代曾经利用它们来帮助打猎。

◎ [起解]

也就是现在所说的"提审"。在明清时期，有冤屈的囚犯通过各种渠道，找到最初审判衙门的上级——主要是"御史"，申诉自己的冤屈。御史们如果觉得确实有冤情，就可以将案卷、犯人、证人一同带到自己的衙门审理，而犯人上路的这个过程，就叫"起解"。

万一有个疏忽，怎么处？"那人道："老爷又多虑了，只要捉住罗士信和秦琼的妻子和母亲，当堂起解，交给差官，路上纵然有闪失，也是差官与别的地方的事了。"郡丞点头道："只是如何捉拿他？"那人向郡丞耳边，说了几句；郡丞大喜，就让那人去请罗士信，只说要商量回文。罗士信道："我不管，你家老爷自己去回。"那人道："自然是周老爷去回，但是老爷说不知道写得行不行，得罗爷看一下。"罗士信道："你这个人倒是会讲话，你姓什么？"那人道："我姓计名成，就住在老爷后院子弄里。"

罗士信以为是真的，来到衙门，周郡丞接见道："大家一起做官，没有道理不帮忙的。"又拿公文给士信看。士信道："我是个粗人，不懂公文。"周郡丞故意指说："内中有两个字不太合适。"叫人重新抄写盖章，故意耽误到中午以后，请来差官给他回文。周郡丞又给他银子十两，说是罗爷送的。周郡丞就留罗士信吃午饭，罗士信喝了几杯酒，不到半个时辰，觉得天旋地转，头晕眼花，倒在桌上。周郡丞已埋伏好人，将罗士信捆了，对他手下道："罗士信与秦琼和造反的人勾结，奉旨捉拿，众人不得违抗。"然后，叔宝的母亲、妻子和儿子秦怀玉，没人拦阻，也被抓来，和士信一起连夜被押送出城。

士信苏醒后，明白中计了。他大吼一声，两肩一挣，将囚车盖顶起来；两手一进，手栓已断，脚一蹬，铁镣已落；踢碎车栏，拿两根车柱来打差官。这些差官，早知他凶勇，一哄地走了。士信打开秦母姑媳和怀玉的镣铐，无奈车夫已走，只得自己推车子。只见前面林子里，又跳出十来个大汉，为首的正是贾润甫，他说："我和单总管带领手下，扮作强盗等在这里准备救你们，没想到你已经挣脱了。"单总管道："我们有马匹，有兵器，他追来也不怕他！"贾润甫道："往前去数十里，就是豆子坑，那里就有朋友接应了。"

话没说完，只见郡丞与差官，带了六七百士兵赶来。单总管对贾润甫道："你同秦太太她们往头里走，我同罗将军上去，杀这些赃官。"士信手中拿着枪，站在一个山嘴上，大声喝道："我们弟兄有什么对不起朝廷，却竟然要设计来陷害我们！我把你们这些真强盗，都杀了，留了一个回去，罗某就不是个汉子。"说罢，两骑马直冲下来。这些官兵，连罗士信一个也抵挡不起，又见旁边有个大汉，像黑无常一样，便带转马头，逃回去了。单全看了，哈哈大笑道："可怜这也叫官兵。"士信倒要追上去，单全止住了，策马转身。却说贾润甫带了几个手下，保护秦夫人，要赶到瓦岗寨去，只见三岔路口，冲出一队人来，一个为头的大喝道："一个个都给我抓了来。"贾润甫眼快，认得是程咬金，故意道："咄，你认得我秦叔宝吗？"咬金笑道："假冒咱哥哥的名字，来吓我哩！"抢着斧头砍过来。贾润甫道："程咬金，这是叔宝哥哥的家属行李，你要打劫吗？"

说话时，秦母已到。罗士信与单总管，听得手下人说前面有贼，正赶来厮杀。咬金已到秦母跟前，向秦母问起原因，润甫一一告诉。知节道："伯母到小侄寨中，与我母亲说说话。随便你什么官兵，也不敢来抓。"众人都跟程咬金来到寨中，秦母对罗士信道："我们在这里了，不知你哥哥在军前，可知道我们消息，叫人放心不下。"说了掉下泪来。程咬金喊道："伯母放心，我今夜统领几百个手下，去劫了大哥到寨里来，怕什么军前军后。"贾润甫道："你不要胡乱行动，反而害了秦大哥。"单全道："我去怎么样？"贾润甫道："你去好。"秦母道："既是这位总管肯到军前去送信给我儿子，极好的了，待我去写几个字，并取些盘缠来。"程咬金忙止住道："叫人笑死，伯母在这里，是小侄的事了，为何要伯母花钱？"他忙叫人取出一大锭银子给单全。秦母写了一封信交给单全，就进后寨与程母相见。

到了晚上，大家都睡了，罗士信却想到被人设计捉住的事，十分怨恨，决定一定要杀了那两人报仇。于是，到了快五更时分，他骑了一匹马，偷偷出寨，把周郡丞和计成杀了。程咬金早起，不见

◎ [黑无常]

古代人们迷信地认为，无常是阴间派来夺取活人魂魄的使者。无常又分为黑无常和白无常。白无常脸带笑容，头戴一顶长帽，上面有"你也来了"四字；黑无常一脸凶相，长帽上有"正在捉你"四字。黑无常给人带来的只有灾难，而白无常既能给人带来恐惧和不安，也可以带来发财的好运气。

罗士信，以为他不肯在山寨，自己跑了。唯秦夫人说士信是个忠直的汉子，绝不会背弃了我们去的。士信在马上，又跑了许多路，正好碰上翟让、单雄信、连明等一伙人。原来是徐懋功叫他们到潞州府去借粮回来的。大家说了各自的情况，分头赶路。

人物点击

罗士信

　　隋末唐初著名将领。齐州历城（今山东济南）人。他从小为村里人放牛，后来被秦叔宝收养为义弟，教给武艺。罗士信天生力气过人，勇猛无比，擅长使用一杆霸王枪，绰号"黑金刚"。隋朝末年，他跟随名将张须陀作战，击败王薄、卢明月，年仅十四岁。张须陀死后，他跟随裴仁基归顺了李密，被任命为总管。后来，他和王世充交战，受伤被俘。王世充知道他的神勇，对他特别看重。不久，罗士信率领部下归顺了唐王李渊，被封为陕州道行军总管。他击败王世充，智取千金堡。罗士信是个非常重情义的人。裴仁基曾对他有恩。后来裴仁基被王世充杀死。在攻破洛阳后，罗士信出钱将裴仁基隆重安葬在北邙山。后来，刘黑闼的军队阻击李世民，罗士信死守城池，最终还是被攻破。刘黑闼亲自劝降，罗士信宁死不屈，死时年仅二十多岁。李世民知道后十分悲痛，花重金买回他的尸体，葬在裴仁基墓旁。

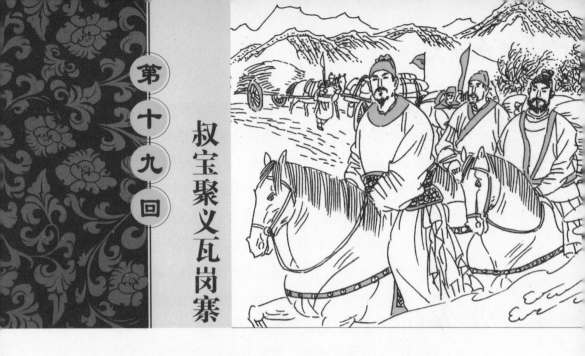

单全带着秦夫人的书信找到叔宝。叔宝心中暗想："一定是单二哥派他来问候我。"他领单全来到书房，看过书信，不觉呆住了；单全又从旁说明。叔宝听了，正在忧烦之时，吕明来见叔宝。他哭着把罗士信杀死周郡丞和计成的事说了。叔宝听了，叹口气道："我写一封信，辞别了张通守，今夜和你悄悄逃去，图个母子团圆吧。"叔宝一边留单全饮酒，一边写好信给张通守，放在桌上。又将身边积攒的银子，都装入袋子，与单全、连明等人离去。

却说翟让、单雄信一行人马，到了瓦岗寨，见了李密、徐懋功，将事情一一说了。李玄邃道："这么说，秦大哥肯定会来入伙了。最近荥阳梁郡有很多商人来往，咱们到那里去劫掠一番，定会大有收获。"懋功便让李密与当仁、伯当三人，带两千人马先行；翟让与邴元真、李如珪三位，也带两千人马，随后接应；雄信被留下来商量事情。这时单全回来了。说叔宝先去豆子坑见母亲了。懋功在雄信耳边说了几句，雄信点头会意，马上和贾润甫去找叔宝。

再说秦叔宝正与连明等人走在路上，恰好碰上了来找他们的雄信和润甫，正说着话，只见一骑马飞跑过来，望见叔宝，便道："好了，哥哥来了！"来人正是罗士信。大家一起来到寨里，秦母带了孙儿怀玉与媳妇张氏，赶紧走出来。叔宝等一起拜见。秦老夫人叫怀玉过来，拜了单伯伯，问道："令爱想必也长大了。"雄信道："小女爱莲，比令孙大一岁，年纪虽小，颇有些见识。"秦母道："自然是个闺秀。"程母笑对秦母道："日子是易过的，当初太平哥与我家咬金，也是这模样儿。现在你家孙儿，又是这样大了。"程咬金喊道："母亲，如今秦大哥做了官了，你怎么还只顾叫他乳名。"程母笑道："哪怕他做了皇帝，老身还是这样称呼。"众人都大笑起来。堂中酒席安排停当，尤员外请众人坐定，举杯饮酒。贾润甫道："这样世界，管他什么山寨里、庙廊中，只要大家同心，自然有些意思。只是如今众弟兄，还该在一处。"程咬金道："如今我们有了秦大哥，再让单二哥，也到我这里来，多是心腹弟兄，热烘烘地做起来，难道会输给瓦岗？翟大哥做得皇帝，难道秦大哥、单二哥做不得皇帝？"众人都大笑起来，欢呼畅饮。

第二天，大家坐在堂中闲谈，瓦岗寨派人送信来，说朝廷派裴仁基和张须陀来消灭李密、王伯当叛党，捉拿窝藏秦琼等人的重犯。尤俊达与程咬金、秦叔宝，带了家眷，收拾了金银粮草，率领部下两千余人，一起去瓦岗寨中联合应对。

再说翟让、李密两支人马，杀兵劫商，占据地方，在河南势力很大。那时张须陀知道叔宝离去，正在为难，又被调去做荥阳通守，要他消灭翟让，只得带了樊虎、唐万仞等，到荥阳上任。翟让正在城外各门分头杀掳，没想到张通守与樊、唐二人，各领精兵五百，开门一齐杀出，被打得大败而归。翟让虽勇，当不起须陀一条神枪，神出鬼没；邴元真、李如珪，早先败退。第二天，李密定下计策：四面埋伏，让翟让去引诱张须陀兵马。至大海寺旁，忽听林子里喊声四起，李密、王伯当、王当仁，冲了出来，后有翟让、邴元真、李如珪，将须陀兵马，围在中间。樊虎从马上跌下，被人马踏死。唐万仞也不知去向。李密之前看见樊、唐二人在须陀身边，有投鼠

◎ [闺秀]

旧时称有才德的女子，如大家闺秀。

◎ [老身]

在早期的白话小说中，老年妇女的自称，戏曲中也常使用。

忌器的意思，所以不让放箭。如今看见须陀一个人，便下令乱箭射出。可怜一个忠贞勇敢为国为民的张通守，却死在战场之上！李密派人去到瓦岗报捷，众豪杰都欢庆鼓舞。唯独叔宝听说张须陀战死，禁不住流泪，想道："他待我有恩有礼，原指望同患难，不料出了变故，我离开他逃生，令他被人杀害。也不知他的尸骨在哪里？"叔宝便说想去荣阳与翟让会面。于是，徐懋功、齐国远、程咬金、贾润甫在前，单雄信、秦叔宝、罗士信在后，带领人马，离开瓦岗。

快到郑州，正好碰上了翟让的大军，翟让久闻秦叔宝大名，特别优待，叙过话，仍旧回兵去与李密相合。路经荣阳，秦叔宝先派连明打听张须陀的尸体，得知部下感激他的恩德，已草草收葬，和樊虎的棺材，都停在大海寺内。众人先行，唯独雄信、叔宝与罗士信，准备了祭拜的物品，来到大海寺。只见廊下停着两口棺木，中间供着一个纸牌位。大家看了，十分伤感。

这时，许多穿戴白袍白帽的士兵拥进来。他们是为张须陀守灵的部下。叔宝想道："兵卒小人，尚且如此，我却背信弃义！"忙换了孝服，同士信痛哭祭奠。只见外边又走进一人，头裹麻巾，身穿孝服，腰下悬一口宝剑，满眼垂泪，跟着两三个伴当。那些戴孝的士兵说道："唐爷来了！"叔宝仔细一认，见是唐万仞，忙道："唐兄来得正好。"谁知唐万仞只当做没看见、没听见，昂然走到灵前敲着灵桌大哭道："您生前正直，死自神明。我唐万仞本是一个小人，承蒙您的赏识提拔，真是恩情深厚，虽然您生前看重的还有一个人。如今您战死，我怎么敢昧着良心，独自活在这世上！"

叔宝站在一旁，听他讥讽自己，又不好上前来劝。雄信看见叔宝脸色不好，便要去劝唐万仞。只见万仞把桌子一拍道："主公，你神而有灵，我前日不能阵前同死，今日来相从地下！"说罢，只见佩刀一亮，响落在地，全身往后便倒。众兵卫望见，飞一般上前来救，一腔热血，喷满在地。叔宝见了，忙捧着尸体大声叫道："万

◎ [投鼠忌器]

老鼠来偷东西，想用东西砸老鼠，又怕打坏了老鼠周围的器具。比喻做事不敢大胆进行，有所顾忌。

仞兄，你真死了，你真跟随恩人去地下了，我秦琼也和你一起去吧！"
忙在地上拾起剑来要砍，背后罗士信一把抱住喊道："哥哥，你忘
了母亲了！"夺剑而去。叔宝还在哭泣，吩咐手下快准备棺木，就
放在张通守右边，与雄信、士信一齐回营。

　　李密的名声越来越大，翟让的军师贾雄也与他交情深厚。翟让
想要自己称王，贾雄跟他说这不吉利，应该辅佐李密。因此翟让和

众人尊李密为魏公，拜翟让为上柱国司徒东郡公，徐世绩左诩卫大将军，单雄信右诩卫大将军，秦叔宝左武侯大将军，王伯当、程咬金、罗士信、齐国远、李如珪、王当仁、房彦藻、邴元真、贾润甫、连巨真等人都被封官。连隋朝大臣裴仁基和儿子裴行俨，也投降了魏公。魏徵在叔宝的推荐下，也当了元帅府文学参军记室。

那翟让，本是个有勇无谋的人，看见李密地位比自己高，十分不甘心。因此房彦藻等人都劝李密消灭翟让，他们说："壮士解腕，英雄做事，不要顾虑小名小义。"于是，李密设酒席，请翟让和翟宏、翟侯、裴仁基、郝孝德等，众将士都出营外伺候，只留几个。李密道："近来得到几张好弓，可以百发百中。"先送给翟让看。翟让道："我试一试。"他离坐扯一个满月，弓才满，早被壮士蔡建德拔出刀，照脑后劈倒在地，吼声如牛，可怜百战英雄，立刻丧命！那时，单雄信、徐懋功、贾润甫等人，听人报告翟让被李密砍杀了。雄信吃了一惊，一只杯子落在地上道："这是什么缘故！就是他性子暴躁，也该宽恕他。"懋功道："不可惜翟兄，只可惜李大哥。"贾润甫点头会意。

正在议论之时，单雄信的旧友杜如晦来找他。大家说完闲话后，李如珪拉杜如晦、齐国远到自己家里。李如珪说了李密杀翟让的事，杜如晦说他太过残忍了，不如去投奔李渊。正说着，郝孝德闯进来，说明天李密要带兵去攻打王世充，他们可以乘机带领人马到邹县去。四人商量妥当，等如晦回到住的地方时，郝孝德和两个伴当，早到了徐家店里了。杜如晦见郝孝德马匹行李齐备，惊异他怎么这么快。郝孝德道："魏公性多疑猜，迟则有变。"大家连夜上路，往晋阳进发。

走了几日，来到朔州舞阳村一个大村落里。正值仲冬，雪花飘飘，见树影里一个酒帘挑出。众人下马进店坐下。吃了些面饼和酒，耳边只听得叮叮当当，只见大树下一个铁作坊，三四个人在打铁。树底下一张桌子，摆着一盘牛肉，一盘烧鹅，一盘馍馍。板凳上，坐

◎ [壮士解腕]

勇士的手腕被毒蛇咬伤后，就立即截断，以免毒性扩散到全身。比喻做事要当机立断，不能犹豫不决。

着一大汉，高大壮实，满脸胡须，面如铁色，目若朗星，威风凛凛。左右坐着两个人，一人拿壶，一人捧碗，递给大汉。那大汉也不推辞，大吃大喝，旁若无人。一连吃了十来碗酒，忽然大笑道："人家借债，找富人，你们反找穷人。"右手那人说道："只求您写一个帖子，便救了我的性命了。"那大汉道："既如此说，快取纸笔来。"大汉提起笔来，飞快写完了，把笔扔在桌上，又哈哈大笑，拿起酒来，一饮而尽，也不说话，就走了。杜如晦问道："二位兄长，那个大汉是什么人？"一个答道："他姓尉迟名恭，字敬德，马邑人氏。他有二三千斤臂力，能使一根浑铁单鞭，也曾读过书，不肯做官。他祖上原是个铁作坊。"杜如晦见这一条好汉，无人用他，就想在这个村里待几天，结识他，推荐给唐公李渊。无奈郝孝德催促上路，只好在心里牢牢记下。

◎ [作坊]

手工业工场。

如今却说唐公李渊，自从惹怒了隋炀帝，只求免祸，哪有心思夺取天下。他有四个儿子：长子叫建成，是个一般的公子，喜爱酒色；三子玄霸，早死；四子元吉，特别狡猾机智，却也不是霸王之才；只有次子世民，从小聪明，胆识气量都非同一般。不但精通武艺，更喜爱书史，乐于结交英雄。和他最好的是刘文静，现为晋阳县令。又有刘弘基、长孙顺德，都是武勇绝伦。刘文静对世民说看现在的局势，如果李渊起兵，不到半年，就可以取代炀帝，成为天子。并说李渊和晋阳宫监裴寂交情特别好，可以找他劝说。世民知道裴寂喜欢吃酒赌钱，便出钱数万，让高斌廉和裴寂赌博，假装把钱都输掉。世民把事情跟他说了，裴寂一口答应道："这事包在我身上。"

一天，裴寂在晋阳宫设宴，派人请来李渊，喝到大醉，裴寂叫来两个美人，坐在李渊左右劝酒。李渊酒后糊涂，也不问来历，见二美人艳丽迷人，便开怀畅饮。裴寂悄悄离开，李渊又喝了许多，被二美人扶去休息。一觉醒来，李渊忽想起昨夜之事，心下惊疑；又见躺在龙床之上，盖着黄袍，惊问道："你们二人是谁？"二美人笑道:"大人不要慌,我们是张妃、尹妃。"李渊大惊,叹恨道:"裴寂误我!"起身出来,走到殿前,裴寂劝道:"如今隋主无道,百姓穷困,豪杰并起,您手握重权,为什么不起兵,创立大业?"只见旁边又闪出一人,竟是世民,说道:"裴公之言很对。"李渊叹道:"破家丧命由你,化家为国也由你。"于是,李渊悄悄地派人去叫建成、元吉到太原。李渊又立镇守长安的代王杨侑为皇帝,然后杨侑又禅让于唐公李渊。于是李渊称皇帝,即位于太原,国号唐,建元武德,立建成为太子,封世民为秦王,元吉为齐王。命秦王兴师讨贼,自己拥兵入关。

◎ [禅让]

中国古代部落联盟推选首领的制度。相传尧为部落联盟首领时,四岳推举舜为继承人,尧对舜进行了三年考核后,让他协助办事。尧死后,舜即位,用同样的方法,经过治水考验,任命禹为接班人。禹即位后,又推举皋陶,皋陶早死,又以伯益为继承人。后来禅让制逐渐被废除。

👆 人物点击

李渊

就是唐高祖,唐朝第一位皇帝。他的祖父是北周的开国功臣,父亲是隋朝的唐公,母亲是隋文帝的独孤皇后的姐姐,他是隋炀帝的表兄。在攻打陈朝时,由于李渊坚决主张杀掉炀帝喜爱的美人张丽华,炀帝从此非常痛恨李渊,多次想杀掉他。李渊在去太原上任的路上,炀帝和宇文述派人刺杀李渊,却被秦叔宝救了一命。李渊曾经担任谯州、陇州、岐州刺史,荥阳、娄烦太守。李渊在当太原留守时,正好遇上全国大起义,天下大乱。李渊深知隋朝必然灭亡,也为了保全自身,就和儿子李世民以及刘文静、裴寂等起兵反隋,在突厥的帮助下,顺利攻入长安。李渊立代王杨侑为皇帝,自己总揽大权。第二年,李渊废掉杨侑,自己当上了皇帝,建立唐朝。李渊晚年,不关心朝政,宠信尹德妃和张婕妤。武德九年,李世民发动了玄武门之变,李渊被迫退位,改称太上皇。

◎ [琼花]

又叫木绣球、蝴蝶花、聚八仙花、牛耳抱珠。原产于江苏、浙江、湖北等地，喜欢湿润肥沃的土壤。一般每年四五月份开花，花朵大如圆盘，洁白如玉，非常美丽。琼花的枝、叶、果可以作为药材，解毒、通经络。琼花是今扬州市的市花。

　　一天，炀帝听说琼花开了，大喜，召萧后与十六院夫人去赏花，沙夫人因为赵王生病没来。炀帝一行转过后殿，早望见高台上琼堆玉砌，一片洁白，异香阵阵，扑面飘来。这琼花，传说是仙人拿了一块白玉，种在地下，不一会儿，长起一棵大树，开的花很像琼瑶美玉，所以取名叫琼花。炀帝大喜道："果然名不虚传！"正要到花下去细玩，谁知才到台边，忽然花丛中卷起一阵香风，十分狂急。风过后，炀帝抬头看花，只见花飞蕊落，雪白地堆了一地，枝上连一瓣一片也没有了。炀帝与萧后见了，惊得痴呆半晌，大怒道："朕也没看个明白，就落得这样，真让人痛恨。"便传旨叫左右砍去。

　　炀帝也无心饮酒了，和后妃们去九曲河游玩。一路玩赏到大石桥。那桥又高又宽，都是白石砌成，光洁如洗，两岸大树覆盖，桥下五色金鱼，往来游泳。

　　炀帝觉得景色很美，就说："古人有七贤乡、五老堂。今天这儿一共是二十四人，就叫它二十四桥！"大家都十分欢喜。欢饮到晚上，炀帝道："月亮不明，点灯又没意思，如何是好？"李夫人微笑道："有狄夫人做的萤凤灯，可以不举火而有余光。"不一会儿，宫女捧了一个金丝盒呈给狄夫人。狄夫人捉了一二十个萤火虫放入，献给萧后。萧后与炀帝仔细一看，却是蝉壳做的翅翼，与凤体相连，顶上五彩绣绒毛羽，凤冠以珊瑚扎成，口里衔着一颗明珠，竟像一盏小灯，戴在头上，两翅不动自摇。

炀帝与萧后看了一会儿，说道："妃子真是慧心巧思！"萧后递给宫人，插在顶上。还有七八朵，狄夫人放入萤虫，分送给众夫人，竟如十六盏明灯，光照一席。炀帝拍手大笑道："太神奇了！不如多取些流萤，放入苑中。"便传旨：凡有宫人内监，收得一袋萤火的，赏绢一匹。不一会儿，那宫人内监以及百姓人等，收了六七十袋萤火虫，在亭前亭后、山间林间，放起来。一时望去，恍如万点明星，光照四围。炀帝与众夫人看了，都鼓掌称快，非常高兴。

却说宇文化及，是宇文述之子，官拜右屯卫将军，也是个没作为的人；兄弟智及，却是个凶残狡猾的人。这时有人报告说李渊造反了，要起兵杀入关中，那些炀帝身边的臣子，都没主意了。先是窦贤，率部逃回关中。炀帝知道后，派人将其杀死。这一杀不好了，在江都要饿死，回关中要杀死，只能在死中求生。司马德勘、元礼、裴虔通、元敏、赵行枢、孟秉、杨士览等人共同商议逃跑，宇文智及知道了，乘机拉拢他们一起造反。

这事渐渐传开，宫中苑中，都有人知道。杳娘因为说错了一句话，被炀帝杀了，自此再无人敢说。炀帝曾照着镜子道："好好的头，谁去砍它？"又仰观天象，对萧后道："外边有很多人在图谋不轨。然而我不妨做长城公，你也可以像沈皇后那样。"

且说王义，知道事情不好，打听到宇文智及等人要行动了，忙叫妻子姜亭亭跟一个丫鬟，上了小空车，来到苑里。秦夫人、狄夫人、夏夫人、李夫人，与袁宝儿、沙夫人、赵王共六七个，在那里围着打牌。姜亭亭道："外面事情不妙了！夫人们快收拾东西跟我走。"众夫人赶紧如飞一般各归院去了。唯独袁紫烟熟识天文，知

◎ [萤火虫]

一种昆虫的名称，产于热带、亚热带和温带地区，有两千种。身长大概十毫米，腹部末端下方有发光器，雌虫的发光器在腹部第七节，雄虫的则在第六和第七节。发光是由于呼吸时一种叫"萤光素"的物质变化。在古代，有个书生家里很穷，点不起油灯，就在夏天捉来很多萤火虫，装在袋子里，用萤光来照明看书。

◎ [珊瑚]

一种海生圆筒状的腔肠动物，名叫"珊瑚虫"。它还在幼虫阶段，便固定在以前死去珊瑚的遗骨堆上。形态多呈树枝状，上面有条纹。颜色多是白色，也有少量蓝色和黑色。宝石级的珊瑚是红色、粉红色、橙红色，艳丽夺目。古罗马人认为珊瑚有防止灾祸、给人智慧、止血和驱热的功能。珊瑚与佛教的关系密切，印度和中国西藏的佛教徒把红色珊瑚看做是如来佛的化身。他们用珊瑚做佛珠，或用来装饰神像。

道局势，早已收拾好在宝林院了。只见薛冶儿闯进院来，说道："刚才朱贵儿姐叫我拜上沙夫人，外边紧急，今生不能再相见，千万要保护好赵王。她偷了去福建采办建兰的圣旨，大家可以拿着这个出宫。"沙夫人落泪道："贵姐真是忠贞！"众人赶紧把赵王改换成女装，将跟来的丫头衣服和赵王换了。姜亭亭和王义带着赵王和夫人们悄悄地出了宫。

再说炀帝平时怕人乱说，乱说的就要被杀。谁料到今日如此凄惨，同萧后躲在西阁中。一夜中，只听得外边喊声振天，内监连连报道："杀到内殿来了！"裴虔通与元礼来到西阁，见炀帝与萧后并坐哭泣，背后却转出来朱贵儿，用手指着众人说道："圣恩浩荡，你们为何这样昧着良心？"炀帝接着说道："朕不负你们，你们为何负朕？"司马德勘道："如今天下都在造反，陛下没有退路，我们也没有选择。只有得到陛下的首级，以谢天下。"朱贵儿听了大骂道："逆贼敢口出狂言！"裴虔通大怒，朱贵儿又大骂道："天下定有忠臣义士，为皇帝报仇，那时你们这些乱臣贼子后悔就晚了！"马文举大怒，举刀向贵儿脸上砍去；贵儿骂不绝口，跌倒在地。

马文举既杀了朱贵儿，一手执剑，一手竟来要扶炀帝下阁。只见封德彝走上阁来，对司马德勘道："许公有令，如此昏君，不必让来见我。可以当场处死。"萧后听见，苦苦哀求众人道："众位将军，看在旧时情分上，叫他让位，留他一条性命。"只见袁宝儿憨憨地走来，笑着对炀帝道："陛下常以英雄自许，为什么还求这些人。人谁无死，妾先去了，万岁快来！"马文举忙用手去扯她，宝儿睁了双眼，大声喝道："贼臣别靠近我！"一面说，一面把佩刀向脖子上一划，也死了。炀帝见了，吓得不得了，大叫道："别动手，天子死自有死法，快取鸩酒来！"那些人便叫武士一齐动手，将炀帝用白绢勒死了。

宇文化及又入宫想杀后妃。他看见萧后的美貌风姿，不忍心杀

◎ [首级]

首，指人头。秦朝时，以斩下敌人脑袋的多少来计算功劳，提升官职。以后历代王朝都沿用。后来就把斩下的人头称为首级。

◎ [鸩酒]

鸩，传说中的一种像鹰的鸟，叫声大而凄厉，非常凶猛，羽毛有剧毒。把它的羽毛在酒中浸一下，酒就成了非常剧烈的毒酒，喝下去必死无疑。有成语"饮鸩止渴"，比喻只图眼前，不顾严重后果。

害，就传皇后懿旨，立秦王杨浩为皇帝，自立为大丞相，封弟弟宇文智及、士及为左、右仆射，长子丞基、次子丞都掌握大权。平时和宇文化及有仇怨的，如虞世基、裴蕴、袁克、来护儿等人都被杀死。宇文化及带着萧皇后和新皇帝回长安，走到滑台，将皇后、新皇帝，留给王轨看守，自己直走黎阳，攻打仓城。

再说姜亭亭那边，带着赵王和众夫人，去濮州投奔袁紫烟的舅舅杨义臣。杨义臣听说炀帝被杀，因为和士及交情深厚，便叫杨芳带着一个瓦罐去见士及。士及打开，只见里面只有两个枣和一糖龟。士及不明白，忽然屏风后走出一个美人来，是士及的亲妹妹，名叫淑姬，刚满十七岁，还没嫁人，不仅是个绝色美人，更聪慧过人。她看了笑道："这不过是劝兄长早日归顺唐王李渊，避免灾祸。"士及大喜，说我也有主意了。第二天，士及叫淑姬，扮作男装，直奔

长安。士及把妹妹送给唐帝李渊当妃子，唐帝封士及为上仪同管三司军事。

王义等人来到杨义臣家中。袁紫烟叫道："舅舅，外甥女来了！"杨义臣的第一个妻子罗氏，早就去世，只有一个小妾王氏，生有一个五岁的儿子馨儿。杨义臣见赵王换了男装，看他方面大耳，眉清目秀，果然是个金枝玉叶的太子。杨义臣摆上酒席，对赵王说道："老臣肯定不会辜负先帝和殿下。但这里茅草房屋，一旦有疏漏，很不安全。最多只能在这儿待三四天，多了怕发生祸事！"沙夫人便道："只是如今到何处去好？"杨义臣道："李密和他父亲也是隋朝大臣，如今拥兵二三十万，在金墉城；王世充，带兵数万，拒守洛仓；西京长安的李渊，也已经称帝。老臣再三踌躇，只有两个所在可以去得：一个幽州总管罗艺，无奈窦建德正好堵住了去路。因此，想要安稳立身，只有义成公主那里。那启民可汗，还算诚朴忠厚。"赵王与众夫人点头。沙夫人道："水远山遥，不知怎样个去法？"杨义臣道："请问四位夫人，真的肯顾念先帝恩情，甘心守节，还是等待时机、再作打算？"秦夫人道："老将军说的是什么话？莫非认为我姊妹四人是个愚蠢的妇人？如果老将军不信，我们可以投水而死，表明心意，这有什么难的？"杨义臣道："不是老臣不信，一时承诺当然不难；只怕时间长了，难过日子。"狄夫人道："老将军不要以为忠臣义士，都是男子；而认定妇女中多是随波逐流的人。不必远求，就说今天的朱贵儿、袁宝儿与梁夫人等明义骂贼，相继自尽，也足以让那些大臣们感到羞愧。况且我们承蒙先帝深恩，人世间的繁华美景，都已经经历过。老将军还顾虑我们有别的想法？如果不明心迹，怎么证明我们的志向？"说着，忙向裙带上取出佩刀来，在脸上左右乱划。秦、李、夏三位夫人见狄夫人如此，也各在腰间取出佩刀来动手。慌得沙夫人、姜亭亭、薛冶儿、袁紫烟，忙上前一个个抱住时，脸上早已两道刀痕，血流满脸。杨义臣忙向上拜下去道：

"这是老臣失言失敬，不枉先帝钟情一世。请四位夫人还要自爱保重。"赵王赶紧起来，扯了杨义臣坐下。杨义臣向四位夫人说道："离这里一二里，有个断崖村，村上不过数十户人家，都是朴实的百姓。有个女贞庵中的老尼姑，是高开道的母亲，是沧州人，年轻时丈夫死了，就没再嫁。那老尼见识不凡，慧眼识人，知道儿子作贼，必定失败，因此搬到这里出家。那是个车马、人迹不到的地方。如果四位夫人在里面念经拜佛，可以保全下半生的安全。至于日常费用，老臣在一日，就有一日，无须四位夫人费心。"四位夫人齐声道："有这样的好地方度过下半辈子，就够了。只是不知道什么时候能够去？"王义道："得挑一个黄道吉日，差派先去通知了，然后好动身。"夏夫人道："都这样了，还挑什么吉日，求老将军速去通知为妙。"

杨义臣叫仆人取日历过来看，恰好明日就是好日。用完了饭，众夫人与赵王进内去了。杨义臣叫家童取出两匹骡儿来，吩咐家中，把门关好，唤小童跟着，自己和王义骑上骡儿，来到断崖村女贞庵，和老尼说明了来意。老尼一直知道杨义臣是忠臣义士，满口答应。回来后，王义对妻子说了庵中房屋洁净，景致清幽，四位夫人，也很欢喜。

袁紫烟对杨义臣说道："舅舅，甥女住在这里也没什么用处，我也和夫人们一起去出家。"义臣道："你暂且住着，我还有事商量。"紫烟默然退下。到了明日五更，杨义臣请秦、狄、夏、李四位夫人上船。沙夫人与赵王、薛冶儿、姜亭亭说道："这一分散，不知何日再相会；或者上天可怜，还能回到中原来。我们也一起去送，记住地方，以后好寻访。"杨义臣见说到情理上，不好阻拦，只得让他们送去，自己与袁紫烟、王义夫妇，也上船，送到庵中。老尼还有两个徒弟，一个叫贞定，一个叫贞静，都是十四五岁。杨义臣把二十两银子，送给老尼。老尼对杨义臣道："您的甥女还不到静修的时机，以后还有奇缘。"杨义臣道："正是，我也不叫她住在此。"到了晚上，沙夫人、

◎ [黄道吉日]

古代一种迷信的说法。说青龙、明堂、金匮、天德、玉堂、司命等六个星辰都是吉神。每当这六个星辰出现在天空的日子，就都是好日子，做什么事都很顺利，没有什么要避讳的。

薛冶儿、姜亭亭与四位夫人痛哭而别。义臣打听到有海船到来，马上送赵王与沙夫人、薛冶儿、王义夫妇上船，到义成公主那边去了。

人物点击

袁紫烟

　　本来是隋炀帝的妃子，后来成为唐朝开国功臣徐世绩的妻子。隋炀帝在后宫选美时，发现袁紫烟和一般女子不同，不仅长相、气质特别清俊飘逸，而且竟然精通天象，了解天下未来的形势发展。炀帝十分惊奇，就封她为贵人，十分宠信。紫烟说根据天象，隋朝的国运越来越衰弱；而太原一带有天子的气势，将来很可能是姓"李"的人成为皇帝。隋炀帝不听紫烟的预告，没过多久隋朝就灭亡了。紫烟带着四位夫人去濮州投奔舅舅杨义臣。她本来想在女贞庵出家，但是杨义臣说她以后还会遇到贵人，有一段奇缘，没有答应。果然，唐兵大败窦建德后，徐世绩奉命前去安抚，他从贾润甫口中得知了袁紫烟的奇人奇事，见了面后，非常爱慕，于是向紫烟求婚。紫烟要他答应了三件事，才同意。后来，紫烟为窦线娘写奏章给唐高祖。高祖见她的文笔优美得体，十分欣赏，就为紫烟和徐世绩赐婚。

窦建德在乐寿自立为皇帝，国号大夏，立曹氏为皇后，曹氏是曹旦的女儿，年过摽梅，还没嫁人。建德见她端庄沉静，娶做继室。她又封女儿线娘为勇安公主。线娘常用一口方天戟，神出鬼没，又练就一手金丸弹，百发百中。当时已经十九岁，姿容秀美，胆略过人。她一定要找和自己才貌武艺匹配的人做丈夫。建德每次出兵，叫她领一军为后队，又训练女兵三百余名，环侍左右。线娘比父亲更加纪律严明，又能抚恤士卒，所以将士都敬服他。当建德得知宇文化及称帝想要攻打他。凌敬说要一名足智多谋的人帮助，推荐了杨义臣。建德忙让他去请。

凌敬来到濮州，找到义臣，说明来意。义臣道："忠臣不事二君，烈女不更二夫。"凌敬道："您如果想替先帝报仇，不如归顺大夏皇帝。"杨义臣被打动了心事，便同意了，但要他们答应他三件事：一不称臣于夏；二不暴露他的姓名；三是捉住化及，替先帝报仇后，就让他回家。临别前，义臣又说如果能收服曹濮山的强盗范愿，就能够消灭化及。

窦建德天天训练军马，打算征讨化及。忽然接到秦王派刘文静来相约一起攻打化及。建德调精兵十余万，任命刘黑闼为征南大将

◎ [摽梅]

这个词语出自《诗经·召南·摽有梅》。诗中描写一名女子说自己已经年纪不小了，要求男方早日和她结婚。摽梅，指梅子成熟后从树上落下来。后来就用"摽梅"比喻女子已经到了结婚的年龄。

军，勇安公主押后。建德很快消灭了魏刁儿，声势大振，又打下冀州，转而进攻罗艺。却说罗艺，年过花甲，精神倍加，与老夫人秦氏举案齐眉。儿子罗成，少年英雄，有万夫不当之勇，父亲传授的一条罗家枪，使得出神入化。父母要他成亲，罗成以为终身大事，还须自己选择，因此耽搁下来。这时建德大军到来，罗老将军让张公谨埋伏在城外高山之左；史大奈埋伏在右；又命罗成领精兵一千，离城三十里，在独龙岗下埋伏，看建德败下去，冲杀他的后队；自己则同薛万彻、薛万均在城中守护。

却说窦建德的先锋刘黑闼，见城中紧闭城门，不肯出战，只得在城外辱骂。后来建德大军到来，攻打激战，不能破城。相持了数日，一夜三更时分，罗艺密传令，吩咐薛万彻、薛万均兄弟二人，传令三军，杀出城来。夏兵正在熟睡时，窦建德敌住薛万彻，高雅贤敌住薛万均，刘黑闼敌住罗艺。六人正在酣战之时，只听见炮声起，埋伏的兵马都杀出来。建德知道中计，退回二三十里，却又被罗成截住，一直杀到天明。

这时，只见末后一队女兵杀出来，中间一员女将，头上盘龙裹额，顶上翠凤衔珠，身穿锦绣白绫战袍，手持方天画戟，坐下骑着青骢马。罗成看见，忙收住枪问道："你是何人？"线娘道："你是何人，敢来问我？"罗成道："你不见我旗上边的字吗？"线娘望去，只见中间绣着一个大"罗"字，旁边绣着两行小字："世代名家将，神枪天下闻。"线娘道："莫非是罗总管的儿子吗？"罗成看她的绣旗上，中间绣着一个"夏"字，旁边两行小字："结阵兰闺停绣，催妆莲帐谈兵。"罗成心想："我听说窦建德的女儿，非常勇猛，莫非是她？可惜一个不事脂粉的好女子，真不舍得去杀她。我羞辱她两句，让她退去算了。"他就对线娘道："我想你的父亲，也是一个草莽英雄，难道手下就没人了，却叫女儿出来献丑。"线娘便道："我也在这里想，你家父亲也是一员老将，难道城中无人，却赶小犬出来咬人。"

惹得众女兵狂笑起来。罗成大怒，一条枪直杀上前。线娘手中方天戟，招架相还，两个对上二十合，不分胜负。罗成见线娘这支方天戟，使得神出鬼没，滴水不漏，心中想道："可惜好个有本领的女子，落在草莽中。我射她一箭，看她如何应对。"只听弓弦一响，线娘眼快，忙将左手一举，却是一支没头的箭，羽旁有"小将罗成"四字。线娘把箭放在箭壶里，皱着眉头叹道："罗郎，你好用心！"也取出一丸金弹来，一弹飞去。罗成叫手下拾起来一看，上面凿成"线娘"两字。罗成道："我如果能和她结为夫妇，这辈子就满足了！"罗成欢欢喜喜地在马上看线娘，越看越觉可爱。线娘在马上，看罗成人才出众，心里也欣喜道："我窦线娘如果能嫁得这样一个郎君，也不虚此生！"两下里四只眼睛，在马上不言不语，你看我，我看你，足有一两个时辰。

那些女兵，看两个人这样，就笑道："这位小将军，莫非是想看仔细了，回去画一个图天天看？"罗成笑道："请问公主有了婆家没有？"线娘羞涩地低下头去不开口。女兵说道："我家公主，没有定亲。"罗家的小士兵就说："那干脆咱们合成一家，省得大家打仗了！"罗成把马纵前几步道："公主若不弃嫌，我罗成此生不与窦氏线娘为夫妇，死无葬身之地。"线娘见罗成如此真切，不觉掉泪道："妾也真心等君。但还要你去请杨义臣杨太仆执柯,这事才行。"正说着，只见后面尘扬沙起，窦家军队来接应了。罗成要线娘留下一件信物，线娘说箭和金丸就是各自的信物。罗成还是依依不舍。线娘道："罗郎你去吧，妾不能顾你了。"以手掩面，别转马头而去，告诫女兵，不许漏泄风声。罗成只得长叹一声，奔回冀州。

窦建德见线娘回来，以为她杀败了罗成，十分高兴，回到乐寿。凌敬没多久也回来了，报告杨义臣的事。夏主叹道："即使是战国的孙武，也不过这样了。"窦建德叫来刘黑闼，说秦王李世民借粮食两千石,所以派他和凌敬扮作农民,护送粮食前去。一行人带着车马，没几天就来到了濮州。话说太行山有个盗贼首领范愿，自称飞虎大王，手下有三千人。凌敬他们来到这里，竟然说服了范愿归顺窦建德。凌敬又赶紧将这事告诉杨义臣，杨义臣大喜，和他们一起来到乐寿，拜见窦建德。夏主见义臣浓眉白发，鹤氅星冠，真是个安定国家的领袖，忙施礼去拜。君臣议论大事直到傍晚。窦建德任命刘黑闼为大将军，范愿为先锋，勇安公主为监军正使；凌敬同孔德绍留守乐寿，与曹后监国；杨义臣和建德商量大事、制定计策。一共十万大军，浩浩荡荡，向魏县杀来。这时秦王世民与淮安王李神通，先带兵到了魏县。刘文静回来说事情已办好。秦王道："正合我意。现在刘武周攻打并州，王世充侵犯伊州，萧铣攻打峡州，我正要征讨。你与淮安王、李靖，一起消灭化及。"秦王就将兵印交给神通，

自己回长安。

却说宇文化及，知道有三路人马来攻打，就到处招募兵马。徐懋功让心腹将王簿，带领三千人马，暗藏毒药三百多斤，改名殷大用，来投靠化及。化及大喜，封为前殿都虞候。淮安王李神通得了秦王兵印，进兵攻讨化及。李靖足智多谋，暗出奇兵，射死了化及手下大将杜荣，许兵大败。化及只得离开魏县，连夜同萧后逃到聊城。李靖又想出一条妙计，神通点头说好，派屈突通带领会捕猎的五百人，看到聊城里飞出鸟儿，就捕住。

这边，窦建德听从杨义臣的建议，派范愿先去挑战。范愿假装战败退却。义臣又叫黑闼全军，也退后二十里。只有李靖知道杨义臣用诱敌之计。他把胡桃、李子、杏子的核去仁，里面装上艾火，用线拴在屈突通捕来的乌鸦、麻雀等鸟儿的尾巴上，不计其数，叫士兵们一起放入聊城。当天宇文化及也派人分批埋伏。夜里，化及正与萧后在宫中熟睡，忽然全城起火，一眨眼的工夫，聊城被李靖用暗火烧得一派通红，仓库粮库，城楼殿宇，烧个精光。殷大用又假装救火，叫人把毒药投在城里的井中，弄得士兵们上吐下泻，全部病倒。化及放声大哭，以为老天来要他的性命。义臣知道是徐懋功与李靖的计谋，马上叫范愿领步兵一万，扮作许兵，去埋伏好。又命刘黑闼等人与智及交战。又拨精兵两万，义臣亲自去夺取了智及的大营。杨义臣和勇安公主联手，捉住了化及。

这时，窦建德带兵入城，到宫中以臣子的礼节拜见了萧皇后，立炀帝和少主的灵位，率领百官穿素服举哀；又将化及、智及杀死，来祭拜炀帝。建德正在龙飞殿举行宴会庆赏功臣，有人送来杨义臣留下的书信，说化及被杀，心愿完成，决定回到家乡。建德叹息道："义臣去了，我失去了股肱啊！"

建德询问萧皇后怎么安排，勇安公主怕父亲和宇文化及一样，便马上建议自己护送萧皇后先回乐寿。于是，第二天，萧后带了韩

◎ [股肱]

股，指大腿；肱，指手臂上从胳膊肘到手腕的部分。股肱比喻在帝王左右辅助得力的大臣，也比喻十分亲近而且办事得力的人。常说"股肱之臣"。

俊娥、雅娘、罗罗、小喜儿四个宫人，和勇安公主来到乐寿。曹后派凌敬出城迎接，萧后上了车，回想当初炀帝时，有百官随驾，何等风光；今日人情冷淡，感觉特别伤心。进了大殿，曹后要请萧后上坐拜见，萧后哪里肯，只得以宾主之礼拜见了。宴席已经摆好，喝了几杯酒，曹后问萧后道："东京与西京，哪个更好？"萧后答道："西京不过规模宏大，却没有什么幽雅的景色；东京不但宫殿富丽堂皇，更有西苑的湖海山林，十六院风光，四季有无数美好风景。"曹后又问道："朱贵儿和袁宝儿是骂贼殉难了，那妥娘呢？"雅娘答道："宇文智及逼迫她，她跳入池中死了。"曹后笑道："贵儿、宝儿真是傻，人生一世，草生一秋，为什么不像你们两个，跟着娘娘，落得快活，何苦就这么死了？"萧后只以为曹后也和自己一样的，就没介意这话。勇安公主问道："还有个会舞剑的美人在哪里？"韩俊娥答道："就是薛冶儿，她同五位夫人与赵王，先一日逃走，不知去向。"曹后点头道："这五六个女子，拥戴了一个小主儿，到底是个有见识的。"勇安公主又问："十六院夫人，去了五位，那几位还在吗？"雅娘答道："花夫人、谢夫人、姜夫人上吊自尽了，梁夫人与薛夫人，不愿跟从化及，被杀了，江夫人、罗夫人、贾夫人在战乱后也不知去向。如今只剩樊夫人、杨夫人、周夫人这三位，还在聊城宫中。"曹后长叹道："锦绣江山为几个女子弄坏了，幸喜死节的殉难的，以报知己，先帝稍微可以感到安慰了。"又问萧后道："这三位夫人，既然在聊城，何不也陪娘娘来？"韩俊娥答道："不知她们为什么不肯来。"勇安公主笑道："既抱琵琶，何妨一弹三唱？"此时，萧后被她们母子两个，冷一句，热一句，讥讽得羞愧难当，只得老着脸，强辩几句道："娘娘、公主有所不知，妾并非贪生怕死，如果不是我将沉香床，改为棺椁，安葬了先帝，还不知道现在是什么结局哩！"曹后道："当时宇文化及毒死秦王杨浩，娘娘竟然没有救他，是什么原因？"萧后道："当时未亡人的性命掌握在别人手中，就算想救又有什么用呢？"曹后

◎ [殉难]

赴难；亦指为国家的危难献出生命。

笑道："未亡人三字，就别说了；是隋氏的未亡人，还是许氏的未亡人呢？"说到这儿，萧后只有遮着脸哭了。曹后叫人送萧后上车，暂时安置在凌敬家中。

 人物点击

窦线娘

　　窦建德的女儿，罗成的妻子。窦线娘美貌动人，又喜欢读兵书，很有胆识和谋略。隋炀帝派人选美，线娘被选中，她组织力量想对抗官府，结果被迫和姆娘逃到外地。后来在单雄信的二贤庄住了一段时间。窦建德反对隋朝起义，自称夏王，封线娘为勇安公主。线娘的兵器是一把方天戟，又有一手金丸弹的武艺，百发百中。建德每次出兵，她都率领军队押后。线娘比父亲更加纪律严明，又能体谅士兵，所以将士们都敬服她。在一次战斗中，线娘遇到了前来应战的少年英雄罗成。两人在马上相互爱慕，分别赠送信物，定下婚姻。后来，窦建德兵败，线娘暂时住在尼姑庵中。花木兰的妹妹花又兰女扮男装，代线娘送信给罗成。罗成把他们两人的姻缘向皇帝奏明。皇帝十分赞赏线娘的品行，就让窦皇后收她做侄女，为她和罗成完婚。婚后，线娘和罗成从突厥接回了萧皇后。他们的后代罗素姑在安史之乱中救了梅妃江采苹。

第二十二回　秦王感恩接秦母

窦建德派凌敬送萧后等人到突厥义成公主那里去。萧后想道："倒是外国去混他几年好，比在这里受别人气强。"一行人坐了海船，来到突厥。义成公主命王义去接萧后来到宫中。大家抱头大哭。沙夫人、薛冶儿与姜亭亭出来朝见。萧后问道："赵王怎么不见？"沙夫人道："他刚才打猎去了。"那时，王义已当上侍郎，姜亭亭被封为夫人，薛冶儿做了赵王保母，大家坐下，倾诉心事。

傍晚，赵王回来了。萧后两年不见赵王，已长得一表人才，身材高大，打了许多野兽，喊进来道："母亲，孩儿回来了。"沙夫人道："你大母后在这里，快过来拜见。"赵王只揖两揖，就飞一般地准备往外走。薛冶儿重新要去搀他回来。赵王道："当年在隋宫中，她是我的嫡母，自然该行大礼。后来她归顺了宇文化及，母子的恩情已断。就连这两揖，也是看在沙氏母亲面子上。"说完，挣脱了薛保母的手，往外就走。萧后听见，不觉良心发现，放声大哭。越想越哭，越哭越想，好像孟姜女要哭倒长城一般。义成公主与沙夫人等百般劝慰。从此，萧后安心住在义成公主处。

再说秦王回到长安，朝见唐主，建议联合王世充对付刘武周与

◎ [孟姜女]

文学故事人物。相传是秦始皇时候的人，因为丈夫范喜良被迫去修筑长城，便不远万里前去送冬衣，在长城下哭泣，城墙崩裂，范喜良的尸体被发现。孟姜女后来投海自杀。孟姜女是忠于爱情、反抗暴政的民间妇女形象。

萧铣。谁知王世充看了来信大怒，还杀了一名唐主的使者。秦王领兵十万，去洛阳消灭王世充。其幕僚杜如晦、袁天罡、李淳风、侯君集、姚思廉等都跟随前往，出谋划策。两军相接，杀得世充大败进城，坚闭不出。

第二天，秦王乘着酒兴，带着马三保等十几个人，来到北邙山打猎游玩。秦王四下追寻一只白鹿，不知不觉来到一个地方，旗帜耀日，武器密布，一座新城门，匾上写着"金墉城"三字。秦王道："这不是李密的城吗？"谁知已被守城的士卒看见，忙去报知魏主李密。程咬金手提大斧，跨青骢马，飞一般出城，大叫道："李世民别逃！"秦王横枪立马问道："你是何人？"咬金道："我便是程咬金，特来捉你。"秦王笑道："你这贼人，有什么好怕的？"咬金举起双斧，直取秦王。两人斗了三十多回合。秦王见敌不过咬金，心中慌乱，拍马而走，来到一座叫老君堂的古庙前，赶紧躲进去。

咬金追赶过来，此时叔宝也追赶进了古庙，见咬金举起巨斧，照着秦王头上要砍。秦叔宝忙飞上前，用双锏架住巨斧道："兄弟，你好莽撞！"说着，把秦王等人带上车，带进金墉城来。魏徵建议把秦王囚禁在这里，作为人质。唐主得知后，派和李密有亲戚关系的刘文静前来。没想到李密把他也送进了牢房。这时，有人报告开州造反，李密亲自领兵，任命程咬金为先锋，单雄信、王伯当为左右护卫，罗士信、王当仁押运粮草，前往开州，留魏徵、秦琼，处理国事。

秦王与刘文静关在牢中，幸亏秦叔宝时常照顾，没有受苦。那狱官徐立本，字义扶，妻子去世，只有一女，名叫惠英，十八岁，还没嫁人。徐义扶，虽是小官，却是见识过人，知道秦王将来能当天子，每日三餐，请秦王与文静到里边干净的房子里中去款待。两人十分感激他的恩德。

一日，叔宝与魏徵在徐懋功府中喝酒。说起秦王之事，懋功道：

◎ [北邙山]

又叫北芒山、邙山。在河南省洛阳市北。在北邙山主峰翠云峰，有著名的道教建筑上清宫，相传是太上老君炼丹的地方。东汉和北魏的王侯公卿大多被埋葬在北邙山。后人常用北邙山指墓地。

◎ [人质]

指用生命保证某种条约或某种诺言履行的人。在古代，常派君主的亲属或重要的大臣到对方那里做人质。

"我们这几个心腹兄弟，如今趁他落难，先结识他，日后也好做一番事业。"第二天，叔宝准备好酒席，悄悄叫人抬进牢里。魏徵、懋功也来了，与秦王、文静相见，大家入席喝酒畅谈，徐立本也被邀请在末席坐下。忽然徐家有人来禀告，说有懿旨。原来正宫王娘娘知道徐惠英有文才，又懂音乐，常接到宫中做伴。正说得热闹，魏徵有事离去，回来后说李密因为打了胜仗，宣布赦免犯人，但就是不放李世民、刘文静二人。大家正在犯愁，徐立本说他有一条妙计。原来刚才王娘娘让徐惠英代写表章，要派人到孟津去。惠英乘机恳求娘娘，把这个差事交给了父亲徐立本，明天四更就动身。玄成、叔宝大喜道："这是唐主之福，父子重逢，君臣会合。"徐懋功道："请令嫒出来见了殿下，也好同行。"

徐义扶忙进去，同女儿惠英出来。众人见了，真是一个不施脂粉、气质清雅的秀美女子。义扶拿出两套青衣小帽给秦王、文静换了。徐惠英提了灯笼，秦王与文静背了奏章与报箱，小厮挑了行李，来到叔宝的地方。叔宝忙出来接见了，对秦王道："我知道殿下急着回去，此刻也不敢尽情了。"他指着院子里的马道："这两匹马，是才间徐大哥叫人牵来的；这匹金串银镶的，赠给殿下，那匹绣串雕鞍的，赠给惠英小姐。"又在袖中取出书信来，对文静道："麻烦兄长带去，一道表章是叩谢唐王的。两封书信，问候李靖与柴绍两位。"秦王道："承蒙将军许多情义，我李世民铭记在心，再不敢劳动您送出城，怕惹嫌疑。"叔宝落泪道："士为知己死。大丈夫如果担心嫌疑，还能做什么事？"众人上了马，急赶出城，又叮嘱了一番，然后举手相别。

秦王在路上，不停地表示十分欣赏叔宝的为人，徐义扶说他有一计，能让叔宝弃魏归唐。

徐义扶道："叔宝虽非常孝顺。母亲宁夫人和儿媳张氏，都在瓦岗寨。不如先把他母亲接来，叔宝肯定会像徐庶投奔曹操那样来

◎ [懿旨]

古代皇后、皇太后的命令。懿，美好的意思。

◎ [徐庶]

三国时著名的政治家。最初是诸葛亮的朋友，后来归顺刘备，向刘备推荐了诸葛亮。曹操攻取荆州时，他跟随刘备南行，母亲被曹军捉住。他非常孝顺，只好归顺了曹操，成为他的谋士，深受信任。曹丕即位后，徐庶在诸葛亮北伐时，为司马懿出了不少主意。

归顺唐主了。幽州总管罗艺，与秦叔宝有中表之亲。今年恰逢秦母七十岁生日，不如假称是罗夫人，去泰安州进香，路经此地，接秦母到舟中相会。只要离开山寨，何愁不到长安？"大家深表赞同。秦王回到长安，细把之前的事，一一奏明。唐帝封义扶为上大夫，其女徐惠英，赐名号徐惠妃，为一品夫人，封为秦王的妃子。然后，秦王马上派李靖、徐义扶带兵两千及宫女数名，拥护徐惠妃，前往瓦岗寨。

再说魏公李密，打败了凯公，大获全胜。正要班师回来，却与夏王窦建德首将王综，交战于甘泉山下。李密被王综射中了左臂，大败丧气；又接得到报告说狱官徐立本，私放秦王、刘文静回国。魏公大怒，连夜赶回金墉，把魏徵、徐懋功、秦琼三人大骂一顿，准备处死。幸亏贾润甫等再三求情，将他们暂且囚禁在牢房。

这边秦母住在瓦岗寨，一天，来了两个人，自称是罗老将军家的尉迟南、尉迟北，送上礼物，说罗太太请秦母到船中相见。寨中

◎ [中表]

一种亲属关系。古代称父亲那边的亲戚叫"内"，称父系血统之外的亲戚为"外"。外为表，内为中，内外合称中表。

这些兵卒，多是强盗出身，哪里见过这么贵重的礼物，个个目瞪口呆。连尤俊达与连巨真，也不停称赞羡慕道："不是罗家帅府里，也办不出这副礼来。"

过了一宿，明早秦母、程母、张氏夫人，穿戴整齐，乘了轿子。秦怀玉金冠扎额，红锦绣袍，腰悬宝剑，骑了一匹银鬃马。连巨真也带领了三四十个兵卒，护送下山。一行人走了十来里，头里先有人去报知。只听得三声大炮，金鼓齐鸣，河中坐船两只，小船不计其数。秦母众人到了船旁，只见舱内四五个宫女，拥出一个少年宫妆的美妇人出来。这正是徐惠英假装的。秦母便道："这不是罗老太太，是谁？"有人答道："这是老爷的二夫人。"秦母也不便再问。大家进了官舱，舱口的白显道，抢着出来观看，被秦怀玉双眉倒竖，咬牙瞪眼，大喝一声。白显道一惊，进舱里去了。李靖在船楼上望见，问来人道："这是叔宝的儿子吗？"来人道："正是。"李靖道："年纪不大，英气足以惊人，真是虎子。"李靖请秦怀玉来，取出他父亲的书信。怀玉才知道他是李药师，顿生敬意。船头上鼓乐齐鸣，齐齐整队行驶。连巨真也觉得疑惑，夜里义扶向他详细说明。连巨真虽放宽了些心，但也无可奈何。徐惠妃见秦氏婆媳，多是端庄朴实的人，就把真相告诉了她们。程母喝了酒，正在瞌睡，没有听见。秦母道："小儿愚劣，有辱殿下青眼有加。"徐惠妃道："这事千万别让程太太知道。"

秦母等人在舟中住了两天。那天早起，有人报告说有贼船三四十只在靠近。秦怀玉听见，飞一般披衣起来窥探。李靖派人前去捉拿，只听见大炮震天，呐喊之声不绝。不到两个时辰，报告说已经绑住头目。只见战船里，拖出一个大汉。连巨真在后边船上望见，吃了一惊道："这是我家贾润甫，为什么在这里？"只听见李靖问话，贾润甫自称贾和，是李密的手下，奉命追讨王世充借去的两万斛粮食。李靖道："王世充残忍小气，李密却帮助他，真是个庸人！"

◎ [青眼]

人高兴时眼睛正着看，黑色眼珠在中间。比喻对人喜爱和器重。魏晋时有名的士人阮籍能作"青白眼"。当他看自己尊敬的人时，就双眼正视，叫"青眼"；看他不喜欢的人时，就两眼斜视，叫"白眼"。嵇康和他的哥哥就分别受到这两种不同的待遇。

贾润甫道："还不知谁胜谁负，您怎么这么说？"李靖拍案喝道："前日秦王被囚，我正要来问罪，你却撞来。把这人斩了！"连巨真吓得魂飞魄散，却见贾润甫又被带回来。李靖亲自解了他的捆绑，道："刚才不过试试您的器量。秦王求贤心切，正要多结交几个朋友。"

　　话未说完，只见徐义扶、连巨真、秦怀玉，走到面前。贾润甫大惊，徐义扶说明了情况。贾润甫道："秦大哥他们被关起来了。"秦怀玉放声大哭，忙问李靖说道："老伯借两千兵给小侄，去救父亲。"秦母听到这个消息，也过来了，问道："小儿因为什么事被关了起来？"贾润甫道："魏公降服凯公回来，听说徐兄放了秦王、刘文静，又迁怒于秦大哥、魏徵、徐懋功，将他三人监禁起来。我与罗士信再三苦劝不从，就派我去王世充那里讨粮。因为去年秋天，世充派人来借两万斛粮食。那时我极力劝阻，对魏公说绝对不能借。世充缺粮，是上天要灭绝他。况且我们虽有预备的粮食，也应当未雨绸缪，要提防自己饥饿。再说，军队有了充足的粮食才能壮大，今天借给了他，是帮助敌人发展力量，明智的人都不会这么做。无奈魏公总不肯听我的话，竟然答应了他的请求。开仓取粮那天，正是甲申日，有不能开仓的禁忌。后来巩洛各粮仓，仓官报告老鼠虫子作怪，把仓中的粮食吃了个十分之八九。魏公任命程知节为征猫都尉，下令国中每一户交猫一只，没猫的罚米十石。毕竟鼠比猫多，不能完全消灭。魏公正在悔恨，最近萧铣又派人来要借粮五万斛；如果不答应，就拼了命来攻打。因此魏公着了急，把他们三人从牢里放出，马上派了秦大哥与罗士信，带兵去讨伐萧铣；徐懋功被派往黎阳；魏徵则负责看守洛仓。眼下又正值庄稼被淹，秋收绝望，因此又派我去王世充那里，追讨回借去的粮食。如今秦伯母既然是秦王命李元帅请去长安，肯定强过待在瓦岗寨。等我把这消息告诉秦大哥，他肯定就会来归顺唐帝了。"贾润甫又对连巨真道："巨真兄，你还该回瓦岗寨去。

◎ [器量]

　　气度；度量。

◎ [未雨绸缪]

　　天还没下雨，先把门窗修好。比喻提前做好准备或预防。

弟兄们的家属还大都在寨子里，只剩一个尤员外。如果出了差错，可怎么办？我有公务在身，还得早走一步。"随即向众人告辞。李靖见贾润甫的谈吐、才华很吸引人，就托徐义扶劝说他归顺唐帝。贾润甫道："虽然形势这样了，但还是应该善始善终。如果就这样抛弃旧主人，恐怕不好。"李靖深加叹服。连巨真因为秦叔宝义气深重，只得同到长安，看了下落，再回瓦岗。

 人物点击

徐惠妃

　　唐太宗的妃子。她是湖州长城（今天浙江长兴）人，名惠。她五个月就能开口说话，四岁就会背诵《论语》、《诗经》，八岁就会写文章。父亲为了试她的才华，就让她用离骚体写一首诗，她一下子就写好了。后来，太宗封她为才人，又升为婕妤、充容。她才思敏捷、熟悉历史和经典，关心国家大事。在贞观末年，太宗不断进行战争，又爱好奢华，多次大规模修建宫殿，弄得百姓怨声载道。她看到这种情况，就上奏章说那些珍宝是国家衰弱、灭亡的根源，又是迷惑人心的毒药。她还举例说，商纣王因为迷恋玉器，最终导致了国家的灭亡。她说做皇帝的应当提倡节俭，给后人留下治国的原则，这样唐朝才会更加强盛。唐太宗看了以后，对她十分赞赏。太宗病逝后，徐惠妃因为思念、哀伤过度，一病不起，又不肯吃药，还写诗表明自己的志向，不久也去世了，当时只有二十四岁。她被追赠为贤妃，陪葬在太宗的昭陵。《全唐诗》中有她写的五首诗。

第二十三回　李密骄横终丧命

李密自恃才略高强，却忘了昔日死里逃生之苦，先把一个足智多谋的军师徐懋功调去黎阳；又把忠勇全备的秦叔宝、罗士信去拒守弱小的萧铣；贾润甫屡进奇谋不听，还将其调去洛阳；邴元真是个贪利忘义的小人，却留在身边。只剩单雄信、程咬金等恃勇好斗之人，率大军来攻打王世充。程咬金为先锋，双方正在激战，忽然杀出七八队人，都是蓝面红发、巨口狼牙，穿着五色长袍，脚踩高跷。硝黄火药，烘满半天。个个都拿着砍刀，喊道："天兵到了，你们要命的快投降！"单雄信兵士见了，惊呆了；此时又有人喊："李密捉来了！"这边见主帅被抓，无心作战，纷纷弃甲投降。程咬金惦记老母，悄悄地逃走。雄信无奈，也只得率众投降。

唯独魏主李密还领着精锐战士督战，现在前后夹攻，无可奈何，只得换了服装带人逃到洛口仓找贾润甫。第二天，程咬金也带人逃来，说邴元真已把全城归降王世充。话未说完，只见魏徵骑马赶来。魏徵说，昨夜王世充派人设计占了金墉城，王娘娘和世子被王当仁护送到瓦岗寨了。这时，手下人报告说，王世充的追兵快到了。李密落泪道："没想到今日一战，众叛亲离，欲守无人，欲归无地。"说了拔剑便要自尽。伯当一把抱定，两人号哭连声，众将也齐泪下。

◎ [高跷]

汉族民间舞蹈形式之一，流行于中国的很多地区，又叫"高跷秧歌"。跳舞的人扮成各种人物，手拿道具，双脚踩着木跷（高的有三四尺，低的一尺多）舞蹈。表演形式有集体对舞或两三人的小场。

李密哽咽了半日，才道："罢，罢，我壮志不甘居人之下，现在无计可施。诸位不如一起到关中归顺唐主，不失富贵。"众将齐声道："愿随您同归唐主。"独有程咬金因为想到自己曾要杀秦王，死活也不肯去，竟然单独离去了。

李密也不等秦叔宝回来，也不通知徐懋功，只带部下两万人西行，进长安，朝见唐帝。唐帝封李密为光禄卿上柱国，赐邢国公。王伯当为左武卫将军，贾润甫为右武卫将军，魏徵为西府记室参军。唐帝又念李密没有家室，将表妹独孤氏给他做妻子。不到一个月，秦王消灭了薛举的儿子薛仁杲，班师回朝。见到魏徵，秦王问道："那个粗莽贼程咬金去哪里了？"魏徵道："他曾得罪了殿下，不敢来。他如果知道了母亲在这里，必定奋不顾身前来。到时候还希望殿下忘记射钩之仇。"于是，秦王与魏徵朝夕谈论，十分亲密。

程咬金到瓦岗后，知道了母亲的下落，牙一咬、脚一跺，直奔长安而来，到秦王府投书要拜见。咬金到了丹墀，直挺挺地立定。秦王仔细一看，认得是程咬金，不觉怒气填胸，喝道："你这贼子，今日也自来送死了！今天要把你杀了，方消此恨。"程知节哈哈大笑道："大丈夫若怕死，也不会来，要砍就砍。快快叫咱老娘来见一面，咱就把这颗头颅，给你吧。"秦王道："领他去见了母亲，再来受刑！"咬金见母亲被照顾得十分周全，知道秦王是个宽厚的人，心想死了也甘心。正在这时，来了个差官，拿着冠带袍服，口中喝道："殿下有旨，恕程咬金无罪，穿冠带来相见。"程咬金穿戴好，来到秦王府西堂，跪下流泪感恩，说愿意去找秦、徐诸弟兄一起来归唐。秦王大喜，立刻答应。咬金又拜见了唐帝，被封为虎翼大将军，兼西府行军总管。明天一早，咬金便辞别了秦王，带着随从去东都洛阳。

如今再说李密，自从归顺唐之后，每日坐卧不安，忧虑万分。手下们因为没什么钱财，也不太安分。当李密得知程咬金也归顺秦

◎ [射钩之仇]

春秋时期，齐国贵族纷纷争夺王位。在国外的两位公子小白和纠也急忙回国，为了抢在小白的前面，管仲率人前去拦截，一箭射中小白。谁知箭射在了铜制的衣带钩上，小白没有死，反而成为君主，就是齐桓公。齐桓公宽宏大量，不但没有记仇，反而请管仲做了宰相。

◎ [丹墀]

宫殿前的红色台阶，以及台阶前的空地。丹，又叫丹砂、朱砂，红色，是古代方士炼丹的主要原料，也可以用来做颜料。

王，被重用后，心中更加生气，就和手下商量离开长安，东山再起。贾润甫极力劝阻他也不听。李密满脸怒气回到内室，独孤公主询问原因。李密便把打算说了，要公主一起走。公主痛骂他不忠不义，李密气得要杀了公主，幸亏被身边人拦住。李密连夜收拾东西，带了六十多人，出北门而去。秦王和唐帝得知后大怒，传令各关口捉拿。李密等人没几天，出了潼关，过了蓝田。大家商议，分两路走，李密和王伯当走小路，去伊州；贾润甫和祖君彦走大路，去黎阳。于是，李密同王伯当三十余人，又走了几日，到了桃林县地方。桃林县县官方正治，是个贤能之士，见这些人乘夜要穿城过，心中疑惑，叫军士仔细盘问，一定要检查行李。李密手下将领与士兵们，原本是强盗出身，野性不改，见这小小一县这般严厉，一时脾气发作，拔出刀来砍杀军士，一拥进城。王伯当忙要止住，哪里禁止得了？吓得县官方正治，逃到熊州去了。李密兵将进了城，见无人阻拦，兜里早就缺钱，干脆把仓库抢劫一空，住了一夜，然后起身。方正治一到熊州，把事情告诉镇守将军史万宝。万宝惊慌无计，总管盛彦师道："不难，我自有计策；只须数十人马，就能取他首级。"史万宝再三问时，盛彦师不肯说破。当时李密以为官兵必定在洛州拦截，而走山路无人阻挡，于是骑着马领这伙人慢慢走。来到熊耳山南山下，一条路左边是高山，右边是深溪。李密与王伯当骑马先走，不顾左右。只听得一声炮响，山上树丛里箭如飞蝗，进退不能。加上身上又无盔甲；山谷里、深溪中，又有伏兵杀出截住前后。可怜伯当不抵挡，拼命抱住李密的身体，百般掩护。二人竟死于乱箭之下，被伏兵斩了首级，向唐帝报捷。魏徵请求到熊州熊耳山去，寻找伯当与李密的尸体安葬。他举例说当年项羽自尽，汉高祖以王的礼仪安葬，结果天下都敬佩他的仁德。如今这件事，对唐帝、秦王收罗人才很有好处。秦王立刻同意。

叔宝与罗士信，杀退了萧铣，回来经过黎阳，懋功把李密归唐

◎ [东山再起]

指重新出来做官。东晋时，著名政治家谢安，年轻时经常和王羲之等好朋友在浙江会稽的东山游览山水、喝酒聊天、写作诗文。谢安辞官后就在东山隐居，直到四十多岁才重新出来做官，拯救了东晋皇室。

◎ [项羽]

秦末著名军事家、政治家。他本来是楚国贵族。秦朝末年，项羽和伯父起义。他在巨鹿之战中摧毁秦军的主力。秦朝灭亡后，项羽自立为西楚霸王。但是由于他骄傲自满，又不听别人的意见，在楚汉战争中，被刘邦击败，被迫在乌江自杀。

　　的事说了，又说叔宝的家属已经到了长安。叔宝一听，赶忙去瓦岗寨，连巨真说了经过，交给他刘文静的书信。叔宝又赶回黎阳，写家信给母亲，又给刘文静回信，叫罗士信只带二三家童，悄悄先进长安去安慰母亲。恰好贾润甫来了，说了李密已经逃离长安，又说单雄信让他快去相会。

　　叔宝因为烦闷，拉徐懋功去郊外打猎。只见一队白车白马的人前来，竟是魏徵。叔宝得知李密和王伯当已经死了，呼天大哭，徐懋功也泪如泉涌。魏徵说他已经找到两人的尸体，暂时将棺材放在庵中。但是两颗首级，还挂在长安。懋功说这件事他马上去长安办好。叔宝则和魏徵往熊州进发。徐懋功来到长安十字街，看见挂着的首级，心如刀割，拜了四拜，放声大哭，惊动了士兵，被带到朝廷中。唐帝责问，懋功不慌不忙，朗朗应对。唐帝转怒为喜，问他姓名。懋功道："臣姓徐字懋功。"唐帝笑道："原来是世民的恩人，朕日夜在这里念你们。卿请起来，衣冠朝见。"又传旨把李、王二首级放下来，李密仍按原官品级，以礼安葬。徐懋功便谢恩出朝，将二人首级，用两口小棺木装上车，连夜奔向熊州。没两三日，魏徵也来复命，说黎阳三千人马，副将王簿已经统领到熊州熊耳山驻扎，叔宝在熊耳山营葬。随后魏徵又去和叔宝会合。那时罗士信到长安，见过了秦母，也往熊州去了。

再说程咬金，快到瓦岗，碰见了贾润甫，得知李密等已死，不觉落泪。润甫说自己只求在山水之间，度过余生，把手一拱，竟上马去了。咬金来到寨中，叫他们把仓库粮饷收拾了，各家家眷一起上路，连部下士兵，共有一千多人一起上路。行了四五日，不到半月，已到熊州熊耳山。只见山下一块平地，后边挑起一个高高土山。山后白石砌了一圈，前面搭起非常大的五间草轩。轩中用石板凿出二穴。穴上停着二棺。其中拜台、甬道、石人石马，排列如生。古柏苍松，葱葱并茂，外边华表冲天，石碑耸立。王娘娘与伯当夫人，抚棺大哭。王娘娘哭着哭着，竟将身边佩刀，向项下一划。王当仁赶紧拉住，众将上前劝慰。程咬金见内外忙乱定了，就跟叔宝告辞，回长安复命。

当时秦王因为刘武周派宋金刚、尉迟敬德，杀败唐将，围了并州。齐王元吉慌了，画了尉迟敬德图像，逃回长安。秦王正与唐帝同众大臣，在太和殿看齐王带来的敬德画像。秦王便向朝廷讨下御祭，要在礼部中选一名官员前去。秦王对众谋士道："魏家那些将士，

◎ [华表]

古代设在桥梁、宫殿、城墙、陵墓等前面，作为标志和装饰用的大柱。一般用石头筑造，柱身常雕刻有蟠龙等花纹。柱子上端有云板和神兽。北京天安门前后的两对汉白玉华表，雕刻精美，是其中的杰作。

都是能征善战的。如果我不亲自前去，怎么能使他们心服？"于是，徐义扶同程咬金，连夜兼程，先去熊州通报。徐懋功又告诫各将士，务须盔甲鲜明，旗号整齐，五里一营，十里一亭。

没几天，秦王到了熊州，早有四五百白衣甲将士来接。一路上鼓乐引导，队伍簇拥，秦王换了暗龙纯素绫袍，腰间束了蓝田玉带。到了拜亭，左边徐懋功、魏徵、秦叔宝、程咬金四五个将帅；右边王当仁扶着李密的儿子启运，俯伏在地。墓内哭声震天。秦王一边祭，一边哭，回想他当初在金墉时，何等气概、何等威风、多少威望，只此结局！只见邈邈遗雏，未满三尺，墓内哭声，哀号凄惨。秦王虽是英雄，睹此情景也黯然落泪。众官看见秦王如此，也都哀号痛哭。祭拜完毕，秦王回去，又发犒赏军银五千两。众军士无不踊跃欢喜。大家统领管辖兵卒，陆续起行。到了长安，先拜见了秦王。秦王又率领魏家大小臣子，朝见唐帝。唐帝封徐世绩为左武卫大将军、秦叔宝为右武卫大将军、罗士信为马军总管、尤俊达为左三统军、连明为右四统军、王簿为马步总管。

正在封赏之时，只见有晋阳治州文书飞马来报，说刘武周围城紧迫，危在旦夕，请陛下火速发兵救援。唐帝道："晋阳乃中原咽喉所在，决不能失去；但战情这么急迫，缺少一个能干的将领。"徐懋功奏道："臣等愿意效劳，扫除武周。"唐帝道："朕早就听说你足智多谋，有将帅之才。只是宋金刚部下有一员猛将，名叫尉迟恭，勇敢绝伦，难以克敌。"他指着壁间图像道："这就是尉迟敬德的画像，你们都来看一下。"秦王引领徐懋功等一班众臣，到图像边来细看。只见尉迟敬德果然是身长九尺，铁打般的脸庞、圆圆大大的眼睛，嘴唇阔大、满嘴胡须，鼻梁高耸，头戴铁幞头，身穿红勒甲。他手持一根竹节钢鞭，竟像黑煞天神一样。徐懋功道："这不过是个莽撞的武将，有什么怪异的？"叔宝对秦王道："小卒丑奴的图像，怎么能挂在大唐的宫殿，陛下把笔给臣，臣涂抹掉。"秦王马上命左右取笔给叔宝，叔宝执笔在手，咬牙怒目，把画像从上至下，全部涂坏，俯伏奏道："臣愿领兵三千，赶到晋阳，去消灭这个贼人。"唐帝大喜道："恩卿肯去，必能立功，朕不用担忧了！"马上命徐世绩为讨虏大元帅，秦琼为讨虏大将军，王簿为正先锋，罗士信为副先锋，程咬金为催粮总管。唐帝又任命秦王为监军大使灭虏都招讨，领唐将押后。大家辞别唐帝，连夜领兵起行，往并州而去。

 人物点击

李密

　　隋末农民起义中瓦岗军的领袖。长安人，祖籍辽东，字玄邃。他是隋朝著名将领李宽的儿子。他喜爱读书，尤其喜欢钻研兵法，善于出谋划策，志向远大。他把父亲留下的家产用来结交朋友，和杨玄感是非常好的知己。后来他参加了杨玄感反对隋朝的起义，失败后被捕，在押送途中逃脱，藏在民间。后来，李密来到瓦岗寨投奔翟让，联合了附近许多武装力量，在荥阳大海寺附近设下埋伏，杀死了隋朝名将张须陀。第二年，李密攻下了隋朝的大粮仓，发放粮食给穷人，百姓们纷纷前来投靠，队伍发展到十万人，占领了河南大部分地方。李密被翟让等人推举为盟主，号称魏公。李密设下陷阱，杀死了从前的好兄弟翟让，导致很多部下对他不满。后来，李密投降了越王杨侗，被封为魏国公。当时，宇文化及率领军队北上，李密奉命去拦截，被王世充打败。于是，李密又投降了唐王李渊。但是没过多久，骄横的李密反唐出走，结果被杀死。

秦王派李靖去消灭朱灿，说等自己讨伐了刘武周，就来会合。那刘武周，联合了突厥曷娑那可汗，约他去侵犯中原。曷娑那可汗马上在各地招兵买马。却弄出一个奇女子来，那女子姓花，名木兰。父亲名弧，字乘之，拓跋魏河北人，为千夫长，还有一个小女儿，名又兰；一个儿子叫天郎，还在襁褓中。木兰生来眉清目秀，声音洪亮。花乘之把她当儿子看待，教她开弓射箭。到了十来岁，木兰不肯做针线，偏喜欢读书识字，研究兵法。父母要为她成婚，木兰只是不答应。

可汗征兵时，木兰已经十七岁。木兰心中想："看史书上说，有绣旗女将，有锦伞夫人，都杀敌成功。如今父亲年纪大了，上无哥哥，下有弟妹，如果父亲去打仗，一家人依靠谁？不如我改作男装前去，只要自己乖巧，肯定不败露。"

木兰忙在房中，把父亲的盔甲行头，穿戴起来。幸亏木兰金莲不太窄，靴子里裹了些脚带，行走时毫无袅娜之态。她走到水缸边一照，叹道："照样看起来，就是做将军也能做。"木兰忙去找父亲，说要替父参军，花氏夫妇不同意。木兰道："爹妈不要固执，难道忠臣孝子，只有男人？有志者事竟成。"第二天，木兰改作男装，

◎ [襁褓]

又叫"襁保"。襁指婴儿的带子，褓指小儿的被子，据说长一尺二到两尺，宽八寸左右。后来用襁褓代指还不到一岁的婴儿。

◎ [金莲]

南北朝时，南齐的东昏侯生活奢侈，他特别钟爱潘淑妃，就命人用金子凿成莲花的形状，贴在宫殿的地面上；然后让潘淑妃在上面行走，称为步步生莲花。以后，就把女性缠过的小脚叫做金莲，又叫三寸金莲。

和大家一起出发了。那些邻里知道了，大多埋怨她父母。花乘之无奈，心中天天煎熬。不到一年，乘之竟去世了。妻子袁氏，改嫁了姓魏的。

秦王同徐懋功与刘武周交战，已夺取了五六处郡县。在柏壁关，秦叔宝与尉迟恭对阵，不分胜负，一直杀到晚上。叔宝道："我今夜苦杀你不得，誓不回营。"敬德道："我今夜不砍你的头颅，也不还寨。"大家又战了百余合，哪个肯输。敬德看见旁边有两块大石头，约有一二千斤重，就对叔宝道："那我与你赌：大家用兵器打，只打三下，如果多打一下才碎的，就算他输。我输了，归顺你唐朝。你输了，就归降我定阳。"叔宝同意，敬德怒目狰狞，用力打去，石上没有孔隙；又尽力一下，石上只陷得二三寸深。敬德有些慌了，第三下用尽平生之力，只见扑通一声，石头化成两半。叔宝默默祈祷，把双手举锏，尽力打去，石已露痕，又用力一下，石已透底分开。叔宝笑道："怎么样？你三下，我只用两锏，还算你输。"敬德道："我的兵器狠，你的锏轻。"两人正在那里争论，只见四五个小卒捧着酒肉来了，

说是秦王给的。敬德道："谁要吃你家的东西，要厮杀再杀罢了！"
只听见唐阵里金声一响，叔宝只得掉转马头回寨去了。

再说敬德回营，被刘武周知道了这事，大怒，贬敬德到介休去看守粮草。后来徐懋功派人攻下了柏壁关。刘武周慌了，也只得北移。徐懋功又派罗士信与王簿先前往介休，自己与秦王大队人马，慢慢来追赶。尉迟敬德带领一队人马走到安封，忽然王簿带人杀出，交战了几十回合，敬德突然听到喊声震天，往后一看，只见一片火光，上下通红。一时间三千粮米、近万稻草，被罗士信领唐兵烧了个精光。敬德只得飞一般连夜赶到介休，正遇见王簿与罗士信，被二人围在城里。这时，总管刘世让回来了，带来了刘武周与宋金刚的首级。敬德看见了两个首级，大哭一场，备礼祭献，安葬好了，于是开城降唐。秦王一见，爱敬如宾。唐帝得知大喜，马上封尉迟恭为左府统将军，升刘世让为并州太守。

再说曷娑那可汗杀了刘武周、宋金刚，秦王让他助唐伐郑，朝河南进发。因见花木兰相貌魁伟，办事伶俐，就升她做了后队马军头领。几千人马刚到盐刚，便碰上了护送勇安公主线娘到华州西岳进香的范愿一行人，厮杀起来。

木兰为了救可汗，被线娘捉住；一起被捉的还有一个相貌丑陋的大汉。那大汉口中喊道罗小将军和孙安祖。线娘忙仔细审问。原来这人正是齐国远。齐国远与李如珪因为李密杀了翟让，就去投奔柴绍。柴绍派他去给张公谨贺寿，恰好遇见罗成，于是两人成为朋友。罗成为了婚事，要他带信给叔宝。线娘把罗成的信塞在了靴子里。

这时，女兵前来报告，说花木兰是个女子。线娘忙请来，问明原因，以礼相待。线娘心想："没想到北方强悍之地，竟有大孝之女，能干这样事，妾甘拜下风！"一个金枝玉叶、一个民间女子竟结拜为姐妹，同房休息。线娘悄悄起身，拆看罗成的书信，得知原

◎ [金枝玉叶]

原来的意思是形容花朵枝叶茂盛美丽，后来专指皇室子孙后代，也用来比喻出身高贵，或是柔弱娇嫩的人。

来杨义臣已经死了。线娘免不得呜呜咽咽哭了一场，叹道："罢了，这段姻缘只好结在来生了，何苦为了我耽误他？当初我住在二贤庄，单家爱莲小姐有情有义，我与她也曾义结金兰。不如将他信中改几句，竟叫叔宝去向单小姐求亲。一则报单小姐昔日之情，二则完我心愿。"于是叫人把信重写了，叫齐国远带走。

第二天，窦建德派人叫线娘火速回去，援救被唐兵打败的王世充。线娘和范愿赶紧点兵回国。

秦王统领一班将士进入河南，和李靖会合后，派兵直趋洛阳，与王世充大战，斩了郑将七千多首级后撤兵。

次日，秦王五百铁骑来到榆窠，但见左有飞来峰，右有瀑润泉，真是胜地。秦王左顾右盼，称赞不已。突然外边尽是郑国旗号，一个将领飞马前来，口中喊道："李世民，我郑国大将燕伊来拿你了！"秦王一见，忙跑进润去，一箭正中燕伊咽喉。秦王跳过深润，下马攀藤而行。到了顶上，远远望见对岸一将快马跑来，正是单雄信。后边又有一将，是徐懋功。秦王看见一个石室，外边站着一个僧人，光彩满目，相貌端严。他说："君王快躲在贫僧背后，贫僧自有办法。"秦王藏好，那僧人把洞门封住。

单雄信知道这叫五虎谷、断魂润，没有出路。看见燕伊被射死在地，雄信大怒，忽然后边一骑马飞奔前来，高声叫道："单二哥勿伤吾主，徐懋功在此。"懋功扯住雄信衣襟。雄信道："昔日与君为兄弟。如今已各事其主，就是仇敌。誓必消灭世民，以报先兄之灵，以尽臣子之道。"随即拔佩刀割断衣襟，快马加鞭离去。懋功见事态危急，赶紧回去找人。敬德赶来，一鞭打去，正中雄信手腕。雄信一条槊被敬德夺去，雄信只得退逃。秦王和敬德赶紧离开深润，奔出重围，只见秦叔宝、徐懋功领着诸将，正与王世充后队交战，敬德也加入大战，杀了郑国许多兵将，唐兵胜利回师。从此秦王对敬德倍加信爱。

◎ [义结金兰]

原意指朋友感情深厚，像兰花一样芬芳美好；两人同心，能断裂金子。后来发展为朋友间情意相投，彼此结拜为兄弟姐妹。结拜时，两人要分别在纸上写出自己的姓名、籍贯、出生年月等，这叫"金兰谱"，然后交换。

◎ [槊]

古代的一种兵器。由槊柄和槊头两部分组成。槊头是圆锤形，有的装有铁钉。槊分为狼牙槊、丈八槊、护手槊等。槊是十八般兵器中的重型兵器之一，多用于马上作战。三国时曹操曾经"横槊赋诗"。

那边窦建德带兵来援助战败的王世充，却被叔宝、敬德等人打得大败。敬德提了刘黑闼的首级，王簿提了范愿的首级，罗士信活捉了郑国使臣长孙安世。

可怜夏国十几万雄兵，杀伤死亡，一朝散尽。只有一个孙安祖逃回乐寿。杨武威与白士让更是活捉了夏主窦建德，来见秦王，秦王把他押在后寨。

懋功奉命到了乐寿，安抚百姓、井井有条。懋功来到建德宫中，只见凌敬和曹皇后都已自尽，忙叫人好好安葬；又得知花木兰不知去向。夏国的大臣齐善行向懋功推荐了一个叫西贝生的能人。懋功忙带人去拳石村寻访。

懋功来到西贝生家，只见门上有副对联，上写道："深惭诸葛三分业，且诵文王八卦辞。"懋功推门进去，这西贝生竟是贾润甫。贾润甫道："隋朝老臣杨义臣有个外甥女，叫袁紫烟，自幼好观天象。因此隋主封她为贵人。后来她逃到舅舅家，本来要出家，但杨义臣算出她还有贵人相配。前年小弟住在那儿，与杨公是邻居，朝夕相处。内人又与袁贵人十分要好，因此被传授了一些观天象的知识。如今杨公已经去世，袁贵人同杨公的小妾、儿子，都在这里守墓。"

懋功便邀润甫一起去拜见袁贵人。袁紫烟就这样素妆淡服，出来拜见。懋功见她端庄沉静、秀色可餐，毫无一点轻浮冶艳之态，不胜起敬。懋功只觉得心醉神飞，出来后对润甫道："小弟这些年无心考虑婚事。见了她，实在合我的心意。兄长能否为我做媒？"润甫一口答应，见了紫烟回来后说，袁紫烟要懋功答应三件事。"第一，要等为杨公守丧期满；第二，要收养杨公的儿子母子两人；第三，要继续照顾女贞庵中的四位夫人。"

懋功大喜，满口答应，又叫人取来银子和彩缎，解下一块佩玉，送给紫烟。袁紫烟收了，送给懋功一个太乙混天球，一枚连

◎ [八卦]

《周易》中的八种基本图形，一套具有象征意义的符号系统。用"—"代表阳，用"——"代表阴，用三个这样的符号，组成八种形式，叫做八卦。每一卦形代表一定的事物。乾代表天，坤代表地，坎代表水，离代表火，震代表雷，艮代表山，巽代表风，兑代表沼泽。八卦相互搭配，又变化出六十四卦。

◎ [内人]

指妻子，常用于在别人面前称自己的妻子。中国古代社会，讲究男女有别，男主外、女主内。女性被要求将自己的活动范围严格限制在室内，操持饮食、缝纫、教育子女等工作，所谓"大门不出，二门不迈"。"内人"是对古代女性生活的一种形象化概括。

理金簪。懋功上马登程，往洛阳进发。

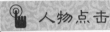

人物点击

尉迟敬德

隋末唐初著名将领。唐代朔州善阳（今天山西朔州）人，名恭，字敬德。一种说法他是铁匠出身。敬德面色漆黑，使用的兵器是单鞭和长矛，骑着踏雪乌骓马。隋朝末年参加军队，勇敢善战，后来成为刘武周的偏将，跟随他起义，连续打败了永安王李孝基等人。秦王李世民率军讨伐刘武周，派任城王李道宗和宇文士及前去劝说，敬德开城投降，从此跟随李世民作战，先后打败了王世充、窦建德、刘黑闼、徐圆朗等。后来，敬德作为骨干力量，参与了玄武门之变，用箭射死齐王李元吉，论功劳和长孙无忌并列第一。李世民成为皇帝后，封敬德为右武侯大将军，吴国公。敬德依仗着自己功劳巨大，为人傲慢，和宰相的关系不好，结果离开京城，做了襄州都督。以后又陆续做了同州刺史、夏州都督，封鄂国公。尉迟敬德作为二十四名功臣之一，被在凌烟阁画像。晚年的敬德信奉方术，一天到晚待在家里，不和人往来。敬德死后，陪葬在太宗的昭陵。

第二十五回

单雄信慷慨赴死

王世充被围困在洛阳城，被李靖兵马围得水泄不通。手下大多想献城投降，只有一个单雄信坚持不肯，坚守南门。谁知柴绍夫妻假扮勇安公主，带着娘子军，骗开了城门，雄信也被捉住，王世充一家大小投降。

秦叔宝随秦王回来，见洛阳城已破，记挂着单雄信，飞一般抢进城来，在土地庙见到程咬金和单雄信相对而坐。叔宝见了，上前抱住哭泣。正说着，单全进来了，说贾润甫把夫人和小姐送到了秦太太那里。叔宝安排雄信和咬金住在一起。

咬金和叔宝来到保和殿，只见屈突通奔进来，说要捉拿单雄信带回长安。程咬金便让屈突通行个方便，不要让雄信入狱，等到了长安，再交给他。叔宝叫人去雇一乘驴轿，安放单雄信坐了，自己同秦王起身。到了长安，雄信被押进监狱，幸好有建德，是旧知己，聚在一处，诉别离情。

忽然一个彪形大汉把二人请进一间整洁的房子，里边床帐台椅，摆设停当。窦建德奇怪问道为什么这样照顾。那人道："三日前就有一位孙老爷来，再三叮嘱小的，所以预先打扫这间屋儿，在这里伺候。"建德想："难道孙安祖逃了回去，又来不成？"外边又来了

◎ [土地庙]

又叫福德庙、伯公庙，是中国民间供奉土地神的庙宇，范围广泛，几乎分布在各个乡村。土地庙一般都比较简陋，有的甚至就在树底下或道路旁。每到土地神的生日农历二月初二，官府和百姓都会到庙里烧香、祭拜。

六七个人，扛进行李、一坛酒和许多饭菜。窦、单二人原是豪杰胸襟，暂且把大事丢开，相对喝酒谈心。

窦皇后见秦王回来，心中欢喜，晚间做梦，梦见金身罗汉说把徒弟还给他。窦后就找来秦王，把梦中之事，说了一遍，又道："我想在被俘的囚徒里，肯定有个好人。"她又让秦王把僧人赠她的偈子写出来。

正巧宇文昭仪走来。在那些妃子中，窦后唯独特别喜欢她，就说道："正好，你是极敏慧的，来看看这上面是什么意思。"宇文昭仪看了，说是要赦免窦建德的罪过。窦后点头称是。秦王说窦建德如猛虎，放了容易，抓住困难。唐帝道："如今且不必拘泥。"秦王就派人到狱中去带王世充。

单全与孙安祖先后来到狱中。安祖向建德耳边，唧唧哝哝地说了许多话，建德皱着双眉道："人活百年，总是要死，何苦费许多周折。卿还该同公主回去，安葬了曹后娘娘。"安祖却不肯听。

王世充被带去后，唐帝因为秦王的意思，将他贬为庶人，兄弟子侄，都安置朔方，世充谢恩出朝。这时只见黄门官前来奏道："有两个女子，绑缚衔刀，跪于朝门外，要进朝见陛下。"

唐帝觉得奇怪，忙叫押进来。不一时，只见两个女子，裂帛缠胸，青衣露体，两腕雪白，捆绑着，口中衔着明晃晃的利刃。唐帝望去，虽非绝色，却有一种英秀之气，光彩撩人。

唐帝便有几分怜悯之意，就叫人拿去她们口中的刀，问是什么事。窦线娘道："臣妾窦氏，叛臣窦建德之女。我愿代父受罚。"唐帝问："那一个又是什么人？"线娘还没回答，木兰便道："臣妾姓花，名木兰，系河北花弧之女。"便将刘武周出兵代父从军，直到与窦线娘结义一段，都说了出来。

唐帝见她两个言辞朗朗，不胜赞叹道："真是神奇的两个孝女！"

◎ [罗汉]

阿罗汉的简称，指佛教弟子修行到一定阶段的成果。有三种说法：一说可以帮人消除生活中一切烦恼；二说可以接受天地间的供养；三说可以帮助人们不再受轮回之苦。罗汉的形象一般都是和尚，身穿袈裟，全身没有装饰，朴实无华。中国寺院中常供奉十六罗汉、十八罗汉、五百罗汉。

◎ [偈子]

又叫偈颂、偈佗，指佛经中的唱颂词。通常四句为一偈，每句的字数不一定，有三、四、五、六、七字等等。有时，偈子也指僧人所写的意义含蓄深远的诗歌作品。

◎ [庶人]

周代社会的平民。后来把没有官爵的人也叫做庶人。周代是以贵族为主体的社会，贵族由天子、诸侯、卿、大夫、士等构成。由于只有嫡长子能继承父亲的爵位，其余的儿子及其后代往往会成为庶人。此外，庶人还包括自由的劳动者，不依附主人的奴隶。

◎ [助纣为虐]

　　帮助坏人干坏
事。纣，指纣王。纣
王是商朝第三十二代
帝王，名叫帝辛。他
身材高大，力气过
人。《史记》中说他
喜欢美女，整天喝酒
享乐，还发明了非常
残酷的刑罚来惩罚劝
阻和反对他的人。以
后，纣王就成为了暴
君的代名词。

　　这时窦建德已被带进朝，唐帝叫上来说道，"你助纣为虐，本
该斩首。因为你女儿愿意代替，朕不忍心。"就叫侍卫去解了建德
的锁链绑缚，又对他说道，"朕就饶恕了你。"建德叩头道："臣自
从被逮后，名利之念，雪化冰消。如今有幸不死再生，情愿出家，
报答皇恩。"唐帝大喜道："你肯做和尚，好极了！朕替你找到一个
法师，你去做他的徒弟吧！你改名巨德，于殿前替你剃度。"窦后
派人来说要见线娘和木兰，三人见后十分欢喜，窦后问线娘嫁人没
有。线娘羞涩涩未及回答，木兰代奏道："已经许配幽州总管罗艺
之子罗成。"窦后道："罗艺归唐，屡建奇功，圣上已封他为燕郡王，
赐国姓，镇守幽州。听说他一个儿子英雄了得，你若嫁他，也就
终身有依靠了。我也姓窦，你也姓窦，我就把你认做侄女儿，很
是光彩。"窦线娘也不敢推却，只得下去谢恩。窦后又问木兰履历，
木兰一一陈奏。窦后深加奖叹，便吩咐内侍，取银子二千两，彩

缎百端，赠线娘为妆奁；又取银一千两，彩缎四十端，赠赐木兰，为父母养老送终之费，差内监送归乡里。二女便谢恩出宫。

那时窦建德刚剃了发，身披锦绣袈裟，头戴僧帽。只见二女出来，内监放下礼物，将窦后懿旨，一一奏闻。二女又向唐帝谢恩。唐帝又对建德道："没想到你的女儿许配罗艺儿子，又成了娘娘的侄女。孝女得此快婿，你就没什么担心的了。"建德并不知这事，只以为是窦后懿旨赐婚赐物，谢恩出朝。

建德出了朝门，只见早有一僧人，挑着行李，在那里伺候。建德定睛一看，却是孙安祖。建德大惊道："我是怕天子猜疑，才削发避入空门，你为何也这样？"孙安祖道："主公，当初好好住在二贤庄，是我孙安祖劝主公出来起义。如今情事不成，自然也要在一处修行。如果因为衰败就离去，也算不上是好男儿。"建德又对线娘道："你既然与罗郎定亲，又得娘娘恩宠，认为侄女，终身有靠了。从今以后，你干你的事，我干我的事，不必再留恋我了。"线娘一定要送父到山中去，那内监道："咱们是奉娘娘懿旨，送公主到乐寿去，和尚自有官儿们奉陪，不用公主费心。"线娘无奈，只得和父亲同出长安，大哭一场，分路而行。

唐帝放了窦建德，要将单雄信等人处死。徐懋功、秦叔宝、程咬金得知，赶快来见秦王。三将叩头哀求，情愿以自己的官职，赎其罪死。叔宝哭泣如雨，愿以身代死。秦王终究还是不答应。

单雄信在狱中，见咬金叫人拿了酒肴进来，心中早料着三四分。咬金叹道："想起来，反不如在山东时与众兄弟时常相聚，欢呼畅饮，自由自在。如今几个弟兄，七零八落！"说罢看着雄信，落下泪来。此时雄信，早已猜到结果了，不说话，只顾吃酒。秦叔宝也走了进来，道："兄长的事只恨我们不能代替，如果可以，怎会爱惜这条命。"说了，满满地斟上一大杯酒给雄信，眼眶里要落下泪来。又见徐懋功气喘吁吁走进来坐下。雄信听见外边人声

◎ [妆奁]

本来指古代妇女梳妆用的镜匣，后来代指女子的嫁妆。故宫博物院就收藏了清代的黑漆描金嵌染牙妆奁。妆奁方形，分上下两部分。上部里面有一个方盒，用于摆放铜镜。下部两扇门，里面又有两扇小门，小门里有对称的四个抽屉，底部有大抽屉，都用来摆放梳妆用品。

◎ [袈裟]

和尚披的法衣，由许多长方形布片拼缀而成。

嘈杂，抚须大笑道："取大碗来，待小弟吃三大碗，兄们也饮三大杯。今日与兄们吃酒，明日就要找李密、伯当兄吃酒了！"叔宝道："二哥说什么话？"雄信道："三兄不必瞒我，小弟的事，早料到是死罪。自从离开二贤庄，我就没指望活着回去！"叔宝三人，一杯酒仍哽咽着不下去，雄信已吃了四五碗。

这时狱卒们来带人行刑了。雄信便道："三兄去干你们的事，我自干我的吧！"叔宝与懋功、咬金，都大哭起来。雄信阻止住道："大丈夫视死如归，三兄不必作儿女之态，让人耻笑。"懋功与叔宝洒泪先出了狱门，上马来到法场。懋功叫手下，拣一个洁净的地方。叔宝叫从人去取当时叔宝在潞州雄信赠他那副铺陈，铺设在地。

那时秦太夫人与媳张夫人，因单全走漏了消息，爱莲小姐在家寻死觅活，要见父亲一面。太夫人放心不下，只得同张夫人陪着雄信家眷前来。

叔宝扶了母亲，来到雄信跟前，垂泪说道："单员外，你是个有恩有义的人，望你早早升天。"说了，即同张氏夫人跪下去，雄信也忙跪下。拜完了，爱莲与母亲走上前，扶住了父亲，哭得一个天昏地暗。叔宝垂泪叫道："二哥，省得你放心不下。"叫怀玉儿子过来道："你拜了岳父。"怀玉恭恭敬敬朝着单雄信拜了四拜。

雄信哈哈大笑道："痛快，真是我的好女婿！我走了，你们快动手。"便引颈受刑，众人又大哭起来。

只见人丛里，钻出一人，蓬头垢面，捧着雄信尸首大哭道："老爷慢去，我单全来送老爷了！"便向腰间取出一把刀，向项下自刎；幸亏程咬金看见，如飞上前夺住，不曾伤损。雄信首级被用线缝在颈上，抬棺木来安葬。

那边窦线娘同花木兰回到乐寿，在雷夏泽中安葬了曹皇后，自己也搬到那里居住。花木兰想回乡探亲，线娘派了金铃和吴良

两名女兵陪同；又把一封信和没镞箭托木兰带给罗成。木兰回家，
和母亲、继父、弟妹团聚。

过了几天，正要收拾往幽州去，谁知曷娑那可汗要选她入宫。
木兰让妹妹又兰替她去幽州，自己在父亲的坟前自尽而死。又兰和
金铃扮成男子，来到幽州。金铃让又兰坐在茶坊里，她找来一个在
燕郡王府中办事的人，名叫方杏园，托他把那支没镞箭带给罗成。
方杏园一看，见有小将军的名字在上，不敢怠慢，忙进府去。他遇
着公子身边一个得意的仆人叫做潘美，向他说了来因。潘美将箭藏
在衣襟里，到书房中。

罗公子听了此事后大惊，叫潘美让那人到东门外等候。又兰她
们赶紧过来，只见一队人马，拥出府门。公子珠冠扎额，金带紫袍，
骑着高头骏马。又兰心中想："这一个美貌英雄，怎不教窦公主想
他？"也就跟在后边。罗公子出了城，叫潘美请那送信人过来。公
子见是一个美貌书生，忙下坐来相见。花又兰在靴子里取出信，罗
公子不好意思当面拆开，交给潘美收藏，便问又兰叫什么。又兰就
把姐姐木兰随曷娑那可汗起兵，直至到和公主结义，一一讲述。公
子便请又兰她们到王府中，安顿在内书房。那内书房一共是三间，
左边一间是公子的卧室，右边一间设过客的卧具在内。

公子走进内室，罗太夫人对公子说道："孩儿，你前日说那窦
建德的女儿，有胆有智。刚才你父亲说皇后娘娘认她为侄女。昔
为敌国，今作一家。你父亲说，趁着派人去进贺表，顺便将她娶来，
与你成婚。"公子便把信和母亲一起拆开看。母子二人当时拆开一
看，却是一封断绝婚事的信，罗公子不觉大哭起来，倒在罗老夫
人怀里。公子带泪道："几年来为战事纷乱，孩儿不曾去求杨义臣
做媒。因此她写信回绝孩儿，这是孩儿负她，非她负孩儿。"说完
又哭起来，罗公进来看了信，笑道："痴儿，我正要派人去进朝廷
的贺表，等我将你定婚的事奏明。皇后既然认为侄女，决不肯把

◎ [珠冠]

珠饰的帽子。

她嫁给一般人。天子见了表章必然欢喜，赐你为婚。只是信中说派义妹前来，为何来的是一个男子？"

公子请又兰和他一起到乐寿去。金铃看中了潘美；又兰见公子翩翩少年，心中也舍割不下。金铃便去把行李取来，公子与又兰时刻相对，竟十分投机。

一夜，罗公子起得早，轻轻开门出去，只听得潘美和金铃在厢房内说话。潘美道："如果我们少爷知道你二爷是个女子，只怕未必肯放过。"公子听得仔细，想道："奇怪，难道她主仆竟是女人？"到内室请过安，出来恰好撞见潘美，公子叫他到僻静处询问，才知她们都是女子。

公子大喜，夜间喝酒，假装醉态，把手搭在又兰肩上道："花兄，小弟今夜醉了，要与兄同榻，弟还有话要问你。"又兰道："有话请兄明日赐教，弟生平不喜与人同榻。"公子又笑道："若兄果真是个男子，弟也不想同榻了。"又兰听了这句话，心上吃了一惊，脸上红得像桃花一般。

公子看了，更觉得可爱，把门闭上，走近前抱住又兰道："我罗成几世修得，今日遇见贤妹。"又兰道："君请坐了，等我说来。"公子只得放手，两个并肩坐下。又兰道："今日不顾羞耻，跋涉关山而来，一来要完成姐姐的遗言，二来要成全窦公主与你的百年姻缘。郎君少年英雄，妾的确敬爱，但男女之情，还须以礼以正。"公子听了大笑道："请问你要是男子，有这样的美人在面前能忍住吗？"又兰道："大丈夫能忍人所不能忍，才是豪杰。妾承君不弃，携手促膝四五日，妾终身断不敢再嫁他人。求郎君放妾到乐寿，见了窦公主一面，明白了姐姐与我的心意。即使日后嫁给郎君，也有光彩。"

公子见她说得句句在理，便道："既然贤妹如此说，小生也不敢冒犯。"

◎ [赐教]

敬词，表示请对方给予指教。

过了几天，罗公将表章奏疏写好，公子拜别了父母，和又兰等带着尉迟兄弟等前往长安。

 人物点击

窦皇后

唐高祖的皇后，隋朝定州总管窦毅和周武帝姐姐襄阳长公主的女儿，擅长书法，文笔也很好。她刚出生时，头发就到脖子；三岁时，更是和身高一样长。舅舅周武帝特别喜爱看重她，把她接入皇宫抚养。那时，武帝的皇后是突厥公主，不受宠爱。窦氏悄悄对武帝说："突厥势力强大，请舅舅为国家考虑，不能放弃和突厥的友好关系。"武帝对窦氏小小年纪，却有如此深远的见识，感到非常惊异。她七岁时，隋文帝取代了北周的皇帝，窦氏大哭道："可恨我不是男子，来解救舅舅家的危难！"窦氏对婆婆还十分孝顺。婆婆一直身体不好，其他儿媳妇因为婆婆生性严厉，都谎称有病，不愿服侍；只有窦氏不分白天黑夜地照顾。李渊当扶风太守时，窦氏劝他把心爱的骏马献给炀帝。李渊不听，后来因为这个被炀帝怪罪。没多久，窦氏就去世了，年仅四十五岁。李渊这才想到窦氏的话，买了很多鹰犬献上，果然很快就被提升为将军。窦皇后的儿女有李建成、李世民、李玄霸、李元吉和平阳公主。

第二十六回 功臣迎娶奇女子

◎ [出阁]

阁，指闺阁，又叫闺房、绣房，是古代没有出嫁的女子的住处，一般在整座宅院的最深处，未婚女子一般不能轻易走出闺阁，男性也不可以进去。一开始，"出阁"专门指公主出嫁，后来成为女子出嫁的通称。

◎ [昭仪]

皇帝妃子的一种封号。汉元帝设立，地位等同于丞相，爵位和王侯一样，是妃子中的第一级，地位仅次于皇后。

罗成同花又兰、张公谨、尉迟南、尉迟北一行人，出了幽州，花又兰说应该先以吊丧为名，去雷夏那儿探听动向。再说窦公主，和邻居袁紫烟，狄、秦、夏、李四位夫人时常闲话。一天，线娘和袁紫烟在室中闲话，只见金铃回来，说了详情，还说又兰就在门外。线娘把又兰请到房里换装，再一看，比她姐姐更加秀美。在线娘的建议下，又兰和紫烟也结成了异姓姐妹。又兰提到罗公子不忘前情，线娘总是默默不语。袁紫烟道："这段姻缘，真是女中丈夫，恰配着人中龙虎。窦妹该赶快答应。"线娘笑道："等送姐姐出阁后，愚妹自有定局。"又兰喝得大醉，紫烟告辞回家。线娘叫那金铃过来盘问，金铃说又兰拒绝罗成一事。线娘不胜浩叹道："罗郎真君子，又兰真义女！我当以罗郎报之。趁罗郎的奏章未到，我先奏明皇后。"忙写好奏章，又写一封信给宇文昭仪，让吴良和金铃上京。金铃因惦记潘美，知道公子要到贾润甫处，便跑过去细细跟贾润甫说明事由，叫润甫速报知公子，回来后就与吴良上路去了。

罗公子到了乐寿，齐善行将公子迎进城，说窦公主和贾润甫来往密切。罗公子吩咐手下，准备祭礼去祭拜杨义臣和曹皇后，往贾润甫家来。罗公子就把来求窦公主完婚一事说了。贾润甫道："别的女子，可以捉摸得着。只是窦公主心灵智巧，最难猜测。她知道公子来求婚，连夜写成奏章。这种才智，哪是寻常女子能比得上的？"罗公子吃了一惊。贾润甫同齐善行陪了罗公子与众人，先到杨公坟上来。杨馨儿早已站在墓旁还礼。大家又到曹后墓前来，一个老军丁跪下禀道："公主说不必到墓前行礼了。"罗公子道："烦你去告诉公主，说我连年军事匆忙，不及来问候，今日到此，岂有不拜之礼。"老军丁去说了，只见冢旁小小一门，四五个宫女，扶着窦公主出来，罗成见他穿着孝服，比当年在马上时，更觉娇艳惊人。罗公子到灵前拜奠了。窦公主铺毡叩谢，泪如泉涌。罗公子亦忍不住落下泪来，正要上前说几句话，窦公主却掩面大哭，被扶入小门里去了。罗公子只得出来。

有人请罗公子等人到草堂用饭。罗公子对窦家人说道："管家，烦你进去告诉公主，说我此来一为吊唁太后，二为公主的婚事。"家人进去了，出来说道："公主说婚姻大事，自有皇后与皇上做主，公主难以应命。"罗公子说要请花二爷和他一起上京。又兰听了，写了"来可同来，去难同去。花香有期，慢留车骑"十六字，叠成方胜，让家人交给公子。罗公子看了微笑道："麻烦你替我对公主说：花二姑娘是不能放她回去的，公主也要自己保重。" 说完，便骑马上路。罗公子等人不到二十日，已赶到长安，先去叔宝那儿。这时，齐国远也来了。罗公子说起寄信一事，齐国远说被窦公主捉住的事。罗公子忙叫家人从箱子里取出窦公主和花又兰寄来的原书，核对笔迹，才知道这信是窦公主所改的。叔宝道："这样看起来，这女子才智过人，正好与表弟相配。"

吴良、金铃奉了窦公主之命，赶到京中，忙到宇文士及家来，说明了来意。士及因为窦线娘是皇后认的侄女，不敢怠慢，忙出来接见，问明了始末根源。士及自己写了一封信，叫家人去请一个靠得住的太监来，把送皇后的大礼、奏章与送他妹妹宇文昭仪的小礼，

——交代明白。叫他传进宫去，送给昭仪。昭仪收了自己的小礼，马上带了奏章，叫宫奴带了礼物，来到正宫。正巧唐帝龙体欠安，没有上朝，与窦后在寝宫下棋。昭仪上前朝见过，就把线娘的奏章呈上。窦后看了单子上都是珍珠玩好之物，便道："她一个单身孤女，何苦又费心来孝顺我？"唐帝拿奏章看过。窦后道："罗成为什么还不娶线娘？"唐帝道："可能罗艺嫌她是亡国之女，另有良缘。"宇文昭仪道："婚姻大事，一言为定，怎能轻易改变。况且娘娘已经认线娘为侄女，也不玷辱了他。"窦后道："陛下该赐婚。"唐帝道："窦女纯孝忠勇，朕十分欣赏。但可惜那花木兰代父从军的一个孝女，守节自尽，真值得表彰；至于她的妹妹花又兰，代姐全信，又与罗成同床不乱，更为难得。"宇文昭仪道："妾闻徐懋功所定的隋朝贵人袁紫烟，与窦线娘住在一处，这奏章写得漂亮得体，或许是出自她的笔下。"只见一个掌灯的太监，手捧着许多奏章呈上，唐帝从头翻看，是罗艺的贺表，便道："刚才说罗艺要赖婚，如今已有本进呈。"忙展开来一看。

唐帝看完笑道："恰好幽州府丞张公谨与罗成到来，明日待朕亲自问他，便知详情。"只见秦王进宫来问安，唐帝将两本与奏章给秦王看了。秦王道："建德之女，有文武之才，已是奇了；更奇在花家二女，一以全忠孝，一以全信义。"唐帝道："刚才宇文妃子说，窦女奏章，可能是徐懋功的未婚妻袁紫烟所作，不知是不是真的？他们二人为何尚未成婚？"秦王道："懋功因为紫烟是隋朝宫人，不便私自迎娶，还要奏请。"唐帝道："隋时十六院女子，都是名姬，不知何故，一个也不见。"秦王道："窦建德消灭宇文化及，宫人萧后多带了回去，那些妃子想必都在那儿。如今不如袁紫烟也召入宫廷赐婚，就可问妃子们的消息。"唐帝就派宇文士及和两个老太监，奉旨召窦线娘、花又兰、袁紫烟三女到京面圣。

花又兰听见众人说，窦线娘必要父命，才肯答应。她便打扮成

走差的模样，和香工张老儿去隐灵山了。袁紫烟着了急，忙回去报
知窦线娘。花又兰来到隐灵山，拜见了窦建德，说了公主的事。建
德本不想再管俗世之事，无奈又兰苦苦劝说，只得答应明天就下山。
又兰就辞别下山赶回去。那天，来到一个村中，却遇上了隋宫贾、罗、
江三位夫人。夫人们和又兰很是投机，就打发香工先回庵去。这边
吴良、金铃回到窦线娘这里，说圣旨可能明后天就到。正说着，一
个女兵忙进来报道："王爷回来了。"公主喜出望外，忙出去接了

进来。公主跪倒建德前，放声大哭。建德也伤心泪下。线娘又叫人去请了贾润甫来，陪父亲与孙安祖闲谈。

果然到了后天中午，齐善行陪了宇文士及与两个太监，都穿了吉服，吆吆喝喝来到。建德与孙安祖不好出去相见，躲在一室。线娘忙请贾润甫接进中堂，齐善行吩咐快排香案，又把袁紫烟也请过来。宇文士及宣读了圣旨。线娘叫吴良同张香工吃了饭，火速起身，去接花姑娘回来。宇文士及和善行先起身去县里。张、李二太监找到花又兰，正好认出了三位夫人。张太监道："太好了，当今万岁爷，有密旨寻访十六院夫人。今日三位夫人好造化，快快收拾，同咱们进京去吧。"夫人们私下商议道："我们住在这里，总不是个办法。不如趁姿色未衰，再去混几年。何苦在这里，受这些凄风苦雨。"主意已定，三位夫人和花又兰，同二太监起程。行了三四日，到雷夏接了窦公主和袁紫烟。不到一月，快到长安，懋功便和罗公子一路去迎接。

线娘见罗公子远远在马上站着，好一个人品，心中想道："惭愧我窦线娘，得配公子，也算不辱没了。"上了一乘大轿，花又兰也坐了一乘官轿，许多人跟随去了。徐家家将也接着了袁夫人。三位夫人被暂时安排在驿站中。唐帝正和窦皇后、张尹二妃、宇文昭仪，在御苑中赏花，张、李二太监、宇文化及、秦王四人上前朝见了。唐帝听说，喜动天颜，便问道："那三个妃子，多大年纪？"窦后道："这都是亡隋之物，陛下叫她们进来想做什么？"张太监见窦后意思不好，便随口答道："如今也有三十岁了，但是这三个，比那几院夫人的姿色要稍微差点儿颜色。"张妃笑道："陛下召她们来，也要造起一座西苑来。"唐帝见她们有些醋意，便改口道："你们不消费心，朕不是为自己。"就问秦王："大臣里面，哪几个没有妻室的？"秦王答道："臣儿只知魏徵、罗士信、尉迟恭、程咬金。"唐帝就命李太监，立召窦、花、袁三女见驾。唐帝看那三个女子，端庄沉静、

◎ [造化]

指自然界。古人因为科学知识的有限，不能对一些神秘事件和现象作出合理的解释，就认为这是大自然、天地的力量在暗中控制，从而产生了崇敬、畏惧的心理，往往把很多事情的发展、成败归因于人力之外的客观力量，说是命运的问题。

仪态文雅从容，便道："你们三个，一是孝女，一是义女，一是才女，与众不同。"叫宫人取三个锦墩来，赐她们坐了，说了许多闲话。唐帝又对袁紫烟道："袁妃子擅天人之学，今归徐卿，阃内阃外，皆可为国家之一助。"因差张太监到驿中，宣隋宫三妃子；又差速召魏徵、徐懋功、尉迟恭、程咬金进苑；又差李太监去宣罗成、秦琼、秦怀玉、单爱莲见驾；又吩咐礼部准备。

吩咐完毕，唐帝同秦王到偏殿坐下。只见魏徵等四臣来了，唐帝道："有功大臣，怎能没有妻室？朕派人找到隋宫三位丽人，趁今日良辰，你们三人抓阄，姻缘自定。"魏徵、尉迟恭、程知节齐跪下去道："四海未平，怎敢考虑家室？"秦王道："这是父皇与众同乐之意，大家不要推辞。"唐帝叫宫人取一个宝瓶，将江、罗、贾三位名字写在纸上，揉成纸团，放在瓶内，叫魏徵三人去拈。结果魏徵拈了贾夫人，尉迟恭拈着了罗夫人，程知节拈着了江夫人，三臣各谢恩。正好张太监领了三位夫人进来朝见。唐帝对三臣道："这三个佳人，虽然不是国色，却也美丽幽雅，不要轻视她们。"

又见秦琼领了儿子怀玉、媳妇爱莲，上来朝见。唐帝见爱莲面如梨花，杨柳纤腰，稳重大方，便赞道："好个女子。"叫近侍带去见窦后，又对叔宝道："真是佳儿佳妇。"唐帝对近侍道："窦线娘给二品冠带，其他女子都给四品冠带，快去宣她们出来，赶快洞房花烛。"近侍进去领了七个女子出来，魏徵等四对夫妇谢了恩，就有鼓乐迎出苑去。第二起就是秦怀玉与单爱莲，谢恩，迎送出去。第三起是罗成，两旁站着窦线娘、花又兰，谢恩下去。唐帝笑道："罗成，也亏你当时老成，今宵却有联璧成亲。"满京城军民人等，拥挤观看，无不羡慕。

罗公子与窦公主、花夫人辞别众人离去，要请窦建德到幽州。没几日，众人来到陕州边界的一个大村镇上。只见许多人挤在一个庵院那里，尉迟兄弟忙挤进庵来，只见门前一间供着伽南佛像，进

◎ [抓阄]

用几张小纸片写上字或记号，揉成纸团，由相关的人各拿一个，以决定权利或义务该属于谁。

◎ [洞房]

原来的意思是幽深的内室，后来指男女结婚的房间。相传尧帝在出游时，曾经见到远处有一名美丽女子手拿火种，他带着大臣到处寻找她。有一次，在山洞里看见一只漂亮的梅花鹿，原来那名女子就是鹿仙女。两人在山洞中点燃火把结婚。

◎ [伽南]

树木名称。在佛教中，用伽楠做成的念珠是最珍贵的。伽南还可以提取香料，伽南香产量少，质地优良，非常宝贵。它的气味甘甜浓郁，不燃烧时，甚至也会散发香味。伽南香被列为沉香中的上品。

去三间佛堂，三四个老尼坐在一块儿哭泣。地方上人议论道："那个公主，国破家亡，却被那官儿欺负。"尉迟兄弟忙报告了公子。窦公主心想："莫非是隋魏后人，流落在这里。"便叫人去请那个老尼来问话。原来隋朝有个南阳公主，少年守寡，有一子叫禅师，却被杀死了。公主向夏王哀求出家为尼，回长安探亲途中又被贼人抢劫，因此到这个庵堂来住。昨晚宇文士及竟想娶公主。公主不答应，把他大骂一顿。他的手下就敲诈尼姑们银子，没有得到，便打了尼姑们。窦公主命人去请南阳公主，建议她到女贞庵修行。南阳公主大喜，一同出发。

 人物点击

南阳公主

　　隋炀帝杨广的长女。仪态美丽动人，很有志向和气节，日常行动没有不符合礼仪规范的。她十四岁的时候嫁给了许国公宇文述的儿子宇文士及，因为孝顺懂礼而闻名。后来，宇文化及杀死炀帝，公主被带到聊城；化及被窦建德打败，士及归顺了大唐。当时，窦建德接见隋朝的皇室、官员，大家都惊慌不安，只有公主神情自然，说到自己国破家亡，不能报仇雪恨，不禁流泪。建德等人都为之感动，很是敬重公主。当时公主有一个儿子，名叫禅师，只有十岁。建德让于士澄对公主说，既然已经杀死了宇文化及，禅师是宇文家族的后代，按照法律也应该处死。如果公主不忍心，也可以放了他。公主哭着说你也曾经是隋朝的大臣，这事还问我做什么？结果，建德就杀死了禅师，公主也出家为尼。后来，建德失败，公主和士及在洛阳相遇。公主不想再见他，士及站在门外请求重新结为夫妻。公主说我们是仇人，我恨不得杀了你。士及不断恳求，公主愤怒地说如果一定要相见，就自杀吧。

罗公子、窦公主一行人继续出发，潘美与金铃到住的店里去结账。柜台内人一个大汉说夏王窦建德与孙安祖是他过去的好友，坚决不肯收钱。

这人是江湖上一个有名的好汉，名叫关大刀，辽东人，曾做过强盗。近来见李密、单雄信等都被杀，他便收心，在这里开一个大饭店。遇着了贪官污吏，他便不肯放过，必要把钱财敲诈干净，才住手。又道："关公当日不肯降曹，我今天也不去投唐。"因此四方豪杰都敬服他。

窦公主和罗公子到隐灵山接父亲。无奈窦建德看破尘世，再不肯下山。公主只得哭别了父亲，然后送南阳公主和四位夫人，到女贞庵去，同罗公子、花又兰往北进发。贾润甫送公子起身之后，知道单雄信家眷扶灵柩回潞州，便收拾行李，拉了附近受过单雄信恩惠的豪杰，一起去奔丧。

秦怀玉与爱莲小姐走了几日，已出长安，只见七八个大汉子，穿着白布短衣，向前询问单员外的丧车到了没有，然后飞一般地去了。家将疑心是坏人，忙去追赶那几个大汉。

那几个大汉见一队车马，两面奉旨赐葬金字牌，中间一幅大

◎ [灵柩]

盛有尸体的棺木。

竖在灵柩前标志
死者官职和姓名的旗
幡。多用绛帛粉书。

红金字铭旌，上写"故将军雄信单公之枢"。齐拍手道："好了，
来了！"齐到枢前趴在地下，大哭起来。家将见了，知道不是坏人，
秦怀玉忙跳下马还礼。众好汉又七上八下地去拜见单夫人。众人
道："贾润甫知道二哥的丧车回来，便拉了十来个兄弟们在那里
等候。"说罢，便赶开护兵，七八个好汉用力拥着丧车，风雷闪
电地去了。原来贾润甫拉着众好汉，恰好也住在关大刀店中。单
夫人同秦怀玉叩谢了，关大刀同众人把丧车推到一间空屋里去。

大家正在叙话，单全来了。原来雄信被杀后，单全回到二贤庄，
将老爷的田产利息，登记在册。后来听到夫人们扶枢回乡，连夜兼
程赶来。单全道："如今王世充在定州，纠合了邴元真再次反叛，罗

士信被他用计杀害，他占了三四个城池。前日听说他已到潞安，如今将到平阳来，只怕路上难行。"贾润甫道："当初我家魏公与伯当兄，好好住在金墉，被他用计送死，单二哥又被他连累身亡。今天士信兄弟，又被他杀害。我若遇着他，一定要杀死他。"秦怀玉听说士信被杀，便垂泪道："士信叔叔与父亲结为兄弟，一定要为他报仇。"贾润甫道："我有一计，不过需要关兄弟帮忙。"五更时分，关大刀先与众好汉出门而去。贾润甫同秦怀玉率领了家将，也离店去了。关大刀一行人快到解州地方，恰遇着了王世充的前站，被带到王世充面前。他们假装归顺，被派入第二队。

再说贾润甫与秦怀玉等人，快走至解州。贾润甫叫秦怀玉派一个伶俐小卒，假装乞丐，前去打听，自己守在一个关王庙里。隔了两日，只见差去的小卒归来报道："那几位爷，被王世充派入第二队。昨夜他们已破平阳，昨夜住在猫儿村，四更时分，只听见军中喧哗。"贾润甫大喜道："众兄弟成功了，我们迎上去。"没走一二里，早望见一二十个白衣的人，提着两个首级，飞奔前来，叫道："贾大哥，王世充、邴元真二人首级在此，后面追兵来了，快去帮他们厮杀。"贾润甫、秦怀玉杀退了追兵。早有人来报道："单二爷丧车，已被二贤庄许多庄户，载进潞州去了。"众好汉骑了马，日夜兼程，赶上丧车，护送进二贤庄。

潞州官府抬了猪羊到灵前来吊唁，秦怀玉同贾润甫出来接住。他们见院中罗列着两堆银钱衣饰，问是何故。贾润甫说明。那个郡守笑道："为什么不放在官库。等奏请替单公建祠堂立碑，世代相守，也是美事。"官儿见秦怀玉不言语，只得算了。众好汉便招地方上这些看的穷人，近前来说道："这一堆东西，是秦姑爷赐你们的，作为酬劳。从今以后，你们待秦姑爷如待单员外一般便罢了。"众邻里齐跪下去，欢呼拜谢，领了出去。

关大刀对贾润甫说道："贾大哥，我们的事已完，就此告别了！"

◎ [祠堂]

祭祀祖宗或先贤的场所。中国古代的宗族观念非常强烈，同姓的家族大多生活在一起。他们建立家庙来祭祀，这种家庙就称为祠堂。祠堂分为宗祠、家祠和支祠。此外，祠堂还可以作为家族交际的场所，族长也常在这里处理家族的重大事务。

◎ [宗祧]

和宗庙类似。宗指宗庙，祧指远祖的庙。宗祧后来一般指世代继承。在中国古代，家族实行的是"宗祧继承"，也就是以嫡长子继承为中心的继承制度。嫡长子，是正妻生的大儿子。其余的儿子只能分到一些财产，不能继承权力和地位。

◎ [蹴鞠]

中国古代的一种足球运动，也叫"蹋鞠"、"蹴球"、"蹴圆"、"筑球"、"踢圆"。蹴是用脚踢，鞠是一种皮制的球。它起源于齐国首都临淄，在唐宋时期最盛行，出现了"足不离球，球不离足，万人观赏"的盛况。唐代女性也很喜爱蹴鞠，经常参加这种活动，只是并不踢入球门，而是踢出各种花样。

秦怀玉监督手下造完了坟墓，择了吉日，安葬好了丈人。又见主管单全，忠心爱主，就劝单夫人把他作为养子，以继单氏的宗祧。将二贤庄田产，尽付单全收管，以供春秋祭拜。怀玉同单夫人与爱莲小姐，带了王世充、邴元真二人首级，返回长安。

再说武德七年间，四方敌人，幸亏世民逐一消灭，那时唐皇到了晚年，窦皇后去世，妃子们都争相献媚邀宠。其中张、尹二妃更是无所不为。正巧唐帝生病，在丹霄宫中静养。

尹夫人派侍儿小莺，去请杨美人踢蹴鞠玩耍。只见建成、元吉两个小宫监跟了走来。小莺见了，笑逐颜开地也邀请两位王爷前去。

建成道："我们弟兄两个，回去准备了礼物就来。"小莺道："那我也不去请杨夫人了，在宫专候驾临。但要是二位不去，叫我哪里当得起？"建成、元吉道："岂有此理，我们先给你一个信物，送给夫人。"二位王爷各在身上解下一条八宝十锦合欢带，交给小莺，三人别去。

不一会儿，建成、元吉来到夫人宫中，建成道："我们心里，时常想要来，但一来恐怕父皇撞见，不好意思。二来又怕夫人怪罪。"尹夫人道："我家张姐姐，常常对我说，三位殿下，都是万岁所生，不知为什么秦王见了我们，除作揖外，毫无一些好处。他仗着父皇宠爱，骄傲强悍。前几天皇上要他迁居洛阳，幸亏二位王爷派人来说了，被我姊妹两个，在万岁爷面前再三说起，才中止。"张夫人道："只要我们四人一块儿做事，不怕秦王飞上天去。"元吉道："二位如此留心，真是我们的母后了。"

四人猜拳行令，说说笑笑。

再说秦王因唐帝在丹霄宫养病，他就不回西府，每日调奉汤药，侍候了六七日。唐帝让秦王回府去看看。

秦王经过张、尹二妃寝宫，听见歌声悠悠，又听见建成兄弟二人在喝酒谈笑。秦王想："他们不管父皇生病，反而在这儿干这种事。"想了好一会儿道："也罢，暂将我的腰间玉带，解下来挂在宫门上，等他们出来见了，好痛改前非。"

到了快天亮时，张、尹二妃把建成二人直送到宫门，猛地见守门宫监，将玉带呈上。建成认出是秦王身上的，二王吓得脸色全变。张夫人说："不必慌张。秦王既然这样，等我反咬一口，这罪名看他逃到哪里去？"

张、尹二妃忙进宫去，将秦王玉带四周割断了几处，带了夭夭、小莺齐上玉辇，到丹霄宫来朝见唐帝。唐帝吃了一惊，张、尹二妃不觉流泪道："昨夜秦王大醉，闯进妾宫中来，说了许多污言秽语，妾等不从，要拉他来见陛下，谁知被他逃走，只把他一条玉带扯落在此，请陛下详看，以定其罪。"唐帝不信。两夫人，满面流泪，挨近身旁，哭泣不止。唐帝没办法，只得命御史李纲，去问秦王。秦王读了意旨，脸色惨淡，便将事实详情写好，交给李纲。唐帝一看，只见上面写道：

家鸡野鸟各离巢，丑态何须次第敲。

难说当时情与景，言明恐惹圣心焦。

唐帝看了一遍，正在揣摩是什么意思，只见宇文昭仪同刘婕好出来朝见。

宇文昭仪瞥见了那张字纸在龙案上，便道："此诗是郑卫之音，陛下写这做什么？"唐帝道："妃子怎么知道是郑卫？"宇文昭仪道："陛下难道没看见诗的四句字头上，列着'家丑难言'四字，明明白白，为什么不是？"

唐帝到底是老实好人，便将张、尹二妃出来告状，以至叫李纲去问秦王，因此秦王写这几个字来回复，说了一遍。

宇文昭仪道："这样的大事，岂可乱谈，必须亲自撞见，才能定案。这几年，秦王四海纵横，难道没有一个女子能胜过这二人，

◎ [郑卫之音]

春秋战国时期郑国和卫国的民间音乐。他们保留了商朝音乐传统因素，很多反映了热烈奔放的世俗生活，常常有青年男女互相倾诉爱情、赠送礼物表达心意的大胆描写。这些与古代正统的儒家思想发生了冲突。因此，统治者就把郑卫之音作为低级音乐的代名词。

隋唐演义

怎么会到了今天突然去冒犯？况且前月陛下派秦王平定洛阳，又派妾等选隋宫美人，收府库珍奇。美女数千，秦王看都不看。陛下可记得：当时妾与张、尹二夫人等，曾请各赐田地数十顷，给妾父母，已蒙陛下赐与。秦王竟与淮安王神通，封还诏令，不肯给田。以此看来，秦王等都是惜财轻色之人。张、尹二夫人，或者仍记着这件事！"刘婕好道："三十六宫，粉黛数千，并无三尺之童在内，何苦如此，皇后在地下也会悲伤的。"这句话打动了唐帝的隐情，便道："我也未必就去查问。"

正说着，有太监进来报平阳公主去世了。唐帝叹息流泪。二妃正要扶唐帝到丹霄宫去，忽然兵部奏道吐谷浑结连突厥可汗，侵犯岷州。

唐帝马上命驸马兵部总管柴绍，火速料理丧事后，率领精兵一万前往岷州，和燕郡刺史罗成与突厥作战。

一日，英、齐二王与秦王在苑里，各说武艺超群。元吉要和尉迟敬德比试使槊。

元吉道："看你单鞭划马，能夺我的槊吗？"敬德道："为了不伤到王爷，只用木槊去掉锋刃，虚意相拒，让殿下加刀刃来迎，臣自有避刃之法。"元吉大怒，私与部下一将黄太岁说了几句，便上马持大杆铁槊大呼道："敢与我比槊吗？"

秦王听见，便挺枪勒马而走。元吉追赶一里多，要刺秦王。敬德乘马赶上，喊道："敬德在此，勿伤吾主！"元吉来战敬德，被敬德夺过槊，元吉坠马而走。只见黄太岁又来刺秦王，秦王奋不顾身，将要败时，敬德飞马赶来，夺过槊来一刺，可怜那黄太岁坠马而死。

敬德忙去回奏唐帝道："黄太岁欲害秦王，臣把他杀了。"元吉向前奏道："秦王故意让敬德杀我爱将，皇上要斩了敬德偿命。"唐帝道："敬德有救主之功，朕十分看重他。你们弟兄要相亲相爱，

◎ [粉黛]

粉，指白色的香粉，妇女用来擦在脸上；黛，一种青黑色的颜料，妇女用来描画眉毛。古代流传着"苏州胭脂扬州粉"这样的俗语。扬州的香粉天下第一，具有"轻白红香"等特点，自古就是上等的贡品。而在隋朝，宫廷中画眉用的螺子黛来自波斯。

◎ [驸马]

中国古代皇帝女婿的称号，全称驸马都尉。汉武帝时设置了驸马都尉的官职，掌管副车的马匹，是一种皇帝身边的近侍官。到了三国和西晋，很多皇帝的女婿都被授予这个官，以后凡是皇帝女婿，就都被称为驸马，不再是一种实际的官职。

患难扶持。"说完，便散朝不提。

 人物点击

李元吉

唐高祖李渊的第四个儿子，母亲窦皇后，小字三胡。李渊起兵反隋时，李元吉留守太原。李渊成为皇帝后，封李元吉为齐王、并州总管。元吉喜欢游玩打猎，经常侵犯百姓的利益。刘武周攻打太原时，元吉放弃太原，逃回长安，从此不再单独领军。他曾经跟随李世民征讨王世充、刘黑闼。那时太子是李建成，然而李世民的才干在他们兄弟之上，多次立有大功，严重威胁到建成的地位。于是，建成和元吉勾结了唐高祖的宠妃张氏和尹氏，不停地在皇帝面前说李世民的坏话；又暗中准备武装力量，想要除掉世民。结果，在玄武门之变中，元吉、建成都被世民杀死。李世民成为太宗皇帝后，追封元吉为海陵郡王，按照礼仪改葬。后来又封为巢王。元吉的妃子杨氏后来成为太宗的妃子，生了曹王李明。太宗让曹王作为元吉的后代。

萧皇后住在突厥那里，韩俊娥、雅娘、义成公主、姜亭亭先后身亡。沙夫人把薛冶儿送给王义做继室。罗罗虽然大了赵王五六岁，却也端庄沉静，又知书识礼，沙夫人就把罗罗嫁给赵王。后来赵王继承了王位，号称正统可汗，据守龙虎关。

◎ [继室]

指元配死后续娶的妻子。

柴绍领了圣旨，命部下游击李如珪带兵先去见罗成、郡王罗艺，罗艺说可汗赵王是先朝的故人，让罗成带兵去和他说明。得知这事，窦线娘和花又兰也要带着儿子前去。原来她们二人各生了一个儿子，分别叫阿大、阿二，都是八岁。罗成到了突厥阵前，叫人去请正统可汗出来。赵王道："母后萧娘娘在这里，烦请您的夫人窦公主进宫。"罗成便派李如珪带着兵马在城外，王义派夫人薛冶儿来迎接他们夫妇。罗成夫妇进宫来，萧后又命人把花又兰和两位小公子也接来。萧后问道："不知女贞庵内四位夫人还好吗？"窦线娘道："她们已经嫁给了程咬金、魏徵和尉迟敬德。"萧后道："我也常在此想念，巴不得中国有人来，带我回家去，看看先帝的坟墓。如今好了，我和你们回去，死也死在中国。"正说着，花又兰带着孩子们来了。萧后带大家到了外面。赵王看见了，十分欢喜，一起饮酒。萧后看线娘的面貌，不但长相端庄美丽，体态更是风姿楚楚，非常动人；

再看又兰的身材，与线娘差不多，那白嫩的肌肤，真像柔荑瓠犀，只是楚腰宽了些。萧后便对赵王说了，要回南去看先帝的坟墓。王义知道后也要回去拜先帝。

萧后、沙夫人再三挽留，线娘便住在萧后宫中。萧后对线娘道："当初我见公主外边军纪严明，凛然不可侵犯，为什么如今这样温柔，使人可爱可敬？"线娘道："不知为什么跟了罗郎之后，被他提醒了几句，便渐渐地温和敬爱了。"萧后道："这正是你们的燕婉之情了。"不觉掉下泪来道："先皇当年与我也是如此。现在剩我一人，老景难堪。"过了两日，罗成已先差潘美写文书，通知柴绍了；自己和线娘等做了前队，李如珪与王义夫妇做了后队，换了赵王的旗号，谢别起行。

再说柴绍忙完了丧葬，即点兵起程，到了岷州。那吐谷浑知道了，也选了一个高山，名叫五姑山。柴郡王营寨离这山只有一二箭地。他又暗中调集许多将士，自己却在山上摆一张胡床坐了，观看山中好景。那吐谷浑蛮兵，见他这般举动，怕柴绍是个劲敌，正要冲上山来，飞箭便如雨射下来。柴绍又叫两个十七八岁的女子，娇姿妙态，手拨琵琶，相对歌舞。吐谷浑见了大惊，都放下兵器细看。那一对歌舞完了，又一对上场，表演得更加精彩。过了两三个时辰，只听见五姑山后，一声炮响，忽然四下呐喊。柴郡马知道罗成的人马已到，忙率精锐骑兵杀上山来，前后夹攻，吐谷浑大败退去。柴、罗二军追至三四十里，才凯旋班师。柴绍亦见了萧后，怕朝廷疑忌，就在报捷的奏章中，说萧后要回南方扫墓。自己因为要去会在山东做官齐国远，所以与罗成同走。窦线娘要到雷夏拜墓，一同起行。

一天傍晚，众人来到鸳鸯镇上的周逢春客店。柜台内坐着一个美貌的妇人，正是明霞院杨翩翩夫人。原来翩翩嫁给了店主周喜。萧后追思往事，不胜伤感，到了第二天，萧后发起烧来，还不能行动。柴绍又得到报告，说宫中许多不和睦，便马上与罗成话别，先起身

◎ [柔荑]

荑，是刚刚生长出的茅草。柔荑，用来比喻女子的手柔嫩又洁白。后来成为女子手的代名词。在我国第一部诗歌总集《诗经》中，就用"手如柔荑"来称赞卫夫人庄姜的美丽。

◎ [瓠犀]

瓠瓜的籽。瓠瓜又叫葫子、夜开花，果实长圆筒形，绿白色。它的籽方正洁白、排列整齐，因此常用来比喻美丽女子的牙齿。在《诗经》中，就形容卫夫人庄姜"齿如瓠犀"。

◎ [楚腰]

指女子纤细苗条的腰身。《韩非子》中说，先秦时，楚灵王喜欢腰肢纤细的女子，导致楚国上下的女性纷纷减小饭量或不吃饭，来保持身材的苗条，这种时尚风行一时。结果有很多人因此而饿死了。

◎ [燕婉]

燕，指安静；婉指和顺。燕婉最初的意思是形容举止安闲温顺。后来也用来形容夫妻之间感情亲密美满。有时，燕婉也指容貌俊俏。

复旨去了。萧后病好后，来到女贞庵见过四位夫人和南阳公主，恰巧李夫人的妹妹怀清师傅也来看她。大家欢聚，住了几日，萧后与王义夫妻便告别，到雷塘墓所去。萧后见了炀帝坟墓，忙扑到地上，大哭一场。谁知王义夫妇竟然一头撞在碑上，殉难了。萧后大惊，只得让贾润甫把他们好好安葬。

建成、元吉趁着为公主送葬，在途中普救禅院摆下筵席。秦王是个豁达之人，被二人以毒酒相劝。刚喝了半杯，燕子飞过，打翻酒杯，弄脏了秦王袍服。秦王起身更衣，便觉心疼腹痛，急忙回府。一夜之间吐血数升，几乎快死了。西府群臣闻知，都来问安，力劝早除二王。唐帝也知道了，吃了一惊，忙到王府探望。唐帝拉着秦王的手说："不如你去洛阳，自陕以东都由你管辖，建天子旌旗。"建成知道了，觉得大事不好，忙去找元吉。元吉建议找人不停地对皇帝说秦王坏话，一定要把他留在长安。杜如晦、长孙无忌来找秦王，说建成他们正在策划阴谋。徐义扶、程咬金、尉迟敬德也来了，力劝秦王加紧准备。秦王便让他们去找徐懋功、李靖商量。长孙无忌与杜如晦连夜来到安州大都督李靖那里，再三劝说恳求，李靖只是微笑谢罪。如晦只好留了个字条，同无忌悄悄出门。

走了四五十里，因要避雨，两人恰好来到徐德言家。徐德言的妻子乐昌公主就是杜如晦的表姐。徐德言不在家，如晦便把秦王与建成、元吉的事，细细述了一遍。公主说李靖的做法正是深得大臣之体。正说着，徐德言回来了，他说突厥的郁射派数万骑兵驻扎在河北，只怕早晚就要出兵。无忌与如晦不到一日，赶回长安，进见秦王。秦王道："既然如此，我主意已定。明日上朝时，就率兵去问二人之罪！"那时张公谨已为都捕，把守玄武门。他说："明日早朝时，臣自有计策应对。"秦王便向唐帝奏明建成、元吉淫乱宫闱，并且想要杀死他。唐帝惊愕，说明天早朝要质问建成二人。秦王便通知西府各个手下，准备明早行事。张、尹二夫人也告诉了建成、

◎ [旌旗]

旗帜。

◎ [宫闱]

帝王的后宫，后妃的住所。

元吉秦王密奏之事。建成道："我们兵备森严，怕他什么。"

　　到了第二天四更时候，秦王内甲外袍，尉迟敬德、长孙无忌、房玄龄、杜如晦、程咬金等里面都穿着盔甲，带了兵器。敬德等人先杀退了建成的四五百人。刚到临湖殿，秦王骑马赶上建成，建成连发三箭，都没射中秦王。秦王一箭射中建成后心，建成翻身落下马来。长孙无忌抢上前来，将建成一刀斩首。元吉慌忙骑马往后乱跑，被秦怀玉一刀砍杀。秦王派人报告唐帝，唐帝大哭，只得立秦王为皇太子，军国大事都由他处理。魏徵也被秦王留在府中任用。武德九年八月，秦王即位为皇帝，这就是唐太宗。以明年为贞观元年，立妃长孙氏为皇后；追封建成为息隐王，元吉为海陵刺王；又立子承乾为皇太子，政令一新。

贞观九年五月，太上皇去世。一天，太宗闲暇，与长孙皇后、众妃嫔游览至一宫。有许多宫女来侍候，看去虽齐整，却老少不一。有的十二三岁进宫，现在已三十五六岁了。太宗很是同情，要把她们放出宫，各自生活。太宗便同皇后、徐惠妃来到翠华殿。宫女分两处点名，点了一行，又是一行，都是搽脂抹粉，美丑参半。太宗拣年纪在二十以内的，放在各宫使唤。其余年纪大的，通通放出，大约有三千多人。太宗叫魏太监快写告示，晓谕民间，叫她们父母领去成婚。如果亲戚远的，则自己选个女婿成亲。三千宫女，欢天喜地，谢了恩出宫。一月之间，那些百姓找到了，近的领了去，远的魏太监私下收了些财礼嫁去，倒也热闹。不到两月，快嫁完了，只剩夭夭、小莺两个，她俩是关外人，亲戚父母都没来。又因夭夭出宫时，正生病，小莺照顾她，便住在魏太监家里三四个月。

偶然一日，魏太监有个好友，锦衣卫指挥使姓韦名元贞来拜访。他快四十了，妻子没有生育，要替他娶妾，他竟不肯。那日被魏太监留在书房中喝酒，说起放宫女的事，魏太监道："韦大人，你至今还没有子女，听说夫人又贤惠，何不来娶一个好些的，生养子女，也是韦门之幸。"元贞摇手道："妻子生得出也好，生不出也就罢了。"魏太监道："如今只剩两个宫女，就像同一父母所生，长得很不错，等我叫她们出来，你瞧一瞧。"不一会儿，那两个走将出来，朝着韦元贞行礼下去。元贞忙站起来回礼，见她们两个身材袅娜，肌肤白嫩，忙说道："请进。"魏太监道："怎么样？"元贞道："使不得，这曾经是皇上的人，我们做官的娶去为妾，就是失体统了。"魏太监笑他固执，便也不再提。过了一日，魏太监打听到韦元贞不在家，便让小莺、夭夭坐了车，对一个小太监说道："你到韦家去，看见他夫人，说我知道韦老爷无子，所以特意送这两个美人来。"小莺、夭夭到了韦家，见了韦夫人，韦夫人欢喜得要命。等元贞进门时，把她们两个藏在书房碧纱橱里。元贞看见了，知道是夫人美意，就在书房里休息了，后来两人都生下子女。小莺的女儿，后来当上了中宗的皇后，封元贞为上洛王。

那时房玄龄因屡次进谏，太宗不听，便告老回乡。贞观十年六月间，长孙皇后去世，留下《女则》三十卷。太宗悲伤不已，把皇后葬在昭陵，又派人召房玄龄，恢复官职。一日，太宗忽然病重起来，只有秦琼、尉迟恭来问安时，才觉神清气爽，因此命人把他们的图像贴在宫门作为门神。太宗休息了几天，听从建议，又把老宫女全部放出，又派唐俭选了武媚娘为才人，宠幸无比。

◎ [碧纱橱]

类似帐子的一种东西。在木头架子的顶上和四周蒙上碧纱，可以折叠。夏天张开摆在室内或院子里，在里面休息睡觉，不受蚊虫骚扰。又有人说，碧纱橱指清代建筑装修中的隔断，也叫隔扇门、格门，在室内隔出一个小空间。林黛玉刚进荣国府时，贾母就提到了碧纱橱。

◎ [《女则》]

唐太宗的长孙皇后所写的书名。长孙皇后出身高贵、品德高尚、贤惠能干，辅佐太宗治理天下。她收集了从古至今中国历史上美好品行妇女中的典范人物，把她们的事迹编成了《女则》。长孙皇后去世后，唐太宗看到这本书，非常感动，下令把它印刷出来。《女则》成为古代妇女的必读书之一。

人物点击

长孙皇后

　　唐代河南洛阳人。隋朝将军长孙晟的女儿，长孙无忌的妹妹，唐太宗李世民的皇后。她十三岁嫁给李世民，被封为秦王妃后，尽心孝顺长辈，与家人融洽相处。唐太宗即位后，封她为皇后。她生性俭朴，对待下人宽厚温和；也常常和太宗谈论古今历史，但是绝不干预朝政。她曾经多次请求不要哥哥长孙无忌和其他亲戚担任重要的官职，以避免嫌疑。魏徵因为敢于直言，惹恼太宗，将要被处死，长孙皇后说只有皇帝圣明大臣才会正直，使太宗省悟。在临终前，她还恳请太宗不要听信谗言，要控制外戚等等。长孙皇后写有《女则》三十卷，已经失传。

第二十九回

武媚娘入宫掌大权

◎ [博浪椎]

张良在博浪沙（今天的河南省新乡市）刺杀秦始皇所使用的大铁椎。秦始皇灭掉了韩国，韩国贵族后代张良为了报仇，乘秦始皇到博浪沙时，找到一名大力士，让他用重一百二十斤的铁椎袭击，谁知没有击中。张良逃跑，投奔刘邦。

◎ [上巳节]

中国传统节日。在先秦时，这个日子已成为大规模的民俗节日，主要活动是人们去水边沐浴，希望消除灾祸，称为"祓禊"。后来，又增加了祭祀、宴会、曲水流觞等活动。魏晋以后，上巳节改为三月初三，所以又称重三或三月三。

那武媚娘的父亲曾任都督一职，后弃官回家。夫妇二人，对这女儿万分爱护。到了七岁，就请先生教她读书。十二三岁，越发长得艳丽异常。媚娘被选进宫后，性格聪敏，敢作敢为，并不害怕宫中规矩。太宗越来越喜欢她，一刻也离不开。太子承乾，是长孙皇后所生，喜欢声色。另有魏王李泰，韦妃所生，才能突出，很受太宗宠爱。他见皇后已死，便想夺取太子之位。太子得知后准备谋反，却被太宗废为庶人，同谋的侯君集等也被处死。在褚遂良、长孙无忌等人的坚决要求下，太宗立仁爱孝顺的晋王李治为太子。那年九月，正值秦叔宝母亲九十大寿，太宗亲自临幸，又写了"仁寿堂"三个字，恩宠非凡。

却说清河荏平有个叫马周，号宾王的人，贫穷好学，精于诗赋。曾补傅州助教，却每天喝酒，被刺史多次责备。他便来到长安，成天喝酒，如痴如狂，坐卧不安静，恨不得化为博浪椎。一天，他遇见中郎将常何。常何一眼看出马宾王必成大器，就请到家里，让马周代他写奏章。三月三日上巳节，常何出去游玩，正在店里喝酒，友人来召他进朝。原来太宗看见常何奏章写得十分精彩，想他是个武臣，哪有学问，就召他询问。常何只得说是马周所代写。太宗大

喜，召见马周，一一详问，马周侃侃而谈，真是学富五车，才高八斗。太宗大喜，马上封他为刺史。

萧后在唐宫中过了几年快活日子，死后与隋炀帝合葬。从此，武才人一人独享宠爱，弄得太宗神魂颠倒，常服用金石。那时民间流传："唐三世之后，女主武王将当上皇帝。"太宗听说后，非常厌恶，心中知道才人姓武，但见媚娘性格柔顺，实在不忍分离。太宗重病，太子晋王伺候的时候，瞥见武才人的美貌，大惊，总想找机会亲近。一天乘机拉着她来到僻静处，表明情意，发誓如果当上皇帝，一定封她为皇后，又解下九龙羊脂玉钩相赠。太宗后来想了很久，还是决定放弃媚娘。媚娘哭着说愿意削发为尼。太宗本不愿杀她，于是赐她在感业寺出家。武才人同小喜谢恩，收拾出宫。

媚娘先回到家中看望父母，见父亲过继了个侄儿，名叫武三思，已是十五岁。媚娘到了感业寺中，那庵主法号长明，见了她们，暗想："如此风流样子，怎么能出家？"到了黄昏，只见小喜笑嘻嘻地走进来。说住在隔壁的师父，是女贞庵李夫人的妹妹怀清。她有个姓冯的表弟，住在蓝桥开药铺，常来走动。一天，长明老尼不在庵中，领徒弟们到人家念经去了。冯小宝来看望怀清。媚娘也过来见了，看小宝生得眉清目秀，十分喜欢。她们又把小喜也叫来，摆下宴席，饮酒欢乐。

贞观二十三年五月，太宗病危，召长孙无忌、褚遂良等到床前说道："太子仁义有礼，可谓佳儿佳妇，卿等共同辅佐。"晚上，太宗逝世，太子即位，是为高宗，以明年为永徽元年。因太宗忌日，高宗到感业寺进香，恰好冯小宝也在，回避不及；长明只得把小宝也落了发，说是侄儿。高宗道："白马寺中，田地很多，僧人却少，朕给他一纸度牒，到那里去吧。"后来，冯小宝被武则天赐名为怀义。武氏见了高宗大哭，高宗也不住流泪，悄悄吩咐长明，叫武氏留发，马上会派人来接。

◎ [学富五车
　　才高八斗]

　　比喻知识丰富，才华过人。古人最初是把字刻在竹片上，把竹片编在一起，成为书籍。学富五车中的五车就是指五车竹简书。才高八斗来源于南朝诗人谢灵运，称赞三国才子曹植，说："天下一共有一石才华，曹植就占了八斗。"

◎ [度牒]

　　一种身份证明。在中国古代，出家的和尚和尼姑都由政府掌握，经审查合格允许出家后，由政府发给证明的文件，称为度牒。有了度牒，就可以享受一定的特权，如不用交税、不用为政府干活等等。僧人们必须随身携带度牒。

　　后来武媚娘进宫，被封为昭仪，接连生了一子一女，高宗宠幸得不得了。王皇后、萧淑妃逐渐不受宠爱。一天，王皇后逗武昭仪的小女儿玩，走后，昭仪悄悄地出来把女儿杀死了。高宗来看女儿，昭仪假装欢笑，发现女儿已死，旁边人都说皇后刚刚来过这里。高宗大怒，于是想废掉皇后。一天，高宗召长孙无忌、褚遂良、于志宁，高宗说想立武昭仪为皇后，遂良说出太宗的遗言；还说武氏曾侍奉过先帝，身份不合适。他一边说，一边在阶前磕头，血流不止。

昭仪在帘子后面说："怎么不杀了这老家伙？"无忌道："遂良受先帝顾命，有罪不敢加刑。"韩瑗因间奏事，泣涕极谏，高宗皆不纳。过了几天，中书舍人李义府请立武昭仪为皇后。许敬宗说："农民多收了麦子，还想换妻子，何况是天子？"于是，高宗废王皇后、萧淑妃为庶人，册封武氏为皇后；又贬褚遂良为潭州都督，再贬爱州刺史。可怜遂良死在路上。从此以后，武后参与朝政，每天与高宗一起上朝听政，天下都称为二圣。高宗被色所迷，反而畏惧武后，派人封怀义为白马寺主。封武父为周国公，母亲杨氏为荣国夫人，武三思等都被封官，居住京师。高宗因为眼睛不好，所有奏章，便令武后裁决。武后被加徽号为天后。没多久，高宗去世了，太子英王李显即位为皇帝，号曰中宗，立妃韦氏为皇后；以明年为嗣圣元年，尊天后为皇太后，任命皇后父亲韦元贞为豫州刺史。所有的政事都取决于太后。

一日，韦后在宫中弹琴。只见太后一个近侍宫人上官婉儿走来。她只有十二三岁，相貌娇艳，性格和顺，文采过人。两人正说闲话，只见中宗气冲冲地走进宫来，婉儿便出去。中宗道："刚才有一侍中的职位空缺，朕想给你父亲，裴炎不同意。朕气起来就说，我就算把天下给韦元贞，也没什么不可以！"谁知这话被太后知道了，太后大怒，废中宗为庐陵王，迁到房州；另立豫王李旦为皇帝，号曰睿宗，太后知道宗室大臣不服，便鼓励密告，让索元礼、周兴、来俊臣等人编造罪名，杀害许多无辜大臣。宫里三思与怀义不和，要夺他宠爱，就推荐了张昌宗兄弟给太后。

却说怀清碰见一个睦州客人陈仙客，相貌魁伟，喜欢邪术，竟还俗跟他到了睦州。那年睦州大旱，地里忽裂出一个池来。中间露出一条石桥，桥上刻着"怀仙"两字，怀清夫妻到池边一照，池中竟出现天子皇后的打扮。怀清道："武媚娘可以做得皇帝，难道我们偏做不得？"于是与仙客开起一个崇义堂，不到一两年，竟有数

千人前来归顺。怀清自称硕贞，带了三四百徒弟，把县尹杀了，占据了城池，自称文佳皇帝。仙客称崇义王。怀义听说这陈硕贞就是当年的怀清，便向太后请命，前去招抚。太后又让薛仁贵领兵接应。原来陈硕贞夫妻不和，已经分开，各走各的路。薛仁贵率军杀死了仙客。这边怀义找到硕贞，两个相见，拥抱大哭，硕贞同意归降，一起去长安。太后马上派人接硕贞进宫，见面后两人悲喜交集，太后赠了金银缎匹，让硕贞买一所民房居住，并赐硕贞为归义王，怀义赐封鄂国公。

太后同武三思在御园游玩，三思说话触怒了太后，很久都不被召见。武三思心中疑惑，在宫里闲逛，看见上官婉儿。婉儿说韦后非常仰慕他。三思道："韦后既有如此美意，我就在太后面前竭力劝说，召还庐陵王。"

那时索元礼、周兴、来俊臣等人，觉得狄仁杰、安金藏等正直不可欺，便怀恨在心，找到一个机会，诬陷苏良嗣、狄仁杰与安金藏等同谋造反。来俊臣在铜匦里放了一把扇子，上有《醉花阴》词，说良嗣讥讽太后。太后见了大怒，但是知道狄仁杰是忠直之臣，用笔抹去，其余的让索元礼审问。良嗣喊道："天地之灵在上，如良嗣有异心，甘愿灭族。"金藏道："为子当孝，为臣当忠；如君欲臣死，怎敢不死？既然不信金藏之言，请剖胸明志。"金藏拿起佩刀，自剖其胸。左右赶紧夺住佩刀，奏闻太后。狄仁杰任宰相后，将索元礼等残酷之事，奏明太后，太后命严思善查问。思善用请君入瓮之法让周兴认罪。索元礼、来俊臣等也被处死。

眉州刺史英公徐敬业同弟徐敬猷，行至扬州，听到安金藏的事，又惊又怒正要议论，只见唐之奇、骆宾王进来。原来唐、骆因事贬谪，都在扬州。四人便商议起兵推翻武氏，恢复李唐天下。骆宾王饮了几杯酒，大笔一挥，写讨武檄文。宾王写完，把笔掷于地上道："如有看此不动心的人，真是禽兽！"众人看了，无不哭泣。一日，武

◎ [铜匦]

　　一种铜制的箱子。武则天成为皇帝后，朝廷和民间有很多人反对她，为了消灭这些力量，武则天就设置了铜匦这种检举箱，让全国的人只要知道有谁想造反，或者有对皇帝不敬的言行的，都可以写告密信，放到铜匦中。只有武则天才能打开这个箱子。

◎ [檄文]

　　古代用来征召、通知、声讨敌人的文书。经常把檄文和移文合称为檄移。因为檄文多用于声讨和战争，移文多用于通知或责备，两者的作用有相似的地方。

三思进宫，将徐敬业檄文带给太后看。太后惊问出自何人之手，听说是骆宾王，后便叹道有才如此，却使他流落民间，这是宰相的过错。太后又派三思去房州，查看庐陵王的动向。婉儿把送韦后的礼物和书信交给三思。

不多几日，已到房州，天色已晚，上店住了。三思到了夜间，问："庐陵王在这里可好吗？"店主人道："王爷很好。这里有感德寺大和尚，号慧范，王爷朔望日必到寺中，听他讲经说法。至于百姓，真是秋毫无犯。可惜这个好皇爷，不知为了什么事，他母后不喜欢，将他赶了出来。"三思心里想："庐陵王如此举动，是没有异心的了。明天就是望日，待等他出门，我就过去。"

第二天，三思来到王府，只见韦后身躯袅娜，体态娉婷。连忙拜将下去，韦后也回拜了坐定。韦后垂泪道："我们皇爷，偶然触怒了母后，也不知我们夫妇何日才能回去？"三思道："上官婉儿思念娘娘，带了东西给您。"韦后把婉儿的书拆开，看了微笑，忽见中宗出来，与三思叙礼坐定。中宗先问了母后的安，又彼此把朝政家事说了。中宗让人把三思的行李取来，安置在王府，又请三思到殿上饮酒。三思把安金藏的事说了，又说徐敬业起兵，太后派李孝逸去消灭。如今派他到扬州，命娄师德去合力围剿，因此特意来问候。中宗听了大怒道："徐敬业是太后的功臣，母后对他那么好，没想到他的子孙竟然造反。"中宗进去更衣。刚才跟随韦后的宫奴，悄悄对三思道："武爷不要醉了，娘娘还要出来与武爷说话。"大家猜谜行令，倒把中宗灌醉，扶了进去。

三思正靠在桌上看书，韦后出来，取下头上的明珠鹤顶与袖中的碧玉连环，道："妾鹤顶一支，赠给郎君。婉儿我不便写信，你替我道谢，还有这碧玉连环，代我送给她。"三思道："我回去在太后面前，说王爷非常孝顺，包你马上召回。"韦后别了三思进去。三思怕住久了，太后疑心，住了三日就与中宗话别。

◎ [朔望]

朔，又叫朔日，指农历每月的初一。望，又叫望日，指农历每月的十五或十六。在天文上，朔日就是月亮绕行到太阳和地球之间，月亮黑暗的那一面面对着地球；而望日就是月亮绕行到地球的后面，月亮被太阳照亮的那半球面对地球。

武三思回到京中，把中宗如何思念太后，如何在佛前保佑太后，细细说完。太后默然，半天不语。一天，太后做了个奇怪的梦，召狄仁杰来详细解释。太后道："朕梦见先帝给我一只鹦鹉，翅膀垂下。朕抚弄一会儿，它的两翼再不能起。"仁杰道："武是陛下的国姓，召回佳儿佳妇，则双翅腾飞。"太后道："你说得很对。但武承嗣想当太子，怎么办？"仁杰对道："文皇帝征战四方，平定天下，传之子孙。先帝以二子托付陛下。如今要交给别的家族，恐怕天意不允许。况且，姑侄和母子哪个更亲近？陛下立儿子，那么千秋万岁后，配飨太庙，继承无穷。"太后领悟，于是召回中宗。母子相见，悲喜交集。

人物点击

武则天

　　唐代并州文水（今山西文水）人。唐高宗皇后，武周皇帝。她从小就性格刚强、机智聪明，很有计谋，又精通文史。十四岁的时候，进宫当了太宗的才人，后来，她和太子，也就是后来的高宗建立了感情。太宗死后，她被送到感业寺当尼姑。但没过多久，高宗就把她接回宫，封为昭仪。她掐死了自己的女儿，诬陷王皇后，结果原来被高宗宠信的萧淑妃、王皇后都被废为平民。武则天成为皇后后，掌握了朝政大权，被称为"天后"。高宗死后，中宗即位，她成为皇太后。不久又废掉中宗，另立睿宗。天授元年，武则天自称圣神皇帝，改国号为武周，成为中国历史上第一位女皇帝。武则天晚年宠信美少年张易之兄弟，被张柬之等人发动政变，被迫退位。临终前，武则天下令去掉自己的皇帝称号，与高宗合葬。

朝中有个傅游艺，向太后献媚，请更改国号。太后大喜，遂改唐为周，改元天授，自称圣神皇帝，立武氏七庙。太后思念昔日功臣，大多去世了。凌烟阁上二十四人，只剩秦叔宝一人。太后听说他得了曾孙，特意赐给彩缎二十端，金钱二贯；又赐名思孝、克孝。叔宝父子入朝谢恩。不到一月，叔宝之母身亡，叔宝因思念母亲，没多久也去世了。太后为他辍朝三日。

一日，太后命太监牛晋卿去召怀义。哪知怀义自做了鄂国公之后，积蓄金银，骄横不法，私藏着极美的妇人，日夜取乐。这日正吃得大醉，忽见牛晋卿传太后有旨宣召，怀义怒道："这里娇花嫩蕊，还来不及攀折，哪里顾得上老树枯藤？你回去，我自己会来。"晋卿无奈，只得回宫。太后听了，不觉大怒道："秃子这般无礼！"恰好太平公主进来，道："秃奴太无礼！母后不要发怒，我明日就处死他。"太后道："要做得不留痕迹。"太平公主领命而出。次日公主绝早起身，选了二三十个健壮的宫娥去苑中埋伏；又叫两个太监，召怀义进苑来。怀义因酒醉失言，懊悔得不得了，马上进宫。宫娥把他引到僻静之处，只见太平公主坐着，叫人痛打怀义，不一会儿，怀义便气绝身亡，公主将尸首装入蒲包内，送到白马寺中，

◎ [凌烟阁]

　　唐代皇宫三清殿旁的小楼。唐太宗在贞观年间，命阎立本在凌烟阁画了二十四名开国功臣：长孙无忌、杜如晦、房玄龄、魏徵、尉迟敬德、程咬金、秦琼等人，画像都和真人一样大。太宗自己撰写了他们的事迹和功勋，作为表彰。

放火烧了，回奏太后。

太后接回中宗后，依旧执掌朝政，又多选美少年，日夜玩耍。宰相魏元忠为人忠直，不畏权势。昌宗就贿赂凤阁舍人张说，要他作证诬陷元忠。张说只得暂时答应。等太后质问时，张说说是昌宗逼他作证的。太后怒道："张说反复小人！"于是贬元忠为高要尉，张说流放岭南。张说有个爱妾姓宁，名怀棠，字醒花。因母亲生她的时候梦见有人给她一枝海棠。其他亲戚开玩笑说："海棠花睡不醒！"她母亲道："名花宜醒不宜睡。"所以取名醒花。她今年十七岁，姿容艳丽，文才敏捷。张说所有机密事件，都由她掌管。一天，有个同年之子，名叫贾全虚，来京应试，特来拜望张说，被留住在家中。全虚到园中闲玩，迎面撞见了醒花。全虚上前深深作揖道："小生苏州贾全虚，望娘子恕罪。"那醒花也不回答，便进去了。醒花想："贾相公竟如此丰姿秀雅，性格温和。看他举止安静，绝不像个落魄之人。"有几分看上他的意思。过了一日，张说有事外出，全虚正独坐书斋，只见侍女碧莲来请醒花到绿玉亭相见。醒花移步而来，满身香气。全虚迎上一揖道："若是娘子不弃，愿结下百年姻缘。"那醒花徐徐答道："我在府中一二年，所见贵人很多，没有像您这样出众的。如果不嫌弃妾，请让我长久地侍奉您。效仿李卫公与张出尘，不知怎样？"全虚大喜。碧莲道："隔墙有耳，三十六着，走为上计。"急忙收拾，连夜离去。

早有人将这事报告张说，张说把他们捉了回来。全虚厉声道："楚庄王不追究绝缨之事，后来都被报答。因为一个女子而置大丈夫于死地，是不明智的。"张说转怒为喜，就让全虚带醒花离去。太后听说后，认为张说能顺人情，就让他官复原职，并担任睿宗第三子李隆基的师傅。李隆基就是后来的唐玄宗，只是那时还不被太后重视。那时太后所宠爱的人，除了武姓兄弟外，只有太平公主与安乐公主。那安乐公主是中宗的女儿，嫁给了太后的侄子武崇训，和太

◎ [海棠]

即海棠树，落叶乔木，卵形叶，开淡红或白色花。结红黄色球形果，酸甜可食。

◎ [绝缨]

扯断结冠的带。据汉刘向《说苑·复恩》载：楚庄王宴群臣，日暮酒酣，灯烛灭。有人引美人之衣。美人援绝其冠缨，以告王，命上火，欲得绝缨之人。王不从，令群臣尽绝缨而上火，尽欢而罢。后三年，晋与楚战，有楚将奋死赴敌，卒胜晋军。王问之，始知即前之绝缨者。后遂用作宽厚待人之典。

平公主一样横行无忌。

那时朝中大臣，自狄仁杰死后，只有宋璟极其正直，神采可畏。太后也很敬重他，武姓兄弟都不敢怠慢他。至于张易之、张昌宗两个，畏惧宋璟像原来畏惧狄仁杰一样。当初狄仁杰在的时候，海外进贡了一裘，名叫集翠裘，乃是收集翠鸟身上软毛做成的，最轻暖鲜丽，是一件难得的珍品。张昌宗见了很喜欢，仗着宠爱索要，太后便赐给他。昌宗谢了恩，便在御前穿着起来。太后看了笑道："你穿了这裘，越发妩媚了。"昌宗非常得意。恰好狄仁杰入宫奏事，太后想乘机增进狄仁杰与昌宗的关系，看见几案之上有棋局棋子，就命二人对坐下棋。太后道："你们二人要赌一件东西。"仁杰道："请赌昌宗所穿之裘。臣也赌所穿紫袍。"太后笑道："集翠裘价值千金，你的袍子哪里比得上？"仁杰道："此袍是大臣朝见所穿；昌宗的裘，

乃宠幸之服。以袍对裘，臣还不屑呢。"太后笑而不答，昌宗又羞愧又丧气，输了个精光。仁杰就脱下他的裘，披在身上，谢恩而出，走到光范门，便脱下来，让家奴穿上。因此那群奸臣都敬畏他。其他大臣像张柬之、桓彦范、敬晖、袁恕己等人，又都是仁杰引荐，与宋璟共表忠心，誓除逆贼。

一天，中宗去终南山打猎，张柬之等五人骑马跟随。到了山中幽僻之处，五人下马，说要杀死二张，拥戴中宗即位。中宗说二张可杀，但看在太后的面子上，请对武氏之族手下留情。柬之道："刀剑无情，不能自主。"中宗道："如果能反周为唐，就封各位为王。"柬之称谢，各自散去。中宗回到宫中，恰好武三思那天知道中宗打猎，正与韦后在宫中玩耍，见左右报说王爷回来，三思惊得身子战栗。韦后道："不要害怕，我同你在外头书室里去打一盘双陆，他进来看见了，包你不说一声，还要替我们指点。"

三思无奈，只得随韦后出来，坐了对局。中宗走进来，看见笑道："你两个好自在，在此打双陆。"三思忙下来见了。中宗道："你们可赌什么？"韦后道："赌一件玉东西。"中宗坐在旁边道："让我点筹码，看你们谁赢。"下了两局，大家一胜一北，第三盘却是三思输了。中宗道："什么玉东西，拿出来。"三思道："粗蠢之物，陛下看不得的，改日还要与娘娘再玩。天已昏黑，臣要回去了。"中宗道："今夜且在此用了夜宴，然后回去。"

三思同中宗到内书房里，只见灯烛辉煌，宴席已齐备，二人坐了。三思道："我们怎么样吃酒？"中宗想道："我且卜一卦，看外面的事怎么样了？"便道："扔个状元罢！"三思道："状元虽好，只是两个人有什么意思？"中宗道："你与我都是亲戚，我请娘娘与上官昭仪出来，四人共掷，岂不有趣。"三思一听，心中大喜，道："妙。"只见韦后与上官昭仪，都打扮得素净，别有一种袅娜韵致，大家坐下掷起来，三人鼓掌笑道："妙呀！状元还是殿下占着。"三思道："一是数字的开始，绝妙的了。所谓一元复始，万象更新，赶快让殿下喝一大杯。"中宗饮完，三人又掷。上官昭仪一掷，说道："好了，我是榜眼。"韦后道："不要管榜眼探花，也该吃一杯；等我掷六个四出来，连殿下都扯下来。"两个在那里掷，中宗心上想："已经是初更时分，怎么还不见动静。若是他们做不来，不如放三思回家去，我再叫人去打听一回。"就叫婉儿道："你看他两个再掷。我去去就来。"

三思见中宗去了，把椅子移了靠近韦后。昭仪知趣，笑道："娘娘，妾去看看王爷再来。"韦后恨不得昭仪起身去了，连侍女们也都遣开。突然见昭仪慌慌张张地嚷嚷进来道："娘娘不好了！"二人听见，问道："有什么不好？"话没说完，只见中宗已在面前叫道："武大哥，我叫婉儿陪你，暂且到后边阁中坐一会儿。"三思道："外面为什么这么吵？"中宗便说张柬之等五人，要斩绝张、武二氏，我再三劝他，不要加害于你，想必这会儿二张已经被杀死了。三思听见，忙双膝跪下道。"万岁爷救臣之命！"只见三思身上战栗不已。韦后道："皇爷留你在此，自有主意，何必惊慌？"只见许多宫奴，跑进来禀告："众臣在外，请皇爷出去。"中宗忙叫婉儿推三思到阁中去了，马上来到外面。

原来张柬之等统兵已到宫中，恰好二张正与武后酣睡，躲避不及，被军士们一刀一个，双双杀了。太后大惊，柬之等请太后立刻搬到上阳宫，取了玉玺，来见中宗，奏道："太后已迁，玉玺已在此，众臣都在殿上，请陛下速登皇位。"中宗上殿，柬之等先献上玉玺，又将张昌宗、张易之首级呈上，然后各官朝贺，复国号曰唐，仍立韦后为皇后，封韦元贞为上洛王。张柬之等五人，也都封为王。柬之道："武三思一门，本来也要像二张一样杀死。之前陛下吩咐，只得免去死罪。可是他如果还占据王位，我们实在难以和他做同僚。"中宗听了，不得已，只好削去三思王位。众人谢恩出朝。洛州长史薛季昶对五王说道:"去草不除根,终当复生。"五王道:"大事已定,他那点实力,做不成大事。"季昶叹道:"三思不死,我们不知道会死在谁的手里!"中宗改元神龙,尊武后为则天大圣皇帝,封弟弟李旦为湘王,大赦天下,万民欢悦。

太后被柬之等迁到上阳宫去,回想几十年来前尘往事,如同一梦,时常流泪,渐渐地生起病来,一天比一天沉重。三思心上不好意思,只得进宫去问候,见太后睡在那儿,脸色黄瘦,惊叹道:"臣因多有变故,不便时常进宫,没想到您消瘦成这样。"太后对三思道:"我的儿呀,你许久不进来,可知我已病入膏肓,也活不了几天了。不知道我的宗族能否保全?"三思道:"不必陛下忧烦,圣上已当面答应保全武氏全族,您还应该好好休养,自然会痊愈。"三思又痛诉张柬之等凶恶万分,所以不能时时进宫来,说罢大哭。太后叹一声道:"儿呀,听说你与韦皇后来往密切,关系深厚。你去告诉她,叫她设计,除掉这五个恶人。我就可以不用担心了。"三思点头。太后道:"你去请皇上来,我有话吩咐他。"三思出去,中宗忙到上阳宫,太后叮嘱了一会儿。过了两天,太后驾崩,中宗颁诏天下,整治丧礼。

三思门下有御史中丞周利用、侍御史冉祖雍、太仆李悛、光禄丞宋之逊、监察御史姚绍之等人为他奔走效力,被称为五狗。他们与韦后、婉儿等日夜向皇帝诬陷柬之等五王。三思暗中叫人写了皇后的秽行,贴在天津桥,请求废黜。

中宗知道后,非常愤怒,命监察御史姚绍之,仔细追查这件事。姚绍之奏明是五王派人干的,名义上是要求废后,其实想造反,请处死张柬之等人,以雪皇后之愤。中宗将柬之等五人流放边远各州。三思又派人假称皇帝的命令,在路上杀死了他们。三思这才放心,于是权倾天下,人人都害怕他。中宗也没了主意,每遇到事反而去问三思,被他所牢牢控制。况且韦后一心爱他,常对他说道:"我要是能像你姑姑那样，自己登上皇位，才称心如意。"

 人物点击

上官婉儿

唐代宰相上官仪的孙女。据说她的母亲郑氏在怀她的时候，梦见有巨人给她一杆秤，说以后用它来衡量天下的才子。婉儿刚一生下来，祖父和父亲就被处死了，她和母亲也因此被带到皇宫里当宫女。婉儿聪明伶俐，文采出众，又很熟悉朝廷的政治事务。武则天发现了她的才华，就让她参与处理文武百官的奏章；武则天的命令，大多是出自婉儿之手。中宗即位后，对婉儿更加宠信，曾经搭起彩楼，让她在上面一一评定大臣们的诗歌。婉儿和韦皇后、安乐公主等人结成势力，干预朝政，封了大量的官员。婉儿在景龙二年被封为昭容，专门掌管皇帝命令的发布。她和武三思相勾结，每次的命令总是抬高武氏、贬低李氏。婉儿曾建议扩大修文馆，增加学士的数量。后来，临淄王李隆基消灭了韦皇后等人，婉儿也在这次政变中被杀死。开元时期，唐玄宗命令大臣张说，将婉儿的诗歌、文章编成了二十卷的书。

◎ [鸡舌香]

一种香料名称，也就是丁香。主要产于印度尼西亚和东非，汉代时传入中国。丁香中含有丁香油酚，可以抑制口腔里的细菌，治疗牙龈炎、牙痛和口臭的效果很好。宋代沈括说汉代的郎官在皇帝面前奏事，都要含着鸡舌香。

◎ [排律]

律诗的一种，又叫长律，按照一般律诗的格式而加以铺排延长。排律一般是五言，很少七言。由于限制太多，排律很容易就写成了堆砌辞藻的作品，缺乏生气。历代有名的作品很少。擅长写排律的有唐代大诗人白居易。

中宗朝中有两个有名的才子：一姓宋，名之问，字延清，汾州人氏，官为考功员外郎。一姓沈，名佺期，字云卿，内黄人氏，官为起居郎。若论二人的文才，正是一个八两，一个半斤。那宋之问，更生得丰雅俊秀，性格风流。他在武后时已为官，看见张易之、张昌宗等，因为美貌被武后所宠幸，富贵无比，非常羡慕。他心痒难忍，托一个内监在武后面前引荐。武后笑道："朕并非不爱其才，只是听说他有口疾。"宋之问听了，又羞又愧。从此常常含鸡舌香于口中。由此一事，可知是个有才无品行的人了。那沈佺期也和张易之等人交好，后又在安乐公主门下走动，后来被贬欢州，交结安乐公主，又被起用。安乐公主强夺临川长宁公主旧第，改为新宅，邀中宗游幸，召沈陪宴，命他赋诗一首。中宗与公主见诗十分赞赏，又召宋之问来，也要他作诗。宋之问写了首五言排律，中宗看了，亦非常赞赏。那沈佺期却见公主单单称宋之问才空一世，心中不服。

景龙三年正月晦日，中宗游幸昆明池，大宴朝臣。这昆明池，乃是汉武帝所开凿。当初汉武帝要征伐昆明国，因为其国有滇池，极为险要，所以特意凿此昆明池，练习水战。中宗先命朝臣各做五言排律一篇。韦后道："大臣们自负高才，不信我宫中妃嫔，有才华胜于男子的。不如把他们的诗让上官昭容当殿评阅，使他们知道宫廷中也有才女子。"中宗大喜道："正合吾意。"于是，传旨在昆明池畔，另设帐殿一座，高结彩楼，听候上官昭容登楼阅诗。

到了游幸那天，诸臣献上诗篇。中宗传谕道："昭容上官氏，才冠后宫。才子之诗，应使才女评阅，可作千秋佳话。"诸臣顿首称谢。中宗便命诸臣在彩楼之前，左边站立，诗不中选的人，站到右边去。上官婉儿被簇拥着上彩楼，临楼槛而坐。楼槛前供设书案，排列文房四宝。婉儿举笔评阅。每一纸落下，众人争先抢看。只有沈佺期、宋之问二人，凭他落纸如飞，只是立着不动，更不去拾来看。他们自信其诗必然中选。

不一会儿，所有的诗都飘落，果然只有沈宋二人之诗，不见落下。过了许久，沈佺期的诗飘了下来。诗后有评语说：沈、宋二诗，不相上下。但沈诗末句气力衰竭，宋诗仍昂扬向上。众人看了宋之问的诗，无不称羡；沈佺期也觉得自己比不上。

景龙四年正月，正值上元灯节，韦后突发狂念，与上官婉儿及公主们，邀请中宗，打扮成民间男女的样子，出外观灯。那些军民百姓都私下议论道："这班看灯的男女，像是皇宫出来的。可笑我那大唐皇帝，难道宫中没有好灯赏玩吗？如此人山人海，男女混杂，贵贱不分，成何体统！"中宗又放宫女几千人，结队出游，等到回宫查点，却不见了好些宫女，索性也就不追究了。

上官婉儿自从彩楼评诗之后，中宗对她愈加宠爱，升她做了婕妤。中宗又特置修文馆，选择公卿中之善诗文的，如沈佺期、宋之问、李峤等二十多人，为修文馆学士，时常在宫里赐宴，吟诗作赋，都由上官婉儿评定。那些没品行的官员，多奔走出入婉儿的私第。婉儿勾结其中少年精锐的，潜入宫廷，与韦后公主们交好。太平公主、安乐公主被允许各自开府第，设官属。这班无耻之徒，多谋求

◎ [文房四宝]

指笔、墨、纸、砚四种文具，它们是中国书法和绘画的基本工具。其中，品质最好的分别是安徽泾县的宣纸，歙县的徽墨，浙江吴兴的湖笔，广东高要的端砚以及歙县的歙砚。

为公主府中官员。安乐公主府中,有两个少年的官儿,一个叫马秦客,一个叫杨均。那马秦客精通医术,杨均最善于烹调食品。二人都生得美貌,为安乐公主所宠爱,又推荐给韦后,极蒙宠幸。那安乐公主,急着想要韦后专政,自己好当皇太女,却一时无计可施。

一天,魏元忠入殿奏事,中宗说想废掉太子重俊,立安乐公主为皇太女,继承帝位。元忠道:"太子没有失德,陛下怎么能轻易变动国本?皇太女的称号自古以来都没有。况且假如公主称太女,驸马又该怎么称呼呢?这绝对不行。"韦后和安乐公主知道后非常不高兴。一日,韦后召杨均到密室中,屏退左右。韦后道:"皇上近来多听信外臣的话,可能怀疑我们了。"杨均道:"皇上千秋万岁后,娘娘自然临朝称制了,何必多虑。"韦后惊讶道:"他若心变,怎等得到他千秋万岁后?"杨均道:"药问马秦客要便有,但此事非同小可,要随机应变,不能莽撞。"

再说太子重俊,听说韦后想要废掉他。他心怀疑惧,先发制人,与东宫官属李多祚等,引御林军杀入武三思私第,处死全家。中宗闻变大惊,急登玄武门楼,令杨思勖与李多祚交战。多祚战败自尽,太子也死于乱军中。

武崇训死后,中宗命武延秀为安乐公主驸马。自此韦武之权更重。韦后让杨均快想办法。杨均便从马秦客那里拿来一种毒药,人吃了后,再喝人参汤,必死无疑。韦后知道中宗爱吃三酥饼,就把药放入饼馅,亲自将饼供上。中宗连吃了几枚,觉得肚子大痛起来,说不出话,用手指口。韦后急呼内侍道:"快取人参汤来!"中宗吃了人参汤,便滚不动了,到了晚上,一命呜呼。

韦后秘不发丧。太平公主知道中宗暴死,明知死得不明白,却又难以发觉,只得忍住。遗诏拟好,然后韦后召大臣入宫,韦后说中宗得急病逝世,温王重茂即皇帝位,年仅十五,韦后临朝听政。当时相王第三子临淄王李隆基,曾为潞州别驾,罢官回京,聚集了

才勇之士。

临淄王得知韦氏的阴谋后，一面报告太平公主，一面与内苑总监钟绍京、果毅校尉葛福顺等商议。太平公主派儿子薛崇简等来相助。葛福顺等人带兵入宫，杀死了韦后、上官婉儿、安乐公主等人，平定局势。第二天早朝，少帝重茂，正要坐上宝座，太平公主用手扶他离去，说："这个位子应当让给相王。"于是众臣共奉相王为皇帝，是为睿宗，改号景云元年。重茂仍为温王；进封临淄王为平王；追复张柬之等五人官爵；追废韦后、安乐公主为庶人，搜捕韦党。景云元年，要立太子，睿宗长子李成器说平王功在社稷，自己愿意退让。于是，睿宗立平王隆基为太子。

太平公主与太子隆基，共同拥立睿宗为帝，甚有功劳。睿宗既重其功，又念她是亲妹，极其怜爱。公主聪敏、多权略，凡朝廷之事，睿宗必与她商量。自宰相以下，进退都取决于她的一句话。很多趋炎附势的人，都投靠在她的门下。薛崇行、崇敏、崇简，都封为王。亏得朝中有刚正大臣，如姚崇、宋璟，不畏强权。太子隆基，更是严明英察，因此那些小人不敢十分横行。太平公主，畏忌太子英明，想要废掉他，就整天在睿宗面前说他坏话。睿宗一开始十分怀疑，后来在侍臣韦安石的提醒下，才醒悟是公主的阴谋。太平公主又派人散布流言，说马上有兵变。睿宗便命太子监理国事。

太极元年七月，出现了彗星，睿宗降诏传位太子。太平公主大惊，力劝不可。太子也上表推辞。睿宗不听，选了八月吉日，命太子即皇帝位，是为玄宗皇帝。尊睿宗为太上皇，立妃王氏为皇后，改太极元年为先天元年，重用姚崇、宋璟等人，封王琚为中书侍郎，政事一新。只有太平公主仍然横行不法。玄宗稍加禁止，公主大恨，和萧至忠、岑羲、窦怀贞等密谋造反。玄宗得知后，与岐王李范、薛王李业、兵部尚书郭元振、龙武将军王毛仲、内侍高力士，以及王琚、崔日用、魏知古等，带兵入虔化门，斩杀岑羲、萧至忠，窦怀贞自尽。太平公主逃入僧寺，被追捕后，在家中被赐死。因为太平公主之子薛崇简常劝其母，却屡遭鞭打，玄宗特旨免死，赐姓李，官爵照旧。

玄宗想要让姚崇当宰相，张说让姜皎去劝阻，被玄宗识破是张说的意思，仍然拜姚崇为中书令。张说非常害怕，乃私下和岐王往来。姚崇知道了，就告诉玄宗。玄宗大怒，要找他质问。张说却一点不知，忽然有人报告说贾全虚求见。贾全虚说自己偶然得知皇帝因为岐王的事，要向张说问罪。如今只有去求皇上宠爱的九公主。张说想起鸡林郡曾献夜明珠帘。全虚连夜去见九公主，献上宝帘。九公主见了帘儿，十分欢喜，立刻答应。第二天，九公主入宫，说如果追究张说的罪过，怕岐王会心怀不安，这也违背了皇上平时的兄弟友爱之情。玄宗最重兄弟情谊，被九公主说动了，就贬张说为相州刺史。张说深深感激贾全虚的恩德，想重重酬谢，谁知全虚早已离去。

姚崇当了多年宰相，告老退休，特荐宋璟接任。开元九年，姚崇生了场大病，久治不好。他自知不能康复，就叫儿子到床前，口授遗表，都是有关朝政的大政方针。到了临终时，他又对儿子说道："我死之后，这篇墓碑文字，须大手笔，才能流传后世。当今文章巨匠，只有张说；但他与我不和。你可按我的计策，求他作碑文，他肯定欣然答应。你便求他速作。等他文字一到，一边马上刻石，一边送给皇帝过目。这人性贪多智，如果不这么快速，他肯定后悔，要改文章。可是一经皇上过目，就不能修改；而且文中很多赞美的话，日后他再想找碴儿报复，也不行了。切记切记！"说完，姚崇便去世了。

当时在朝各官，大多来祭奠。张说当时为集贤院学士，也来吊唁。公子遵照遗命，将许多古玩珍奇之物，排列在旁边桌上。张说看见后询问，公子说是父亲生前的古董。张说逐件取来细看，啧啧称赞。公子便要送给张说，又说："先父曾有遗言，欲求先生写墓道碑文。区区玩赏之物，何足挂齿。"说罢，哭拜于地。张说扶起，一口答应。张说接受了姚公子所赠，心中欢喜，做了一篇绝好的碑文，文中极赞姚崇人品功业，以及自己平日爱慕钦佩之意。公子得了文字，令石工连夜镌刻在碑上。玄宗看了赞道："此人非此文不足以表扬！"

却说张说过了一日，忽想起："我与姚崇不和，差点儿遭受大祸。如今他死了，我不报怨就够了，为什么还反倒写碑文称赞他？今日既然称赞了他，以后怎么好改口去贬他？就是别人贬他，我也只能为他辩护了，这却不值得。"他又想："文章刚刚拿去，还没镌

◎ [镌刻]

镌是雕刻、凿的意思。

隋唐演义

◎ [春秋笔法]

一种语言使用的方法，就是将贬义、褒义不直接地表达出来。这种写法由孔子首创。他在写史书《春秋》时，每写一个字，都曲折地包含了褒贬之意。他不直接表达对事件和人物的看法，而是通过修辞手法、细节描写等来巧妙含蓄地表达自己的观点。

刻。我马上要回，另作一篇，使用春秋笔法。"张说于是派人到姚家索取原文，只说还要增改几笔。姚公子对来人道："承蒙学士赐下鸿篇巨制，一字不容更改，马上刻在石碑上。况且已经呈给皇上看过了，不能再变。"张说知道后，捶胸顿足道："我知道这是姚崇死前的计谋了！我一个活张说，反被死姚崇算计了，可见我的智识不及！"他连声呼中计，悔恨已经晚了。

🖐 人物点击

太平公主

　　唐高宗和武则天的女儿。她身体丰满，额头方正、脸庞圆润，很有谋略。武则天认为这个女儿很像自己，就对她特别宠爱。太平公主的第一个丈夫是城阳公主的儿子薛绍。当时婚礼非常豪华，为了让婚车通过，竟然拆除了万年县馆的城墙。他们生了二男二女。后来薛绍因为牵连到谋反的事，被处死。太平公主又嫁给了武则天的侄子武攸暨，生了三个孩子。神龙元年，太平公主参与了消灭张易之兄弟、迫使武则天退位的政治变革，被加封号为镇国太平公主。凡是她引进的人才，很多都做了大官。后来，她又和侄子李隆基（后来的唐玄宗）一起，消灭了韦皇后、安乐公主等人，拥戴睿宗即位。因此，太平公主的权力达到了最高峰。当时的七位宰相，有五位是出自太平公主的门下；朝廷中大多是听她命令的手下；她的三个儿子也都被封为王。她的住宅、别墅、园林遍布京城，珍宝堆积如山。李隆基成为皇帝后，太平公主想要造反，却失败，逃到佛寺中自杀。

第三十二回 杨玉环承恩夺宠

姚崇死后，朝廷赐谥号文献。后来，张说与宋璟、王琚等人，相继病逝。又有贤相韩休、张九龄二人，都是天子所敬畏的，也没有几年，告老的告老，身亡的身亡，朝中正直的大臣都渐渐凋零了。玄宗在位久了，对朝政大事就懈怠了。他刚即位的时候，崇尚节俭，又放出宫女千人。到了后来，却喜欢奢侈和美色。妃嫔中，武惠妃最受宠爱。皇后王氏被她进谗言，无故被废；太子李瑛及鄂王、光王，也都同一天被赐死，一日杀三子，天下无不惊叹。想不到武惠妃生产后突然死了，玄宗特别悲伤。高力士劝玄宗广选美人。玄宗于是降旨，采选民间有才貌的女子入宫。

闽中兴化县珍珠村，有一秀才，姓江名仲逊，只有一个女儿，九岁能背诵二南，仲逊惊奇，为她取名采苹。采苹花容月貌、文才渊博，琴棋书画，样样都能。她性喜梅花，自号梅芬。高力士到兴化，听说采苹大名，选入宫中。玄宗一见，喜动天颜。后来知道江妃喜欢梅花，就命宫中各处栽梅，赐名梅妃。玄宗道："世外佳人，怎么比得上你淡妆飞燕？"正说着，只见内侍报道："岭南刺史韦应物、苏州刺史刘禹锡，各选奇梅五种进呈。"没几天，玄宗在梅园宴请王爷们，命梨园子弟侍奉。

◎ [二南]

《诗经》中的诗歌作品，分别是《周南》和《召南》。《诗经》是我国最早的一部诗歌总集，二南主要是周朝时采集的江汉流域的歌词。其中包括很著名的："关关雎鸠，在河之洲。窈窕淑女，君子好逑。"

◎ [梨园子弟]

唐玄宗时，选了专门练习音乐舞蹈的三百人，在梨园训练，由皇帝亲自指导、纠正。于是他们被称为皇帝梨园子弟。后来，就把戏曲界称为梨园，把戏曲演员称为梨园子弟。历史上，戏班一直供奉唐玄宗为祖师爷。

◎ [惊鸿]

鸿，指鸿雁，就是大雁。三国著名文人曹植在《洛神赋》中用"婉若游龙，翩若惊鸿"来形容洛神的美貌和风姿。后来，人们就用"惊鸿"形容女性轻盈的体态和风度。

◎ [《霓裳羽衣曲》]

又叫《霓裳羽衣舞》，唐代宫廷音乐和舞蹈。由唐玄宗润色曲子并创作歌词。它的音乐、舞蹈和服饰都着力描绘虚无缥缈而又华丽美妙的神仙世界和仙女形象。安史之乱后，曲子散失，到南唐时，李后主得到残缺的乐谱，由皇后周娥皇补全。

◎ [步摇]

中国古代女性的首饰。用黄金、白银等盘成凤凰、蝴蝶或带有翅膀的动物形状，上面缀满珠宝玉石，长长地垂下来。女子走路时，它就会随着步态的变化，摇动颤抖，非常好看。

诸王忽然听见笛声嘹亮，忙问是谁。玄宗说是梅妃所吹，命高力士宣梅妃来。玄宗道："梅妃吹白玉笛作惊鸿舞，一座生辉。梅妃试舞一回。"梅妃领旨，装束齐整，向筵前舞来。舞罢，诸王连声赞美。玄宗又命梅妃为诸王斟酒。宁王已醉，见梅妃送酒来，起身接酒，不小心踢着了梅妃绣鞋。梅妃大怒，立刻回宫。宁王吓得魂不附体，请驸马杨回来商议，定下一计。第二天，宁王进宫请罪，玄宗说他不是重女色轻天伦的人，叫他放心。宁王回去后，杨回就密奏玄宗，说寿王的妃子杨玉环姿容盖世，世间罕有。有人见了赞道："只有天在上，更无山与齐。"玄宗大喜，马上命高力士快去宣杨妃来。杨妃与寿王惨然诀别，流泪进宫。

玄宗就在灯烛之下，将杨妃定睛一看，果然艳光四射、夺人魂魄，真是回头一笑百媚生，六宫粉黛无颜色。玄宗吩咐高力士，让杨妃自己恳求出家为女道士，赐号太真，住太真宫。天宝四载，玄宗为寿王另娶左卫将军韦昭训女为妃；册封太真宫女道士杨氏为贵妃。叔父杨元珪，为光禄卿。兄长杨铦，为侍御史。从兄杨钊，为侍郎。玄宗又给杨钊改名为国忠。从此，杨氏权倾天下。贵妃进见的那晚，奏《霓裳羽衣曲》，授金钗钿盒。玄宗拿着丽水镇库紫磨金琢成的步摇，插在贵妃发间。玄宗自从宠了贵妃，便疏远了梅妃。

梅妃问宫女嫣红道："你知不知道皇上最近为什么不到我宫中了？"嫣红道："奴婢哪里知道，除非叫高力士来，便知分晓。"梅妃道："你去找他来，说我有话要问他。"嫣红领旨出宫，走到苑中，见力士坐在廊下打瞌睡。嫣红道："让我耍他一下。"她看见一棵千叶桃花，娇红鲜艳，便折下一小枝来，把花插在他头上，又折了一条嫩枝，塞在力士鼻孔中。力士一下子惊醒，见是嫣红，问道："嫣红妹子，你来做什么？"嫣红笑道："我家娘娘特来召你。"力士便同嫣红，走到梅妃宫中，叩头见过。梅妃问力士道："圣上这几日，怎么不到我宫中？"力士道："啊呀，圣上在南宫中，新纳了寿王的杨妃，宠幸无比，娘娘难道还不知道吗？"梅妃道："我怎么知道这事。那么你看圣上对她怎么样呢？"力士道："自从杨妃入宫之后，皇帝非常高兴，亲赐金钿珠翠，举族加官，宫中号称娘子，礼仪一律等同皇后。"梅妃听了这句话，不觉泪流满面道："我刚入宫的时候，便担心会发生这样的事。你出去吧，我自有道理。"高力士出宫去了。嫣红将自己在苑内见到皇上和贵妃如何举动，如何快活，跟梅妃说了。梅妃听了，不胜怨恨。嫣红道："娘娘不要愁烦，依奴婢愚见，娘娘不如打扮整齐了，到南宫去看皇爷怎么样说。"梅妃见说，便到妆台前整理云鬓。梅妃对着菱花镜，叹道："天啊，我江采苹如此才貌，怎么会憔悴到这个地步，真是令人肠断！"说了又默默流泪，实在没有精神梳妆。嫣红与宫女再三劝慰，替她重施朱粉，再整花钿，打扮得整整齐齐，叫了七八个宫女跟着，向南宫走来。

到了南宫，却只见玄宗独立花阴。梅妃上前朝见。玄宗道："今日有什么好风，把你吹来了？"梅妃微微笑道："天气晴好，南风徐徐，妾到这儿来排遣寂寞。"玄宗道："名花在旁，正要派人来宣妃子，一起饮酒。"梅妃道："听说陛下新娶杨妃，贱妾一来贺喜，二来求见新人。"玄宗道："这是朕一时招惹闲花野草，何足挂齿。"梅妃坚持要见。玄宗不得已道："爱卿既不嫌弃，让她来见你就是了；但是她来了，卿不生气。"梅妃道："妾依尊命，只是要她拜见我。"玄宗道："这也不难。"马上召杨妃出来，杨妃望着梅妃叩头完毕。玄宗命摆上宴席，酒过三巡，玄宗道："梅妃有谢女之才，不惜佳句，赞她一首何如？"梅妃道："只怕写出来比不上真人的万分之一，还请恕罪。"杨妃道："妾蒲柳资质，怎么敢劳驾娘娘的大笔赞扬？"玄宗道："二妃不必过于谦让。"叫左右快取一幅锦笺，放在梅妃面前。梅妃只得提起笔来，写上一首七绝：

撇却巫山下楚云，南宫一夜玉楼春。

◎ [谢女之才]

谢女指谢道韫。她是东晋著名女诗人。宰相谢安的侄女，王凝之的妻子。她从小就聪明过人，很有才华。一次下雪，谢安要侄子侄女们作诗，结果谢道韫的最精彩。后来常把有文学才能的女子比作谢道韫。

◎ [蒲柳]

植物名称，就是水杨。它生长在水边，非常柔弱，叶子又很早凋零，常用来比喻衰弱的体质；也用来比喻低贱的身份。

◎ [七绝]

近体诗的一种，由四句组成。每句五个字的叫五言绝句，每句七个字的叫七言绝句，简称七绝。唐代著名诗人王昌龄把七绝的创作推向了高峰，被称为"七绝圣手"，代表作是《出塞》。

冰肌月貌谁能似？锦绣江天半为君。

　　梅妃写完，呈给玄宗。玄宗看了，连声赞美，给杨妃看。杨妃接来看了一遍，心中暗想："这诗句虽好，字里行间却暗藏讥讽。她说'撇却巫山下楚云'，是嘲笑奴从寿王府出来。这'锦绣江天半为君'，又是讥笑奴肥胖的意思。等我也回她几句，看她怎么说？"便对梅妃道："娘娘美艳之姿，绝世无双，等奴回赞一首。"杨妃也取笺写道：

美艳何曾减却春，梅花雪里亦清真。

总教借得春风早，不与凡花斗色新。

玄宗见杨妃写完，赞道："也写得敏捷有情。"梅妃取来一看，暗想道："她说'梅花雪里亦清真'，是笑我瘦弱的意思；'不与凡花斗色新'，是笑我过时了。"一下子脸色有些不好看起来。高力士道："娘娘们诗词唱和，奴婢也有几句粗言俗语献上。"玄宗道："你试说来。"高力士道："皇爷今日同二位美人，步步娇，走到高阳台，二位娘娘双劝酒，饮到月上海棠。奴婢打一套三棒鼓，唱一套贺新郎，大家沉醉东风。皇爷卸下皂罗袍，娘娘解下红袖袄，忽闻一阵锦衣香，同在销金帐，岂不是万年欢天下乐？"只见二妃听到他说得好，不觉都嘻嘻微笑起来。玄宗道："力士之言有理。今天两位美人都在，正应取乐，不要争论。"于是挽着两位妃子回宫。梅妃性格温柔软弱，不善于和别人争斗，杨妃在皇帝面前常说她坏话，后来梅妃渐渐失宠，搬到了上阳宫居住。

◎ [销金帐]

嵌金色线的精美的帷幔，床帐。

一天，玄宗在梅园散步，忽想起梅妃来，派高力士去探望。力士领旨到上阳宫，只见梅妃正在那里伤感。力士连忙叩头。梅妃道："高常侍，我自从离别圣驾以来，很久没有消息了，今天叫你来有什么事？"力士道："圣上今天偶然去梅园，十分思念娘娘，特地叫奴婢来探望。"梅妃听了，便欢欢喜喜问力士道："圣上叫你来探望，还是没有抛弃我，你代我叩谢皇恩，说我没有一天不盼望看到皇上的。"力士领命，随即回至梅园，将梅妃的话奏上。玄宗闻言，不觉叹息道："我怎么会忘记你呢！高力士，你到梨园选匹最快的骏马，悄悄地叫梅妃到翠华西阁相叙，不可耽搁。"力士应声而去。玄宗又连声叫道："你要秘密办事，千万不要让杨妃知道。"力士道："奴婢知道了。"便到梨园选了一匹上等骏马。梅妃道："高常侍，你为何又来？"力士道："奴婢将娘娘的话，说给皇爷听了，皇爷非常感动，不停地叹息，就令奴婢选上等骏马，密召娘娘到翠华西阁相见说话。"

梅妃道：“既然是君王召见，为什么要暗地里来？”力士道：“怕杨娘娘得知，这可不是闹着玩的。”梅妃道：“陛下为何怕着这个肥婢？”力士道：“娘娘快上马，皇爷等久了。”

梅妃上马而来，到了阁前，玄宗抱下马来道：“爱卿，我哪一日不想你来啊！”梅妃参拜道：“我独住上阳宫，以为再也没有希望了。没想到今天又能和皇上相见。”玄宗就命宫女摆酒，饮至数巡，梅妃斟上一杯，敬与玄宗道：“陛下如果不嫌弃贱妾，就喝了这杯。”玄宗吃了，也斟一杯回赐。梅妃饮到半醉，玄宗双手捧着她的面庞细看道：“妃子花容，略微消瘦了些。”梅妃道：“如此情怀，怎能不消瘦？”玄宗道：“瘦便瘦，越发清雅了。”梅妃笑道：“只怕还是肥的好哩！”玄宗也笑道：“各有好处。”又饮了几杯，便同梅妃进房休息。

杨妃在宫里，不见玄宗前来，问念奴道：“圣上在哪里？”念奴道：“奴婢听说万岁派高力士，召梅娘娘至翠华西阁。”杨妃听了，急忙步行来到翠华阁，惊得那些侍候的人飞报道：“杨娘娘已到阁前，怎么办？”玄宗披衣，把梅妃藏在夹幕间。杨妃走到里面行完礼，问道：“陛下为何起得晚了？”玄宗道：“是妃子来得早。”杨妃道：“贱妾闻梅妃在这儿，特意来探望。”玄宗道：“她在东楼。”杨妃道：“今日召来，应该一起到温泉去游玩。”玄宗只是看着左右，也不去回答她。杨妃怒道：“酒菜杯盘乱七八糟，御榻下有妇人的鞋子，枕边有金钗翠钿，夜里什么人侍奉陛下，到了日出，还不上朝，成何体统？陛下去见群臣，妾在这里等陛下回来。”玄宗惭愧得不得了，拽着被子重新睡下道：“今天身体不舒服，不去上朝了。”杨妃愤怒极了，将金钗翠钿抛在地上，竟然回宫外的住宅了。

没想到旁边的小太监见杨妃气势汹汹地来了，怕惹出祸事，就赶紧送梅妃回宫。玄宗见杨妃已经离去，打算再和梅妃欢乐，却发现被人送走了，大怒，杀了那小太监，亲自拾起金钗翠钿珠钗包好，

◎ [翠钿]

用翠玉制成的首饰。南朝梁武帝《西洲曲》：“树下即门前，门中露翠钿。”宋朝贺铸《菩萨蛮》词：“帘下小凭肩，与人双翠钿。”

222

又将外国进贡的一斛珍珠，让永新领去，赐给梅妃。永新领旨，前往东楼。梅妃问道："圣上为什么又把我这样送回来了？"永新道："万岁不是抛弃娘娘，只是怕杨娘娘发怒。"梅妃道："赐给的珍珠不敢接受，有诗一首，麻烦你送到皇上面前，说妾并不是不领旨，只怕杨妃知道了，又要连累皇上受气。"永新领命而去，将珍珠和诗一起献上。玄宗拆开一看，念道："柳叶蛾眉久不描，残妆和泪湿红绡。长门自是无梳洗，何必珍珠慰寂寥？"玄宗看完，惆怅了很久，闷闷不乐，又喜欢诗写得好，命人谱成曲子演唱，起名《一斛珠》。

◎ [长门]

汉代宫殿名称。本来属于馆陶长公主所有，后来被献给汉武帝。汉武帝的第一任皇后陈阿娇失宠，搬到长门宫居住。她想重新回到皇帝身边，就花了很多钱请当时的著名文人司马相如为她写了《长门赋》，抒发自己哀怨的心情。在文学作品中，长门宫成为冷宫的代名词。

 人物点击

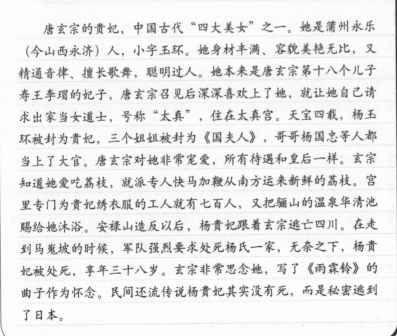

杨贵妃

唐玄宗的贵妃，中国古代"四大美女"之一。她是蒲州永乐（今山西永济）人，小字玉环。她身材丰满、容貌美艳无比，又精通音律、擅长歌舞，聪明过人。她本来是唐玄宗第十八个儿子寿王李瑁的妃子，唐玄宗召见后深深喜欢上了她，就让她自己请求出家当女道士，号称"太真"，住在太真宫。天宝四载，杨玉环被封为贵妃，三个姐姐被封为《国夫人》，哥哥杨国忠等人都当上了大官。唐玄宗对她非常宠爱，所有待遇和皇后一样。玄宗知道她爱吃荔枝，就派专人快马加鞭从南方运来新鲜的荔枝。宫里专门为贵妃绣衣服的工人就有七百人，又把骊山的温泉华清池赐给她沐浴。安禄山造反以后，杨贵妃跟着玄宗逃亡四川。在走到马嵬坡的时候，军队强烈要求处死杨氏一家，无奈之下，杨贵妃被处死，享年三十八岁。玄宗非常思念她，写了《雨霖铃》的曲子作为怀念。民间还流传说杨贵妃其实没有死，而是秘密逃到了日本。

第三十三回 禄山奸诈受重用

◎ [节度使]

中国古代的官名。唐玄宗时，全国有九个节度使，分别掌管一个地区的军事。后来，他们的权力扩大，总管一地所有的财政、行政、军事大权。安史之乱后，这些节度使更是把管辖的地区变成了独立王国，不听皇帝的命令。

营州有一个叫安禄山的混血胡人，本姓康氏，初名阿落山，因母亲再嫁安氏，于是跟着姓安，改名禄山，为人奸猾，善揣摩别人的心意。后来因部落破散，他逃到幽州，投靠节度使张守珪，守珪很喜欢他，认他为养子，跟随在身边。

一天守珪洗脚，禄山在一旁侍候，看见守珪左脚底有五个黑痣。守珪说这是富贵之相。禄山说自己两只脚底都有七颗黑痣。守珪一看，果然状如七星。守珪因此对禄山更加爱护，借着军功一直推荐他做到了平卢讨击使。谁知在攻打契丹时，被打得大败。守珪要按军法处死他。禄山贿赂了玄宗身边的内侍们，为他说情。玄宗让他官复原职，戴罪立功。凡是有玄宗身边的人到平卢的，他都送很多金银。于是，玄宗常常听到别人称赞禄山，不断升他的官，直到营州都督平卢节度使。天宝二年，安禄山被留在京城，陪伴皇帝左右。

一天，禄山找来一只会说话的白鹦鹉，献给玄宗。正遇着玄宗和太子在花丛中散步。禄山故意只拜了玄宗，不拜太子，玄宗问原因。禄山假装说不知太子是什么官职。玄宗笑说太子是未来的皇帝。禄山道："臣一向只知道皇上一人，却不知有太子。"玄宗回头对太子说："这人特别诚实淳朴。"正说着，贵妃来了，叫宫女念奴带着鹦鹉去收养。玄宗开玩笑，让贵妃收禄山为养子。禄山听了这话，马上走到阶前，向着贵妃下拜道："臣儿愿母妃千岁。"玄宗笑说道："禄山，你要拜母先得拜父。"禄山叩头奏道："臣是胡人，胡俗是先母后父。"玄宗对贵妃道："这可以见他真是淳朴。"

这年正是大比之年。当时绵州有个才子，姓李名白，字太白，是西凉主李暠九世孙。他性格清奇，嗜酒爱诗，轻财狂侠，自号青莲居士。大家见他有飘然出世的仪表，就称他为李谪仙。他不求做官，志在遨游四方，看尽天下名山大川，尝遍天下美酒。先

◎ [大比]

隋唐以后泛指科举考试。明清时期则专门称乡试为大比，每隔三年举行一次，各个县、州、府的考生聚集在省城，由朝廷派人主考，考中的人被称为举人。

隋唐演义

◎ [鱼袋]

唐代五品以上官员盛放鱼符的袋子。鱼符，是唐代赐给大臣的信物，外形像鱼，分为左右两半，头上有孔，质地有金、银、铜等。三品以上官员的鱼袋用黄金装饰，五品以上的用白银装饰。宋代以后没有鱼符，但仍然佩带鱼袋。

◎ [殿试]

中国科举考试中的一种，也叫廷试。由皇帝亲自主持，殿试考中的称为进士，是天子门生。开始于唐朝武则天时期。北宋时，殿试后把进士分为五个等级。明清时期，一甲第一名称状元，第二名称榜眼，第三名称探花。

◎ [龙涎香]

一种珍贵的香料，来源是抹香鲸肠子里面分泌物的干燥品。中国是世界上最早发现龙涎香的国家。当时他们认为这是龙流出的口水。龙涎香还能作为药材，治疗咳嗽、心痛等。在现代，龙涎香的价格昂贵，和黄金差不多，常用在高级香水中。

登峨眉，再游云梦，后来在徂徕山竹溪，与孔巢父、韩准、裴政、张叔明、陶沔六人隐居，号为竹溪六逸。因为听说湖州乌程的酒极好，于是千里迢迢赶去，在酒店中一边痛饮一边唱歌。正巧司马吴筠经过，听见后派人询问，李白随口答了一首诗。吴筠大惊，正好他要去长安上任，就拉李白一同前往。

一天，李白和贺知章相遇，彼此非常倾慕。知章邀请李白到酒楼中，解下腰间金鱼袋，换酒同饮。快到考试的日子，朝廷命贺知章主持，又特旨命杨国忠、高力士为内外监督官，检点试卷，送主试官批阅。贺知章暗想："李太白是个高傲的人，替他找人托关系，反而会惹怒他，不肯考试。"于是，他一面委托杨国忠和高力士在考试时照顾一下李白；一面拜托吴筠，力劝李白应试。李白被劝不过，只得依言，打点入场。谁知这两人和贺知章本不是一类人，偏偏要坏他的事。杨国忠看见试卷上有李白的姓名，便不管好坏，一笔抹倒。李白正想争论，国忠骂道："这样的人，只能替我磨墨。"高力士插嘴道："磨墨也不行，只能替我脱靴。"李白出来后，怨气冲天，发誓一旦得志，一定要教杨国忠磨墨，高力士脱靴，才能出胸中恶气。

那榜上第一名是秦国桢，其兄长秦国模得了第五名，二人是秦叔宝的玄孙，少年有才。到了殿试之日，二人交完卷后，走到集庆坊，被人群挤散了。国桢不见了哥哥，忽然有一童子说他们家老爷有请。秦国桢被带到一座画楼里，里面摆设极其华美，琉璃屏、水晶帘，桌上博山炉内，点着龙涎香。这时，侍女们簇拥着一位美人前来。秦国桢不敢说出真实姓名，谎称名叫余贞木。夫人见他仪容俊雅，礼貌谦恭，十分怜爱，摆下酒席，邀国桢同饮。一连住了四五日，朝廷推迟琼林宴，到处派人找状元。这件奇事，哄动京城。夫人也只当做一件新闻，讲给秦国桢听。秦国桢只好说出自己的真实身份。夫人惊呆了，想了一想，叫侍女取出一轴画图，只见上面画着许多楼台亭阁，又画一美人，凭栏看花，夫人指着画图道："你到了皇上面前，就说遇到一位老人家云：奉仙女之命召你，引到这么一个地方，看见这样一个美人，被她留下来。所吃的东西，所用的器具，都是外边绝少的。美人不肯说自己的姓名，也不问我姓名，到今日才放出来。因为进出的时候都被蒙住了眼睛，所以没看见出入的道路。"夫人泪流满面，和国桢道别。原来这位夫人姓达奚，小字盈盈，是朝中一个贵官的小夫人。这贵官年老无子，又出差在外，盈盈独居在这里。国桢按达奚盈盈所说的奏明。玄宗微微含笑，不再追究。原来当时杨贵妃有姐妹三人；都长得很漂亮。玄宗称呼她们为姨：大姨封韩国夫人，三姨封虢国夫人，八姨封秦国夫人。其中虢国夫人尤其妖艳，不施脂粉，天生风流美丽，玄宗常和她玩乐。这夫人十分多情，常勾引少年到宅中取乐，玄宗也不去管她。那达奚盈盈的母亲曾在虢国府中做侍女，那幅美人图就是她从府中带来的。画中美人就是虢国夫人。

这秦国模、秦国桢兄弟二人，被任命为翰林。秦国模为人刚正，见贵妃专宠，杨氏势盛，禄山放纵，便和弟弟计议，联名上奏，言辞激烈。玄宗非常不高兴，下旨免去秦国模、秦国桢的官职。那时，奸相李林甫，乘机想要蒙蔽皇上、掌握大权，就让谏官们不要上奏章多言。玄宗以为天下太平无事，又见国库充实，越发视金钱如粪土，赏赐无限。一切朝政，都交给李林甫。那李林甫非常狡猾，心里虽然忌恨杨国忠，表面上却与他要好，又畏惧太子英明，常想谋害，又和安禄山勾结。玄宗又命安禄山与杨国忠兄妹结为亲戚，时常往来。

一日，禄山过生日，玄宗与杨贵妃各有赏赐。闹过了两日，禄山入宫谢恩，见到杨妃，口中自称孩儿。杨贵妃就开玩笑道："人家养了孩儿，过了三天要为孩儿洗澡。今天我也要洗儿。"于是乘着酒兴，把太监宫女们叫来，替禄山脱去衣服，用锦缎包裹全身，

◎ [翰林]

中国古代的官名。唐玄宗时开始设置，选拔有文学才华的人担任。到了唐德宗时，开始草拟机密文件。明清时期，翰林有人才储备的作用，从科举考试中选拔一些人任翰林官。

隋唐演义

◎ [肩舆]

中国古代的一种轿子。一开始是走山路的工具，后来也用在平地。最初的肩舆是用两根长竿子，人坐在中间的椅子上，上面没有篷子。后来，椅子四周被包裹成车厢一样，发展为"轿舆"，在唐宋以后十分流行。清代有"八抬大轿"。

当做褓襁，让禄山坐在肩舆中，绕宫游行，喧笑不止。那时，玄宗在宜春院中闲坐看书，得知后大笑，便乘小车，来杨妃宫中观看，赐杨妃金钱银钱各十千，为洗儿之钱。

那边杨妃很受宠爱，这边梅妃江采苹，却独居上阳宫，十分寂寞。一天听说海南使者来到京城，便问是不是来进贡梅花的。宫人说是献荔枝给杨贵妃娘娘的。梅妃非常伤感，马上召高力士来问皇上是否还记着她。力士道："皇爷不是不思念娘娘，只因为碍着贵妃娘娘！"梅妃道："我知道肥婢妒忌我，皇上是不会对我忘情的。汉代陈皇后遭贬，用千金买通司马相如，作《长门赋》献给武帝，陈皇后于是重新得宠。当今怎么会没有才华像司马相如一样的，为我作赋？我也愿意出千金，你帮我找找看。"力士畏惧杨妃的权势，不敢答应，只推托说一时找不到合适的，又说："娘娘的才华，远胜他人，为什么不自己写？"梅妃点头，自己写了篇《楼东赋》献上。玄宗见了，想起了旧情。杨妃得知大怒，气冲冲地来奏道："梅精江采苹子，竟敢心怀怨恨，应当赐死。"玄宗默然不答，杨妃又继续说。玄宗说道："她无聊作赋，朕不理会就行了。"杨妃见玄宗不肯听她的话，非常不快活。于是，她在侍奉皇帝的时候，一点好脸色都没有，常使性儿，不言不语。

一日，玄宗宴请王爷们，也召来杨妃。席间，宁王吹紫玉笛为念奴和曲。散席后，玄宗去更衣，杨妃看见宁王所吹的紫玉笛儿在御榻上，便吹了起来。玄宗看见，开玩笑说："这笛儿宁王才吹过，你怎么还吹？"杨妃慢慢把玉笛儿放下，说道："还有人被踢了鞋子，陛下也不问，干吗责备妾？"玄宗因为她特别嫉妒梅妃，又见她连日态度骄傲，早就很不高兴。今天又这么说话，不觉勃然大怒，厉声道："阿环敢如此无礼！"便一面起身，一面宣旨："高力士把她送回杨家去！"杨妃平日被宠惯了，没想到今天皇帝突然震怒，正想苦苦哀求，又怕皇帝盛怒之下，会有大祸，而且玄宗下旨不能觐见，只得含泪登车出宫，托高力士照管宫中所有的物件。杨妃来到杨国忠家，杨家兄弟姊妹忽然听到这个消息，吃惊不小，相对哭泣，不知所措。安禄山在旁边，想相救，又怕惹上嫌疑，也不敢亲自到杨家来问候，只得秘密派人探问消息罢了。

再说玄宗一时发怒，将杨妃赶出宫，结果在宫里十分寂寞，看来看去都没有满意的人。他想再召梅妃，没想到梅妃听说杨妃想杀她，心中又恼恨，又感伤，竟然病倒了。这几日正躺在床上，不能起来。玄宗寂寞不堪，焦躁异常，宫女内监们多被鞭打。高力士看出了皇帝的意思，便私下对杨国忠说："如果想要让妃子再入宫，还是得让外臣奏请。"当时法曹官吉温，与殿中侍御史罗希奭，用法深刻，人人畏惧，被称为罗钳、吉网。二人都是酷吏，而吉温更加残忍贪婪。宰相李林甫尤其喜爱他，因此也被玄宗亲信。杨国忠就用重金求他救援。

吉温便乘着奏事的时候，从容进言道："贵妃杨氏，妇人没有见识，惹怒了圣上。但她一向受恩宠，今天即使赐她死罪，也只能死在宫中，陛下怎么吝惜宫中一席之地，而忍心让杨妃流落在宫外呢？"玄宗听了，也很难过。等到退朝回宫，玄宗命内侍霍韬光，将御前的食品和珍玩宝贝送到杨家，赐给妃子。杨妃谢恩后，哭着说："妾罪该万死，蒙圣上洪恩，从宽发落。然而妾一向蒙受宠爱，今天又忽然被抛弃，还有什么脸面活在这世上？妾的一身衣服首饰，都是皇上赏赐，只有头发和皮肤是父母所生，就以几缕头发，报答万岁。"杨妃于是剪下一绺头发，交给霍韬光道："为我献上皇爷，妾从此死了，皇上不要再挂念。"霍韬光回宫复旨，详详细细地说了妃子的话，将发呈上。玄宗大为惋惜，立刻命高力士用香车乘夜召杨妃回宫。杨贵妃头发不梳，也没搽脂粉，穿着破旧的衣服觐见，伏在地上认罪，没有一句话，只是不停地呜呜哭泣。玄宗感动极了，亲手把妃子扶起，马上召唤侍女，为她梳妆更衣，用温柔的语言好

◎ [酷吏]

用残酷的方法进行统治的官吏。

好抚慰。玄宗命左右摆上宴席。杨贵妃向玄宗敬酒道："没想到今天能重新见到皇上。"到了第二天，杨国忠兄弟姊妹，与安禄山都入宫来叩贺。太华公主与诸王也来庆贺。杨贵妃入宫之后，玄宗宠幸比之前更多十倍。杨氏兄弟姊妹，作威作福，也更加嚣张。

人物点击

安禄山

唐代营州混血胡人。他本来姓康，名叫阿落山。小时候丧父，母亲改嫁给突厥人安延偃，他改名为安禄山。安禄山勇敢善战，还会说九个民族的语言，曾经在市场上担任翻译。后来，被幽州节度使张守珪收为养子，立下不少战功，当上了营州都督，安禄山用金钱收买朝廷官员，于是得到了唐玄宗的宠信，被升为平卢、范阳节度使。安禄山为人狡诈阴险，特别善于揣摩别人的心意，外表却给人一种憨厚朴实的印象。他曾经对唐玄宗说自己的大肚子里没有别的，只有一颗忠心。唐玄宗对他非常信任，让杨贵妃收他为义子，又为他修建了特别豪华的住宅。安禄山也和宰相李林甫相勾结，不断暗中扩大自己的势力。天宝十四载，安禄山打着讨伐杨国忠的名号，在范阳造反。第二年，他在洛阳自称雄武皇帝，国号"燕"。不久，安禄山就攻入长安，唐玄宗被迫逃往四川。安禄山在长安烧杀抢劫，非常残暴。后来，他双目失明，被儿子安庆绪等人杀死。

各地官员，知道杨贵妃专宠，天子喜爱奢华，都纷纷迎合，不停地贡献各种灵禽怪兽、异宝奇珍。忽然一天，渤海国派使者前来，却没什么方物献上，只有一封国书。玄宗命少监贺知章先去询问那使者。使者答道："国王写信的用意，使臣并不知道。"到得朝期，贺知章引番使入朝面圣，呈上一封国书，阁门舍人传接，递至御前。玄宗皇帝命番使臣且回馆驿，候朕谕旨，一面着该值日宣奏官，将番书拆开宣奏上闻。该值宣奏官侍郎萧灵拆开国书，大大吃了一惊，原来那上面写的字，不是草书，字体古怪异常，估计只有仓颉才能辨认。玄宗于是叫来李林甫、杨国忠二人，两人也一字看不出来；传示满朝文武百官，也无一人能认识。玄宗发怒道："堂堂天朝，不能被小国耻笑！三日内没有回音，在朝官员全部免职。"

贺知章回家后，闷闷不乐。那时，李白正住在贺家，看他这样，就问原因。李白微微笑道："外国文字有什么难认的？"知章惊喜，第二天上朝时，忙奏明玄宗，说："臣有一个布衣之交，西蜀人士，姓李名白，博学多才，能辨识外国文字。"玄宗立刻召李白入朝。李白故意说自己没有官职、才学浅薄，不敢面见天子。知章复把李白去年考试被人陷害的事说了。汝阳王、李适之、吴筠等人都称赞

◎ [渤海国]

中国古代东北少数民族建立的国家。唐代武则天时期建立，最初叫振国。唐玄宗时，封他们的首领为渤海郡王。渤海国各方面都向唐朝学习，多次派留学生到长安学习，在文学、音乐、绘画、舞蹈等方面都有一定成就，被称为"海东盛国"。

◎ [草书]

书法中的一种字体。为书写快速而产生。汉朝末年，张芝把上下字之间的笔势相牵连相通，偏旁相互假借。到了唐代，张旭、怀素把这种字体写得更加放纵，字形变化繁多，发展为"狂草"。

李白是奇才。玄宗就传旨赐李白以五品冠带朝见，即着贺知章速往宣来。玄宗见李白一表人才，气度不凡，满心欢喜，命侍臣将国书给李白观看。李白看了一遍，启奏道："今天渤海国不写表文，直接写国书，已经违反礼仪；况且信中语言傲慢，很不恭敬。"玄宗让他翻译成中国话。李白遵命，手中拿着国书，立在御座之前，用中国唐音，一一译出，高声朗诵。

玄宗听了国书的内容，非常不高兴，问众官说道："这个国家想争占高丽，该怎么办？"诸臣议论不一。玄宗沉吟没有决断。李白奏道："皇上不必担忧，臣猜想他们语言傲慢，不过是试探我们大唐的动静。不如明日召使者入朝，命臣当面草拟诏书，也用渤海国文字，恩威并施，让他们震慑降服。"玄宗非常高兴，就问："可毒是他们国王的名称吗？"李白道："渤海国称国王为可毒，就像回鹘称可汗、吐蕃称赞普、南蛮称诏。"玄宗见他应对不穷，十分欢喜，马上任命为翰林学士，在金华殿赐宴，当晚让他在殿侧住宿。杨国忠、高力士二人，心中不乐，却也无可奈何。

第二天上朝，李白穿戴纱帽紫袍，雍容立于大殿台阶前，飘飘然有神仙凌云的姿态。玄宗命在御座之旁摆设案几，赐李白坐锦绣墩草拟诏书。李白马上奏道："臣所穿的靴子，很不干净，请陛下容许臣脱靴换鞋。"玄宗便传旨，让小太监给李白穿上御用的吴绫云头履。李白又叩头说道："之前臣应试，遭右相杨国忠、太尉高力士斥逐，今天看见二人站在陛下面前，臣气不旺。况且臣今日奉命草拟诏书，事情重大。恳请圣旨令杨国忠磨墨，高力士脱靴，使外国人不敢轻视诏书，自然诚心归附。"玄宗此时正在用人之际，心中又深爱李白之才，就批准他的奏请。杨、高二人暗想："以前小看了他，他便乘机报复。"只得一个给他脱靴，一个替他磨墨。李白举起兔毫笔，手不停挥，转眼之间，写成诏书。玄宗看了大喜，那字迹与渤海的国书一模一样。众官看了，无不惊骇。玄

◎ [云头履]

中国传统服饰中的鞋子，又叫云履，因为鞋头做成像云头和如意的形状，端庄大方。这种鞋子在唐代很流行。明代，不少读书人和官员都穿戴，又称为朝靴、朝鞋。到了明代中后期，连下层人士也争相穿云履。

◎ [兔毫笔]

一种毛笔，用兔毛制成。选用兔毛时，秋冬季节的最好，春夏的则不能用。唐代以兔毫笔为主，还出现紫毫，就是韧性较强的老兔毛。唐代的书中记载，中山那个地方的兔子肥大，毛又长，用来做毛笔非常合适。宋代以后，才出现羊毫笔。

宗又命李白宣读诏书，声音洪亮，外国使官俯首而听，不敢仰视。使者回国后，国王看了诏书，道："天朝有神仙帮助，怎么敌得过他？"于是写了降表，派人入朝谢罪，情愿按期朝贡。

　　玄宗敬爱李白，想要升他的官。李白推辞道："臣一生只愿逍遥闲散，每天有美酒痛饮就足够了！"玄宗于是下诏光禄寺，每天供给李白美酒，随便他到处游览，饮酒赋诗；又时常召他入宫，赏

◎ [光禄寺]

　　中国古代官府机构的名称。在汉代掌管宫廷保卫工作；到了唐代，则演变为专门掌管皇家饮食。

花赐宴。当时宫中牡丹盛开，是扬州所贡，种在兴庆宫沉香亭下。玄宗在亭中设宴，和杨贵妃赏玩。玄宗笑说道："花虽好却不能说话，不如妃子是解语花。"正说笑间，只见乐工李龟年，带着梨园子弟，拿着乐器前来。玄宗道："赏名花，不能用旧乐！"就命李龟年："用朕所乘的玉花骢马，速召李白学士前来。"

◎ [玉花骢马]

玉花骢，唐德宗马名。杜甫诗："先帝天马玉花骢，画工如山貌不同。"

玄宗对李白说道："今日牡丹盛开，朕同妃子赏玩，特地找你来写新词谱曲。"李白领命，不假思索，立刻写好一章"清平调"呈上："云想衣裳花想容，春风拂槛露华浓。若非群玉山头见，会向瑶台月下逢。"玄宗看了，龙颜大喜，称赞道："学士真是仙才！"便命李龟年与梨园子弟，立刻谱成新曲，一起和唱起来，果然很好听。玄宗又命拿西凉州进贡来的葡萄酒，赐给李白，再写一章。李白一口气喝完，再写道："一枝红艳露凝香，云雨巫山枉断肠。借问汉宫谁得似？可怜飞燕倚新妆。"玄宗更加欢喜，赞叹道："这首更清新俊逸！"就自己吹玉笛伴奏，命念奴歌唱，真是悠扬悦耳。曲罢又对李白道："朕兴致浓厚，烦请学士再写一章。"便命杨贵妃亲手捧着端砚，李白又写了一章献上："名花倾国两相欢，常得君王带笑看。解释春风无限恨，沉香亭北倚栏杆。"玄宗大喜，自吹玉笛，命杨妃弹琵琶伴奏，命永新、念奴一起歌唱。唱完，杨妃拜谢。玄宗笑道："不要谢朕，谢李学士。"杨贵妃就拿着玻璃盏，斟酒敬给李学士。玄宗命用玉花骢马，送李白归翰林院。从此，李白的才名原来越高，不仅玄宗喜爱，杨妃也很看重他。

那高力士却深深记恨脱靴之事，想出计策来陷害他。一日入宫，见杨妃独自凭栏看花，口中正吟着清平调，点头得意。高力士见周围没人，乘机奏道："他说'可怜飞燕倚新妆'，是把赵飞燕比作娘娘。这种讥讽非常恶毒，娘娘难道没有发觉吗？"原来玄宗读赵飞燕外传，说飞燕身材瘦弱苗条，怕被风儿吹走，就对杨妃开玩笑道："如果是你，随便风怎么吹。"正是嘲笑她肥胖。杨妃最恨的就是说她肥，现在被高力士这么一说坏，非常愤怒。从此杨妃经常在玄宗面前，说李白纵酒狂歌，没有礼节。玄宗每次想升李白的官，都被杨妃阻止。杨国忠也常说李白坏话。玄宗虽极其看重李白，却因宫中不喜欢他，就不召他入宫赴宴。李白知道被小人中伤，就要求离开长安。玄宗最初不肯，后来无奈，就赐李白为闲散逍遥学士，所到之处，由官府给酒钱。贺知章等数人，把他送到百里之外。

李白出了京城后，在名山大川畅快游玩。一日来到并州，看见官差押着一辆囚车。囚车中的汉子，长相伟岸非凡。原来那人姓郭名子仪，华州人氏，熟悉韬略，有建功立业、忠君爱国的志向。在陇西节度使哥舒翰麾下任偏将。因为手下不小心把兵粮烧了，他要被处斩。李白想道："这个人看上去一定是个英雄豪杰。"便亲自到哥舒翰那里为郭子仪求情，说愿意奏请皇上减免子仪的罪名。哥舒翰也是一员名将，平时也敬慕学士的才名，就欣然答应。不到一日，圣旨已下，准许郭子仪戴罪立功。郭子仪感激李白救命之恩，发誓结草衔环以报恩。

那时朝廷中，左丞相李适之被李林甫逼得自尽。林甫仗着天子信任，手握重权，安禄山也很怕他。杨国忠心怀嫉妒，却不得不和他勾结。玄宗立忠王李玙为太子，李林甫叫杨慎矜诬告刑部尚书韦坚、节度使皇甫惟明阴谋推翻皇帝，拥戴太子即位；并找杨国忠做证人。玄宗大怒，幸亏高力士为他们极力辩解。太子知道了，非常惊慌，因为韦坚是太子妃韦氏的哥哥，就上表请求与韦氏离婚。也因为高力士力劝，玄宗没有批准，只将韦坚、皇甫惟明赐死，事情不必深究，于是太子才安心。

杨家兄弟姊妹，一天比一天骄奢，杨国忠、杨铦与韩、虢、秦三夫人的宅院，都在宣阳里，宏伟富丽，比得上皇宫。虢国夫人的宅院，与杨国忠宅院相连，二人经常来往。有时杨国忠入朝，竟与虢国夫人坐在一个肩舆上，看见的人都偷偷嘲笑，两人却不觉得羞

◎ [结草衔环]

比喻深受重恩，死了也要报答。结草指魏武子死前要让他的爱妾殉葬，但他的儿子把那名女子改嫁了。后来在战场上，一名老人用草绊到了敌人的马，救了魏武子的二子。老人就是那女子的父亲。衔环指杨宝把一只受伤的黄雀带回家救活了，当晚有人给他送来四枚白玉环表示感谢，说会保佑他的后代都当上大官。

耻。安禄山也与虢国夫人往来十分密切，杨国忠知道了，非常痛恨安禄山，就常对杨妃说禄山行动不谨慎，万一天子发觉了，就有祸事了。一天，玄宗在昭庆宫闲坐，见安禄山肚子肥胖，垂过了膝，就开玩笑说："不知这里面藏着什么啊？"禄山道："里面没有别的，只有一颗忠心。"玄宗听了，心里十分欢喜。但是杨妃已听了杨国忠的话，每次见到安禄山，必定叮嘱他出入小心。禄山想国忠没什么好怕的，那李林甫最不是个好惹的。不如离开京城做官暂时躲避一下，而且方便谋划大事。那边杨国忠暗想："安禄山将来必定和我争权，我一定得消灭他。不过他被天子宠幸，又有贵妃与虢国夫人帮助，一时难以摇动。但是不能留他在京城。"正好李林甫上奏，请求任用番人为边镇节度使。原来唐代边镇节度使，都用有才略、有威望的文臣，如有功绩，便可升为宰相。林甫不想有人来分他的权势，就称文人怯懦，而番人勇敢善战，可以捍卫边疆。玄宗批准，于是边镇节度使都改用番人。

　　国忠乘此机会，上奏道："河东重地，当然得任用番人为帅；但又必须用番人之中有才略、有威望的，这个重任只有安禄山才能担当。"玄宗深表赞同，马上召安禄山前来，说道："你用满腹赤心侍奉朕，本应留你在京城，做朕的侍卫。但河东重镇，非你不可，如今暂时派你去做边帅，仍准许不时入朝。"于是降旨封安禄山为平卢、范阳、河东三镇节度使，赐爵东平郡王，走马上任。这倒也合安禄山的意思，叩头领旨，当天入宫辞别杨妃，两人依依不舍。杨妃叫其入密室，握着手私语道："你今天远行，都是因为哥哥猜忌。我心里十分舍不得。但是你在京城这么久，惹人嫌疑，如今出去，未必不是福气。你放心前去，不必疑虑。"安禄山点头答应。

　　李林甫等设席为安禄山饯行。饮酒之间，林甫举杯道："安公为节度使，出镇大藩，责任很重，凡所作为，必须深思熟虑、合情合理。林甫虽在朝廷，而各藩镇的事都日夜挂在心上，时常得知消息。今天三大镇有安公做节度使，真是堪称朝廷的屏障，你要好好行事。"这几句话，明明是显示控制威慑的意思。禄山向来畏惧林甫，只有唯唯诺诺听命，拜谢道："禄山才短气粗，有不周到的地方，全仰仗您照顾。"前一天，杨国忠曾设宴请禄山，禄山找借口不去。这天国忠也假意来相送。禄山表现得十分傲慢。国忠大怒，心中的怨恨更深了。禄山到任后，查点军马钱粮，训练士兵，屯积粮草，坐镇范阳，兼制平卢、范阳、河东，自永平以西至太原，凡东北一带要害地方，都由他统辖，声势强盛，越发骄横。

人物点击

李白

　　唐代著名诗人。字太白，号青莲居士。少年时代喜欢练习剑术，豪放不羁。二十五岁时，开始了在各地的漫游活动，曾经在湖北居住过一段时间，然后又北上太原、西入长安、东到齐鲁，住在山东济宁。天宝元年，机会终于来了，李白被皇帝召入宫中，担任翰林，很受宠信，甚至让高力士为他脱靴，杨国忠为他磨墨。李白酷爱喝酒，常常一边喝酒，一边写诗。他和贺知章等人一起被称作"酒中八仙"。但是没过几年，由于别人的嫉妒，李白被迫离开京城。安史之乱时，李白被造反的永王任用。永王失败后，他被流放到遥远的夜郎。李白晚年漂泊，最后在安徽当涂的船中，因为想去捞水里的月亮，结果淹死了。李白是伟大的浪漫主义诗人，诗歌完全打破了固有格式的限制，飘逸洒脱、想象奇特、色彩绚丽，被后人称为"诗仙"。唐文宗曾经把李白的诗歌称为"三绝"之一。李白和杜甫分别代表了诗歌浪漫主义和现实主义的高峰，合称"李杜"。

[老子]

春秋时期著名的思想家。道家的创始人。名叫李耳，曾经做过管理图书的官员，写了《老子》（又叫《道德经》）这本书。道教出现后，老子被当做神仙，称为太上老君。唐代皇帝还把老子作为自己的祖先。

玄宗最爱好神仙，自从高宗尊奉老子为玄元皇帝，至玄宗时又求得老子的遗像，命天下都立庙供奉。有人推荐道士张果老、叶法善，都被召到京师。鄂州又推荐罗公远，称他法术神通，玄宗尊称他为罗仙师。后来张、叶二人出宫，只有罗公远为玄宗所尊信，时常召见。时值中秋之夜，玄宗独自与公远对月闲谈，公远说要让玄宗亲眼看看月宫的景象，说着折了几枝桂树枝，用彩线联结，吹口气，竟变作一乘彩舆。公远请玄宗坐在上面，又将手中如意，变成一只大白鹿，公远喝一声，只见那白鹿驾着彩舆，腾空而起。公远在空中紧紧相随，叫玄宗只望着月亮，千万不能回头。转眼之间已来到月宫，玄宗一望，只见宫殿重重，门户洞开，里面奇花异草，映耀夺目。不一会儿，闻到阵阵异香，乐声嘹亮，正是《霓裳羽衣曲》。玄宗说想见识一下嫦娥的美貌。公远说从前穆天子能与王母相会，是有仙缘，如今不能强求。还没说完，只见月中门户关闭，寒风袭人。公远立刻叫白鹿驾着彩舆，用羽扇挡风而行，不一会儿回到地上。玄宗又惊又喜。第二天，玄宗又召公远入宫，说想学隐身法。公远被恳求不过，只好传授。玄宗按照口诀练习，却总是隐藏了身体，露出衣服和帽子。内侍们都偷偷地笑。公远解释说玄宗是肉体凡胎，所以不能尽善尽美。玄宗听了，非常生气。

正好李林甫夫人患病垂危，请公远救治。公远说夫人寿命已尽，没有办法。李林甫十分愤怒，晚上夫人果然去世了。过了一天，秦国夫人忽然患病沉重，杨国忠奉贵妃之命，来见公远，公远说夫人七天之后就会死去。杨妃得知大怒，哭泣着奏明天子，李林甫也说他妖妄惑众。玄宗立刻传旨将罗公远斩首西市。谁知不一会儿，玄宗又后悔了，却早已杀过了。玄宗懊悔得不得了，命收了尸首，隆重安葬。七天之后，秦国夫人果然病死。

◎ [妖妄]

怪异荒诞。

玄宗因秦国夫人之死，更相信公远，无奈之下，命辅缪琳去找张果老和叶法善。辅缪琳进入四川地区，突然看见罗公远从山道上走来。辅缪琳说皇帝对他念念不忘，请他回宫。公远笑道："我没有别的话，你告诉皇上，让他疏远宫中女子，更谨防边上女子，自然天下太平。"又取出一封书信，让他带给玄宗。说完，举手道别，腾空而去。缪琳回宫里，奏明遇见罗公远一事。玄宗大为惊诧，玄宗命内侍打开公远的棺材，原来棺中一无所有。玄宗叹道："真是神仙！"又看信中只有四个大字，下注一行小字："安莫忘危。外有一药物，名：蜀当归。"玄宗沉默不语。公远所说宫中女子，明明指的是杨妃；边上女子，是说安禄山，因为安字里面有女字。蜀当归三字，暗藏哑谜；安莫忘危，已明说出个安字了，玄宗却全不理会。禄山平日所畏忌的，只有一个李林甫。谁知林甫自妻子病亡之后，自己也患了病，越来越沉重。忽然听说罗公远未死，更加惊慌恐惧，没几天就死了。玄宗不知他奸恶，非常叹息。杨国忠乘机奏明林甫生前在家训练了很多武士，想图谋不轨；又说他多次陷害太子东宫，用心险恶；又让大臣们揭发他许多罪名。杨妃也帮着说坏话。玄宗这才省悟，下旨削官爵，没收家产；儿子侍郎李岫也被革职，永不任用。

李林甫死后，杨国忠兼左右丞相，独掌朝权，作威作福。唯有

◎ [狼狈为奸]

比喻相互勾结干
坏事。根据唐代段成
式的记载，狼和狈分
别是两种动物。狼的
前腿长，后腿短；狈
正好相反，前腿短，
后腿长。狈每次出去
都必须把前腿搭在狼
的后腿上才能行动。
狼和狈还经常合作去
偷羊。

安禄山不肯听他的，非常傲慢无礼。国忠密奏玄宗，说："安禄山
同李林甫狼狈为奸，林甫死后，安禄山心里不安，目前必有阴谋。
陛下不信，派人召他前来；他若不敢来。就说明是真的了。"玄宗
命辅缪琳去范阳召安禄山入朝见驾。杨妃私下赐给辅缪琳金帛，让
他带密信给安禄山，叫他放心前来，千万不能迟疑。辅缪琳来到范
阳，禄山看了杨妃的信，当天起马飞奔入京。玄宗大喜道："人家
都说你未必肯来，唯独朕相信你一定来，果然！"从此玄宗对安禄

山更加亲信，禄山也毫无忌惮，上奏要用番将代替汉族将领镇守边关。玄宗竟然也答应了。从此番人占据险要地势。一天，杨国忠又说："安禄山控制三大镇，兵强势横，不能不防。"韦见素便建议召禄山入朝做官，另外任命三大臣为范阳、平卢、河东三节度使。玄宗把这话告诉杨妃。杨妃道："为什么大臣都说安禄山要造反？不如先派使者去观察一下他的动向。"玄宗就命辅缪琳，带着珍贵的果品赐给安禄山。禄山早已得到了宫中消息，知道来意，送了许多金帛珠宝给缪琳。缪琳受了贿赂，回来后极力称赞安禄山忠诚为国，没有二心。

从此玄宗以为太平无事，每天和嫔妃、梨园子弟们听歌看舞，十分快活。天宝十载夏天，玄宗与杨妃在骊山避暑。七月七日乞巧节晚上，玄宗和杨妃坐在长生殿乘凉。杨妃因为身材丰满，最怕炎热。每到夏天，让宫女们不停地摇扇子鼓风，还是不停出汗；却又奇怪得很，她身上出的汗，和一般人很不相同，红腻而多香，拭抹在巾帕上，色如桃花，真正天生尤物。杨妃又有肺渴的疾病，常含一枚玉鱼儿在口中，凉津润肺。曾经杨妃偶然牙齿痛，玉鱼儿也含不住，于是手托香腮，闷闷地闲坐窗前。玄宗看了，越觉得她妩媚，可怜可爱，说道："朕恨不能为妃子分痛！"二人直到二更以后，才去睡觉。杨妃苦热，睡不安稳，就又拉着玄宗起来，再到庭前乘凉，也不呼唤宫女们服侍。二人手挥轻扇，仰看星星。此时万籁无声，夜景清幽，坐了一会儿，渐觉凉爽，玄宗低声密语道："今夜牛郎织女相会，不知是怎样的欢乐？"杨妃道："如果真有，天上之乐，自然不比人间。"玄宗笑道："他们聚少离多，倒不如我和你朝夕欢聚。"杨妃说道："人间欢乐，终有散场，怎如天上双星，永久成配。"说罢不觉伤感叹息。玄宗很感动，说道："你我这么恩爱，怎忍心分。就在这星光之下，你我二人发誓，但愿生生世世，结为夫妇。"杨贵妃点头道："阿环同此誓言，双星为证。"玄宗大喜至极，

◎ [骊山]

又叫郦山。在陕西省临潼县东南。因为山的形状像骏马，颜色是纯青色而得名。骊山因为景色美丽如锦绣，又被叫做"绣岭"。"骊山晚照"指的就是笼罩在晚霞中的骊山。山上有烽火台，是周幽王点燃烽火、戏弄诸侯的地方。山北有秦始皇陵，西北有唐代华清宫的遗址、华清池温泉。

◎ [乞巧节]

又叫七夕节，在每年的农历的七月七日，是汉族的传统节日，被称为东方的情人节。参加者是女性。她们在当天晚上，对着明月，摆上瓜果，对天祭拜，乞求织女赐给她们灵巧的双手，针线活做得更加出色；更乞求仙女赐给她们美满的爱情和婚姻。

从此和杨妃更加恩爱。玄宗又选择吉日，率嫔妃及诸王登上勤政楼，叫人演出各种歌舞杂技，听人纵观，与民同乐。京城百姓，士民男女，拥楼前，好不热闹。人越挤越多，声音嘈杂。高力士奏道："众乐工之中，李谟的羌笛最出名。不如让他吹奏一曲，百姓就不会喧哗了。"玄宗传命，李谟双手按着一支紫纹云梦竹的笛儿，吹得响彻云霄，鸾翔鹤舞，楼下万万千千的人，都定睛侧耳，寂然无声。玄宗大喜，直至欢宴到晓钟初鸣才散去。

安禄山献给杨妃的那只白鹦鹉，善解人意，能说人话，聪慧异常，杨妃爱惜如珍宝，称为雪衣女。一天，雪衣女飞到杨妃梳妆台前说道："雪衣女昨夜做了个噩梦，恐怕不能侍奉娘娘左右了。"杨妃就教它每天念经。一天，玄宗与杨妃在后苑游玩，鹦鹉也飞上来，立在楼窗横槛上。忽有个内侍，带着一只青鹞，从楼下走过；那鹞儿瞥见鹦鹉，腾地飞起便扑。亏得有一个拿着拂尘的宫女，正拂着了鹞儿的眼，才回身展翅，飞落楼下。杨妃急忙看鹦鹉，它已经被惊吓得昏倒在地下，好一会儿才醒来。鹦鹉说："惊得心胆都碎了，肯定不能再活了。"于是紧闭双目，不食不语。三日之后，鹦鹉忽然睁眼向杨妃说道："雪衣女全仗诵经之力，能脱去皮毛，前往极乐净土重生。娘娘自己保重。"说完，端立而死。杨妃十分伤心，命葬在后苑，名为鹦鹉冢。

杨妃平日爱这雪衣女，虽是那鹦鹉可爱可喜，也因是安禄山所献，如今常感物思人。那边安禄山在范阳，也常想着杨妃与虢国夫人们。他想如果不造反做皇帝，怎能再和她们欢聚，因此日夜想领兵造反，只为玄宗待他很好，想等玄宗逝世后再起事。但杨国忠时时寻事来撩拨他，想激怒他造反，于是安禄山也生了一个事端，来试探朝廷。他要献三千匹马给朝廷，送马的人有六千人；又要派二十四员番将，以及跟随的番汉军士，共计有一万多人。这明明是借着献马，要乘机侵占地方。玄宗正在犹豫时，河南尹达奚珣，即

[羌笛]

一种古老的乐器。主要流行于四川北部羌族居住的地方。羌笛用油竹制成，两支管子用线并排缠绕在一起。羌笛主要用来独奏，声音清凉，善于表达思念、悲凉的感情。唐诗中就有"羌笛何须怨杨柳"的诗句。

[极乐净土]

俗称"西天"，佛教中的一种完全理想、美好的世界。那里没有严寒和炎热，永远气候温和；用黄金、白银、琉璃、水晶、玛瑙等七种宝物铺在地上；树也是用这些珠宝做成的；那里还有成百上千姿态不同、五光十色的鸟儿；有人不断撒着飞舞的花瓣，永不消失。

达奚盈盈的宗族，密奏说安禄山献马事情可疑，请阻止。玄宗还是不能决定，就问高力士难道安禄山的忠心改变了不成。高力士说辅缪琳两次奉命到范阳，曾私下接受安禄山贿赂，替他说好话。所以他汇报的情况不一定准确。玄宗听说，大怒道："辅缪琳这个恶奴，我以重大事情托付，他胆大包天，竟敢欺瞒皇帝，好生可恨！"于是传旨马上叫辅缪琳来当面质问；又命高力士率羽林军到他家中，搜取私人书信、物品。不一会儿，缪琳带到，他往来的密信，以及接受的贿赂，都被搜出。原来缪琳与禄山，往来的书信很多。高力士检查，看其中有涉及杨妃的，都马上销毁了。当下玄宗震怒，想马上处死辅缪琳。高力士密奏道："皇爷想处死缪琳，必须借口别的罪名；而且请陛下千万不要揭露密信和受贿等事，不然恐怕有突发事件。"玄宗点头道是，于是只说因辅缪琳采办不奉旨赐死。可笑那辅缪琳因贪贿赂，丧了性命。

玄宗平日认定安禄山，是个满腹忠心的好人；如今见他勾结辅缪琳，去探朝廷与宫中的事，方才有些疑心起来。杨妃也不能再为禄山辩解，只能暗地里叹息罢了。玄宗按照达奚珣所奏，好言让禄山不要献马；又派冯神威，带着手诏前往。冯神威星夜来到范阳。禄山已窥测到朝廷的意思，而且又探知杨国忠就这事说了他不少坏话，心中十分恼怒。他听说诏书到了，竟然不出迎。冯神威不见安禄山接诏，竟亲自到他府第来。禄山先在府中大摆兵仗，排列得刀枪密密，剑戟层层，旗帜耀日，鼓角如雷。冯神威见了，心里十分惊疑。安禄山坐在胡床上，见冯神威带诏书前来，也不起身迎接。冯神威开诏宣读完毕，禄山满面怒容说道："传闻贵妃近日于宫中，也学乘马。我就想皇上也心爱马，我这里正好最产好马，所以想进献几匹。现在诏书既然如此，我不献也行。"冯神威见他这样作威作势，意态骄傲，语言唐突，必定不怀好意，于是不敢与他争论。禄山也不设宴款待他，就让他住在馆舍。

◎ [羽林军]

中国古代护卫皇帝的军队。西汉时，汉武帝选了天水等六个地方的士兵在建章宫保卫。后来改名为羽林，意思是像大鸟一样保护皇帝和国家，向树林一样茂密繁盛。东汉以后，历代禁卫军都常用羽林的名称。

过了几天，冯神威要回京城复命，去见禄山，问他可有回奏的表文。禄山道："诏书上说：马行要等到冬天。到了十月，我即使不献马，也会亲自到京师。如今不必用表文，替我口头奏明就行了。"冯神威不敢多言，日夜兼程赶回京城，将他这些无礼之状与无礼之言，一一奏闻皇上。玄宗听了，又惊，又羞，又恼。那时杨妃正坐在旁边，玄宗向她怒道："我和你待这奴才不薄，如今竟这么无礼！他反叛的心意已经显露出来，不怪别人总是揭发他。从今往后，这种话不可不信！"说完，拍着桌子叹息。杨妃也低着头，感叹不已。

人物点击

唐玄宗

就是李隆基，又称唐明皇，唐代皇帝。他是睿宗的第三个儿子，小时候就很有个性。在他七岁那年，武懿宗大声训斥侍卫，李隆基马上气愤地呵斥道："这是我李家的朝堂，干你什么事？"武则天得知后，很喜爱这个孙儿。第二年，李隆基被封为临淄王。长大后，他和姑妈太平公主一起，消灭了韦皇后的力量，拥戴睿宗即位，自己也成为太子。后来，他当上皇帝，消灭了太平公主的势力，全面掌握大权。在初期，他重用贤臣，励精图治，促进了经济发展、社会繁荣，国家强盛，这就是历史上著名的"开元之治"。然而，天宝以后，他逐渐骄傲自满，生活奢侈、贪图享乐，宠爱杨贵妃，任命李林甫、杨国忠等人为宰相，政治经济被破坏，最终导致了安史之乱。他被迫逃往四川。太子李亨即位后，尊他为太上皇。最后回到了长安，居住在兴庆宫，心情抑郁而死。唐玄宗的音乐才华非常出众，他擅长演奏多种乐器：琵琶、横笛、羯鼓等等；他还设立了专门的音乐机构"梨园"，改编了大型乐舞《霓裳羽衣曲》等。

第三十六回 安禄山起兵造反

玄宗在宫中，常说安禄山负恩丧心。杨妃没奈何，只得从容解劝道："他有儿子在京师，与宗室成亲。他如果图谋不轨，难道就不顾儿子吗？"原来禄山的长子名庆宗，次子名庆绪。庆宗已经和荣义郡主订婚，因此禄山出镇范阳时，留他在京师成婚。玄宗听说，想了想，命高力士告诉安庆宗，写信给父亲安禄山让他前来。谁知杨国忠却怕禄山真的来了，朝廷必定要留他在京城，不如早早激怒他造反。那时禄山的门客李超在京中，国忠诬陷他，把他处死了；又密奏玄宗说：庆宗肯定还有密信给父亲；又一面派心腹，星夜前往范阳一路，散布流言，说皇上已将安庆宗拘留在宫中，命令他写信诱父亲入朝谢罪，来了便把他们父子杀了。禄山听到流言，十分惊怕。果然庆宗有书信来到，禄山看了，又问使者，得知贵妃娘娘没有密旨，更加惊疑，想道："看现在的形势，不得不造反了！"安禄山于是和心腹严庄、高尚、右将军阿史那承庆等三人，密谋作乱。第二天，禄山在范阳起兵造反，号称二十万大军，命范阳节度副使贾循镇守范阳，平卢副使吕知诲守平卢，高秀岩守大同；其余诸将，引兵南下，声势浩大。这是天宝十四载十一月。

河北一带，都是安禄山的统属之地，所过州县，望风瓦解。地

◎ [郡主]

古代贵族女子的封号。晋朝时开始设置。唐代封太子的女儿为郡主。宋代，皇族的女子也被封为郡主。明清时，封亲王的女儿为郡主。

方官员，有开门出迎的，有弃城逃走的，有被他杀了的，没有一处能抗拒者。玄宗听到太原留守杨光翙被杀，才相信安禄山果然造反了，大惊大怒。杨妃也惊得目瞪口呆。玄宗于是召集大臣，商议此事。众人议论纷纷，有说该剿的，也有说该抚的，只有杨国忠扬扬得意说道："我早就看穿他要造反了，多次奏明，陛下今天知道我说的不假了吧。"又说："如今造反的只是禄山一人，其余将士都不想反，只是被他逼迫。朝廷不到半月，肯定能消灭他。"玄宗相信了，竟然不当回事。在杨国忠的建议下，又下旨将安庆宗处死；荣义郡主也被赐自尽。

那时，安西节度使封常清入朝奏事。封常清是封德彝的后裔，是个轻率又爱说大话的人。他主动奏请去东京洛阳招募兵马。玄宗大喜，封封常清为范阳平卢节度使。一会儿就召到六万多人，却都不是能征善战的将士。封常清只得率众断河阳桥，作为防守准备。玄宗又命张介然为河南节度使，统率陈留等十三郡，与封常清互为声援。谁知，安禄山轻易攻下了陈留，太守郭讷开城投降，禄山杀死了张介然。安禄山听说儿子安庆宗被杀，大怒，大哭道："我和朝廷势不两立！"陈留失守，举朝震怒。玄宗召集群臣，说要让皇太子监国，自己亲自统率六军出征。

杨国忠大吃一惊，想自己多次想陷害太子。一旦太子掌权，杨氏一族就会遭殃。他回家后，哭着向妻子裴氏与韩、虢二夫人说了这事。夫人们赶紧入宫，告诉贵妃。杨妃大惊，脱去簪珥，口衔黄土，匍匐到皇帝面前，叩头哀泣。玄宗惊讶，亲自扶起问原因。杨妃说道："臣妾听说陛下要亲征，这事十分凶险。臣妾尤蒙恩宠，怎忍远离左右？自恨身为女子，不能跟随，情愿在阶前自尽，仿效侯赢以死报答信陵君！"说完又伏地痛哭。玄宗非常感动，拉着杨妃的手抚慰。杨妃道："堂堂天朝，难道没有良将？"正说着，恰好太子派人来奏明推辞监国之命，力劝不必亲征。玄宗沉吟半天道：

◎ [侯赢]

战国时魏国人。七十岁的时候，在大梁（今天的河南开封）当守门的小官，后来被战国著名的公子信陵君迎接到府中，当做重要的贵宾接待。后来赵国被秦国围困，魏王派将军晋鄙前去救援，军队却不敢前进。于是，侯赢向信陵君献计，偷到了兵符，并推荐了勇士杀掉晋鄙，夺取兵权，战胜了秦国。侯赢在成功之后，马上自杀以报答信陵君。

◎ [信陵君]

战国时代魏国著名的政治家、军事家，战国四公子之一。他名叫魏无忌，是魏昭王的儿子。他为人宽厚仁爱，喜欢结交有才华、有本领的人，士人们竞相前来为他出谋划策。最鼎盛时期，他的门下有三千食客。信陵君在当时威名远扬，各诸侯国连续十多年都不敢来侵犯魏国。后来在侯赢的帮助下，成功地解救了赵国；后又联合五国，击退了秦国的进攻。

◎ [魑魅魍魉]

　　传说中在山里和水里的鬼怪。它们身材高大发红，尖耳朵，头上长角。四千多年以前，炎帝和黄帝争夺天下，炎帝被打败。他的儿子蚩尤发动了他的兄弟，又找来魑魅魍魉等鬼怪，再次向黄帝挑战。黄帝叫士兵们用牛角号吹出了龙的声音，吓退了魑魅魍魉。

◎ [钟馗]

　　中国古代传说人物。身穿蓝袍，长相奇丑，但是很有才华。唐玄宗生病时，梦见有个鬼偷了杨贵妃的香囊和他的玉笛，结果被一个大鬼捉住吃了。这个大鬼就是钟馗。唐玄宗醒来后，找人按钟馗的相貌画成图画，贴在宫门。过去民间在端午节常常悬挂他的画像，说是能打鬼、驱邪。

　　"朕传位给太子，我和妃子退居别宫，安享余年如何？"杨妃更加惊慌，忙叩头极力劝阻。玄宗于是命荣王李琬为元帅，右金吾大将军高仙芝为副元帅，统兵出征。杨妃这才放心，拭泪拜谢。

　　那晚，玄宗梦见了一群魑魅魍魉，幸亏空中跳下一个黑大汉来，把鬼捉住。黑大汉自称是终南山没中举的进士钟馗。生平正直，死而为神，奉上帝命令治理终南山，专门除鬼。第二天，玄宗问大臣们是否知道钟馗。给事中王维说钟馗是高祖年间的人，没考中进士，以头触石而死。至今终南人奉之如神明。玄宗立刻召那最善图画的吴道子前来，告诉梦中所见钟馗的形象，画成图形，贴在后宅门；又赐钟馗状元及第。玄宗因为画钟馗之像，想起太宗画秦叔宝、尉迟敬德二人之像，又想到叔宝的玄孙秦国模、秦国桢兄弟二人，就让他们官复原职。

那秦氏兄弟自从被免官后，一直在郊外隐居。忽然一天，一个叫南霁云的老朋友来找他们，说高要尉许远推荐他去投奔张巡。秦国桢道："张、许二公，是世间奇男子，我们也久闻其名。"正说着，家人来报告说安禄山造反了。南霁云立刻进城去找张巡，谁知他升为雍邱防御使，上任去了。霁云刚回到秦宅门口，只见一个汉子，骑马前来。原来这人名叫雷万春，来找哥哥雷海青。秦国模说道："你的哥哥虽然身在乐部，却很有忠君爱主之心。"在秦国桢的建议下，南、雷二人结拜为兄弟，一起去了雍邱。

玄宗召见秦氏兄弟，问如何对付敌人。秦国桢奏道："郭子仪屡立战功，已官至九原太守，真是将才。"玄宗点头称是，又问："哥舒翰将才何如？"秦国模奏道："哥舒翰素有威名，只嫌用法太严峻，不体恤士兵。"玄宗降旨升郭子仪为朔方节度使，又命哥舒翰为兵马副元帅，令带兵十万，防御安禄山。那时，安禄山攻破荥阳，又大败封常清，攻陷东都洛阳。河南尹达奚珣出城投降。封常清收拾败残兵马，西走陕州，见到高仙芝。高仙芝和封常清引兵退守潼关，作好准备。贼兵果然到来，不能攻入。谁知那监军宦官边令诚和高仙芝、封常清不和，就上奏诬陷二人。玄宗竟然把这二人处死，他们的部下都大呼冤枉。二人死后，哥舒翰率领军队，镇守潼关。

安禄山攻陷河南后，传示河北，命令速速投降。平原郡太守，姓颜名真卿，字清臣，及复圣颜子的后代，是个忠君爱国的人。他在禄山没造反的时候，就暗中作各种准备。安禄山不把真卿放在眼里，令他防守河津。真卿假装答应，密遣心腹到各地，相约共同举兵，一面又召募勇士一万多人。

禄山的部下段子光，冒冒失失来到，被真卿处死示众。清池尉贾载、盐山尉穆宁、饶阳太守卢全诚、济阳太守李随等都杀了安禄山派来的官员，推举颜真卿为盟主。玄宗得知大喜，任命颜真卿为河北采访使。而颜真卿的族兄颜杲卿，为人忠义，与真卿一样。禄山叛乱时，他为常山太守，杲卿全力迎战，粮尽兵疲，城池还是被攻破。杲卿被押到禄山军前，瞪着眼睛大骂。禄山非常愤怒，令人割了杲卿的舌头。杲卿到死还骂不绝口。

真卿听说杲卿死了，大哭大惊。忽然有人报告说郭子仪奉诏进取东京，特推荐李光弼为河东节度使，从井陉而来，一路进取；听说李光弼已恢复常山，郭子仪与李光弼合兵一处。贼将史思明来战，子仪用计大败，收复了河北十多个郡县；又听说雍邱防御使张巡与贼兵连续作战，屡获胜利。正欢喜间，突然听说朝廷有诏令，催促副元帅哥舒翰出战。

原来哥舒翰屯军潼关，作为长安的屏障，按兵不动，等待时机。河源军副使王思礼乘机进言说："如今天下都认为是杨国忠导致的祸乱，您应当上表，请求杀了杨国忠！"哥舒翰摇头不答应。王思礼又道："我愿率三十人，把杨国忠带到潼关杀了。"哥舒翰惊愕道："要这样，真是哥舒翰造反了。"杨国忠那边也有人对他说："朝廷重兵，尽在哥舒翰掌握之中。恐怕有人会利用这个对您下手。"国忠十分害怕，正没注意，忽然得知贼将崔乾佑在陕西，兵不满四千，弱小不堪。国忠就奏启玄宗，让催哥舒翰进兵恢复陕洛。哥舒翰飞章奏道："安禄山善于用兵，如今特意示弱，引诱我们出兵，不能中他的诡计！而且贼人远来，速战有利；我们占据险要地方，坚守有利。再说贼兵早就失去民心，内部很快就会发生变化，我们可以乘机不战而胜。"郭子仪、李光弼也上言："请引兵北攻范阳，拿下他们的老窝，贼人一定内部溃败。潼关大兵，只适合固守，不可轻出。"颜真卿也上言："潼关是险要之地，保卫长安，应当固守。千万不要中贼

◎ [潼关]

　　潼关县地处陕西省关中平原东端，属秦、晋、豫三省交界处，是连接西北、华北、中原的咽喉要道，地理位置具有战略意义。

人的奸计。"奏章纷纷而上，无奈国忠只考虑自己的利益，坚持要出兵。玄宗信了他的话，派使者不停地催哥舒翰出战。

哥舒翰见圣旨接连降下，严厉切责，只能痛哭一回，带着队伍，引兵出关，与崔乾佑的兵马，在灵宝西原相遇。王思礼等带兵五万在前，副将庞忠等引兵十万跟着前进。哥舒翰自己领兵三万，登河南高阜，扬旗擂鼓，助长声势。崔乾佑所率不过万人，队伍很不整齐，官军望见，都嘲笑他。谁知他已经先埋伏精兵在险要地方，还没交战，就装成要逃跑的样子。官军没有防备，正在观望，只听连声炮响，伏兵都杀了上来。贼兵从高处抛下木石，官军被打死了很多人。哥舒翰用几十辆毡车想冲出包围。崔乾佑却用几十辆草车，塞在毡车之前，纵火焚烧。正值那时东风暴发，火借风威，风随火势，烟焰沸腾，官军睁不开眼，竟然自己人杀自己人。他们只知道贼兵在烟焰中，一起把箭射出去，等箭射完了，才知道没有贼兵。乾佑派人率精锐数万骑兵，从山南转到官军后面，首尾夹攻，官军惊乱，大败奔走，或弃甲逃入山谷；或抛枪奔走；或误入河中，溺死的不计其数。后军见前军如此败走，也自动溃败了。

河北军望见，也都逃奔，一时两岸官军都空了。哥舒翰独自与一百多骑兵，从首阳山渡河，向西入关。二十万人马出战，败后回来的，只有八千多人。崔乾佑乘胜追击，攻破潼关。

哥舒翰退到关西驿站中，贴榜文收集战败士兵，想要再战。他的部下番将火拔归仁想要投降，就谎称贼兵马上到了，催促哥舒翰出驿上马。火拔归仁言道："主帅以二十万军队，一战而尽，有什么脸面再见天子？况且又被杨国忠猜忌，您忘了高仙芝、封常清的事吗？请立即东行，保全自己。"哥舒翰道："我身为大将，怎能降贼！"说着就要下马。归仁呵斥手下，把哥舒翰两脚绑在马肚子上，不由分说，加鞭快行。将士中有不听从的，都被绑了。遇到了贼将田乾真，带兵来接应，于是把哥舒翰等人带到禄山军前。禄山本来和哥舒翰不和，现在却不记旧怨，劝他归顺。哥舒翰只好降了。禄山任命他为司空，逼他写信让李光弼等来投降。光弼等都回信指责他。禄山知道无效，就把他囚禁在后院中。

 人物点击

颜真卿

　　唐代著名书法家。他是开元进士，因为不肯讨好杨国忠，被贬为平原太守。安禄山叛乱时，河北地区都纷纷投降，颜真卿坚守城池，并且和堂兄常山太守颜杲卿联合抗击叛军，河北十七个郡县响应，给叛军以重大威胁。后来，颜真卿做过工部、吏部尚书，御史大夫。他为人忠良正直、恪尽职守、极富正义感，因此多次被宰相等人嫉妒。唐代宗时，他被封为鲁郡公，因此，后人又叫他"颜鲁公"。唐德宗时，李希烈造反，狡猾的宰相卢杞派颜真卿为使者。他一到叛军那儿，就被扣留。李希烈威逼利诱，颜真卿始终不肯屈服，最终被杀死。颜真卿的书法化瘦硬为丰腴雄浑，气势恢宏雄伟。这种风格体现了唐朝泱泱大国的风范，并和他高尚人格相映衬，是书法美与人格美完美结合的典范。颜真卿的书体被称为"颜体"，与柳公权并称"颜柳"，有"颜筋柳骨"的美称。他创立的"颜体"楷书和赵孟頫、柳公权、欧阳询并称为"楷书四大家"。

潼关失守后，河东、华阴、冯诩、上洛等地守将都弃城逃走。玄宗大惊，立即召集大臣们商议。杨国忠建议玄宗暂时去四川。原来他曾当过剑南节度使，一听说禄山反叛，他就派心腹，在四川准备谋划。然而大臣们议论不一。下朝后，国忠赶紧来找虢国夫人，让她们姐妹火速入宫，和贵妃一同劝皇帝。玄宗被她们你一句，我一语，哭哭啼啼劝动，于是下诏令宦官边令诚掌管宫门锁钥，龙武将军陈元礼，整敕护驾军士，选马千余匹备用，不让外人知道。第二天黎明，玄宗和杨妃姊妹、皇太子、皇子、妃主、皇孙、杨国忠、韦见素、魏方进、陈元礼，及亲近宦官宫人出延秋门而去。宫门一开，宫人乱出，妃嫔奔窜，说皇帝不知去哪儿了，到处喧哗。秦国模、秦国桢料到玄宗必然幸蜀，飞马追随。其余官员百姓，四出逃避。

玄宗一行到了咸阳望贤宫，已过中午，还没吃饭。百姓献上糙米饭，掺杂着麦菽。王孙们用手抓着吃，不一会儿就吃光了。玄宗重重酬谢他们，百姓多痛哭失声，玄宗也不停流泪。第二天，来到马嵬驿，将士又饿又累，都心怀愤怒。正巧河源军使王思礼从潼关跑来，玄宗才知道哥舒翰被抓，就任命思礼为河西陇右节度使。思

◎［菽］

本来指大豆，后来引申为大豆的总称。古代有"菽水"这个词，意思是最平凡的食品，常用来指对父母的奉养。

礼临行前劝陈元礼杀了杨国忠。陈元礼和东宫内侍李辅国商议，正要密奏太子。恰巧有吐蕃使者二十多人也跟着圣驾前进。这天他们挡在杨国忠马前，说没有食物。国忠还没回答，陈元礼就大呼："杨国忠勾结吐蕃谋反，我们快杀反贼！"于是众军一齐鼓噪起来，拥上前杀死了国忠。他的儿子户部侍郎杨暄、韩国夫人也一同被杀。虢国夫人和儿子裴徽，以及国忠的妻子幼儿，逃到陈仓，被县令薛景仙率人追捕杀死。

玄宗听说杨国忠被杀，忙出去好言相劝。众军却不散。陈元礼奏道："国忠死了，贵妃也不适合再在皇上身旁。"玄宗惊讶失色道："妃子深居宫中，就算国忠谋反，和她有什么关系？"高力士奏道："贵妃确实无罪，但众将士已杀国忠，而贵妃还在皇帝左右，怎么能安心。愿皇爷深思，将士安则皇上万安。"玄宗默然点头，在驿站旁小巷中，低头站着。京兆司录韦谔，就是韦见素的儿子，跪下奏道："众怒难犯。愿陛下割爱。"玄宗走进行宫，见了贵妃，一句话也说不出，只是抱着她哭；门外喧哗声越来越高。高力士道："请速速决断。"玄宗携着贵妃，走到驿道北墙口，大哭道："妃子，我和你从此永别！"杨妃也涕泣呜咽道："愿陛下保重，妾死无怨恨，请容许我拜佛再死。"玄宗大哭而入。杨妃上佛堂礼佛完毕，高力士奉上罗巾，杨妃自尽于佛堂前一棵果树下，享年三十八岁。高力士将杨妃的尸体放在驿庭中，让陈元礼率领众军将检视。众人看了，都脱去盔甲，高呼万岁离去。玄宗命高力士将杨妃草草埋葬在郊外。那时乐工张野狐在旁，玄宗含泪向他说道："一路鸟啼花落、水绿山青，都会让朕想起妃子。"

陈元礼请旨整顿军队继续前行。有许多百姓父老，在道边挽留，越聚越多。玄宗乃命太子劝慰百姓。众百姓拥住太子的马说愿跟随太子杀贼，保住长安。那时太子的儿子广平王李俶、建宁王李倓，都是极有智勇的，见人情如此，纷纷劝太子顺应人心，留下来。太

◎ [吐蕃]

公元七至九世纪，我国古代藏族所建政权。据有今西藏地区全部，盛时辖有青藏高原诸部，势力达到西域、河陇地区。其赞普松赞干布、弃隶缩赞先后与唐文成公主、金成公主联姻，与唐经济文化联系至为密切。吐蕃政权崩溃后，宋、元、明史籍仍习惯沿称青藏高原及当地土著族为吐蕃，一作吐番。元中统间改称乌斯藏。

子无奈，只好请示玄宗。玄宗便将后军两千人，及飞龙厩马匹分给太子，于是众百姓都呼万岁。在建宁王的建议下，太子一路人马去朔方找河西行军司马裴冕。玄宗留下了太子，自己则朝蜀中进发。不到一日，来到成都。离贼兵已远，暂且安居。只是眼前少了一个最宠爱的人，想起前日马嵬驿之事，时时悲叹。玄宗降诏，命太子为天下兵马大元帅，领朔方、河北、平卢节度都使，收复长安、洛阳。谁知圣旨还没下，太子在裴冕等人的建议下，为了巩固人心，已经在灵武即位为天子了，这就是肃宗皇帝，改本年为至德元年，尊玄宗为上皇天帝。玄宗知道后大喜，自己改称太上皇，又派房琯、韦见素、秦国模、秦国桢将玉册玉玺送到灵武。

安禄山到了长安，听说马嵬兵变，杀了杨国忠，杨妃赐死了，韩、虢二夫人被杀，大哭道："杨国忠是该杀的，却为何害我阿环

◎ [玉册]

也称玉策。古代用玉片做成像书一样的一册。皇帝用玉册来祭天以及做皇帝即位时的册文，也用在立太子和封后妃时。1950年在江苏省江宁县出土了南唐时的玉册，用和田青玉制成，一册有四十二片。

姐妹？”又想起儿子安庆宗夫妇，也被朝廷赐死，更加愤怒，就命孙孝哲搜捕在京城的宗室皇亲，全部处死。禄山在崇仁坊摆下安庆宗的牌位，说也奇怪，一刹那天昏地暗，雷电交加，狂风大作。一声霹雳，把安庆宗的牌位击得粉碎。禄山非常害怕，向天叩头请罪。内侍边令诚投降，把六宫锁钥献给禄山，派人遍搜各宫。搜到梅妃江采苹的宫里，只找到一具腐败的女人尸体，便错认梅妃已死，再不追究。禄山又下令，凡在京官员，有不归投顺的，通通处死。于是京兆尹崔光远、前任丞相陈希烈、刑部尚书张均、太常卿张垍等，都投降了安禄山。那张均、张垍是燕国公张说的儿子。张垍的妻子还是宁亲公主。禄山任命陈希烈、张垍为丞相，崔光远为京兆尹，其余人也授给官职。

安禄山的手下们攻克了长安，志得意满，纵酒贪财，没有再西行的打算。禄山也留恋范阳与洛阳，不爱住在长安，将金银珍宝都送去范阳收藏。他又下令要梨园子弟与教坊乐工，都和往常一样侍奉。原来天宝年间，上皇注意声色，每当有大宴会，设十部乐、教坊新声与府县散乐杂戏，依次呈现。更独特的是，常命御苑训练大象的象奴，带驯象入场。大象用长鼻卷起杯子，跪在皇帝面前上寿；又曾经训练几十匹舞马，一奏乐，那些马便昂首顿足，跳起舞来。当年禄山曾有幸观看，心中羡慕；今日反叛得志，便想照样取乐。那时禄山所属诸番部落头目，前来朝贺。禄山想要夸耀，就摆下宴席，让象奴牵出象来。番人们都目不转睛地想看大象们如何敬酒。谁知这些大象，见殿上南面坐着的，不是以前的天子，便都僵立不动，怒目直视。象奴把酒杯先送到一个大象面前，那大象却用鼻子卷过酒杯来，抛出去数丈。众番人掩口窃笑。禄山又羞又恼，大骂道："孽畜，这般可恶！"喝令把这些象都牵出去杀死。禄山被大象出了丑，就把那些舞马也全部编入了军营马队中去。

安禄山听说皇太子即位，要来收复长安，便打算和儿子安庆绪

◎ [牌位]

又称为灵牌、灵位、神位。一般用木板制成长方形，下面有底，放在桌子上。牌位自上而下写着死者的姓名、称呼，或者是神仙的名号、封号等，供人们祭奠、礼拜。

◎ [十部乐]

唐代宫廷的音乐。唐高祖时，把隋朝九部乐中的天竺、文康两部去掉，增加了扶南、燕乐两部音乐，也就是燕乐、清商、西凉、扶南、高丽、龟兹、安国、疏勒、康国。唐太宗时，又增加了高昌这部音乐。十部乐主要是中原的音乐、舞蹈，也有少数民族和外国的。

隋唐演义

◎ [羯鼓]

一种外国传来的乐器。鼓的两面蒙公羊皮，腰部细像漆桶一样。羯鼓的声音急促、响亮，可以在战场上为战士助威。同时也可在游玩时演奏。唐代的唐玄宗和著名音乐家李龟年，都擅长演奏羯鼓。

◎ [箜篌]

又称为空侯、坎侯。古代一种拨弦乐器。分为卧式、竖式两种。卧箜篌是汉武帝时的乐工侯调制造，有七根弦。竖箜篌是竖琴的前身，东汉时由西域传入中原地区。琴身弯曲竖长，有二十二或二十三根弦，演奏时，抱在怀里，用两只手一起演奏。

◎ [太庙]

古代帝王祭祀祖先的家庙。明清太庙由前、中、后三大殿构成。前殿的大梁用沉香木修建，其余用金丝楠木；天花板和柱子都贴有金花，地上铺有金砖制作精细，装饰豪华。中殿供奉着皇帝的牌位。1950年，太庙被改名为劳动人民文化宫。

回东都洛阳。出发前一天，在凝碧池大宴文武官将，命梨园子弟，教坊乐工前来奏乐表演。李谟、张野狐、贺怀智等人，随玄宗西走，其余如黄幡绰、马仙期等流落在京，不得不前来。五个乐官，共带乐人一百二十名，整整齐齐，各按位置站定。禄山传问："乐部中所有人，都在这里吗？"众乐工回称只有雷海青患病在家，不能同来。禄山一面令人把他扶来，一面令乐工奏乐。那凤箫龙笛，象管鸾笙、秦筝羯鼓，琵琶箜篌，声韵铿锵，悦耳动听。禄山看了心中大喜，说道："那李三郎有家难住，有国难守，平时费心训练的这些歌儿舞女，留下给我享用。"

那些乐人，听了禄山的话，不觉伤感，一时哽咽，也有暗暗流泪的。禄山早已瞧见，令左右查看，有哭泣的，马上斩首。忽然殿庭中有人放声大哭起来。原来是雷海青被逼迫前来，见歌舞热闹，他胸中已极其愤怒，又听了那些话，激起忠烈之性，高声痛哭。当时殿上殿下的人，大惊失色。只见雷海青奋身抢上殿来，把案上陈设的乐器，都抛在地上，指着禄山大骂道："你这逆贼，你受天子的厚恩，负心背叛，罪该万死！我雷海青虽是乐工，也知道忠义，怎肯服侍你这反贼！今日是我殉节之日，我死之后，我兄弟雷万春会尽忠报国，到时候亲手杀死你们这些贼人！"禄山气得目瞪口呆，一句话也说不出，只叫人快砍了。众人扯下举刀乱砍，雷海青至死骂不绝口。禄山临行前，乘马过太庙，命军士们放火焚烧。只见一道青烟直冲霄汉。禄山正仰面观看，不想那烟头下来，直入禄山眼中，顿时两眼昏迷，泪流如注。自此禄山得了眼病，越来越严重，回洛阳后双眼竟瞎了。

再说雷海青死节一事，人人传颂，个个褒扬，感动了一个有名的朝臣。那臣子名叫王维，字摩诘，原籍太原人氏，少年时读书，隐居终南山，开元年间进士及第。他和弟弟王缙，都很有才华。王维更加博学多能，书法绘画都技艺精妙，闻名一时。诸王驸马，都把他当做贵重的宾客款待。王维尤其精通音乐，所写的乐章，梨园教坊争相练习。曾有友人得到一幅奏乐画图，不知道名字，王维一看就说："这里面画的，是《霓裳羽衣曲》第三叠第一拍。"当时有好事的人，召集了乐工，演奏《霓裳羽衣曲》；奏到第三叠第一拍，一起都停住不动，细看那些乐工，吹的、弹的、敲的、击的，其手腕指尖起落处，与画图中所画，一模一样。众人无不叹服。

王维在天宝末年任给事中。安禄山反叛，上皇去四川时，王维来不及跟随，被贼兵捉住，便服药假装有病，不愿出来做官。禄山重视他的才华，没有杀害他，把他送到洛阳，囚禁在普施寺中养病。王维本来就很喜欢佛学，在寺中每天坐禅念经。忽然听说雷海青在凝碧池殉难的事，十分伤感，望着天空哭泣。他又想到梨园教坊练习的乐章中，多是自己的作品，谁知今日却奏给贼人听，真是太侮辱他的文字了；又想那雷海青虽然只是个乐工，却真是个忠肝义胆的人，那凝碧池在宫禁之中，本是大唐天子游幸的地方，今天却被贼人在那儿猖狂地举行宴会，真是让人伤心到极点。想到这儿，王维取过纸笔来，题诗一首："万户伤心生野烟，百官何日再朝天？秋槐叶落空宫里，凝碧池头奏管弦。"

王维这首诗，只是抒发自己悲伤的感情，也没有赞美雷海青，也没给别人看。没想到那些乐工子弟，被禄山带到东京，他们都是久仰王维大名的，听说他被囚禁在普施寺，便常常到寺中来问候。有偶然看见这首诗的，你传我诵，竟一直传到了肃宗那里。肃宗得知，动容感叹，便时时吟诵这首诗。只因为诗中有"凝碧池"三字，便使得雷海青殉节之事越来越出名。等到后来消灭了安禄山，肃宗褒奖追封死难大臣，雷海青的名字也在里面。那些投降贼人的官员，分别定罪。王维虽然未曾投降，却也是陷在贼人里面，该有罪名的了。弟弟王缙，当时任刑部侍郎，上表请免自己的官职，来赎兄长的罪名。肃宗因为记得《凝碧池》这首诗，

◎ [坐禅]

又叫打坐。僧人修行的一种方法。主要姿势是端坐在坐垫上，右脚放在左膝上，左脚放在右膝上；双手叠在一起，手掌朝天，放在大腿上；闭上眼睛，平静呼吸。这种方法在东汉末年已经流行，后来由此发展为佛教的一个宗派——禅宗。

嘉奖他有不忘君主之意，就特别宽大，免了王维的罪，让其官复原职。

 人物点击

王维

　　唐代著名诗人，太原祁县人，字摩诘。开元时期的进士，但不久被贬官。张九龄当上宰相后，王维又回到长安做官。安禄山的叛军攻陷长安，他被授予官职。在得知乐工雷海青骂贼的故事后，王维写了一首《凝碧池》的诗抒发感慨。后来，唐肃宗回到长安要审判投降的官员，幸亏有弟弟王缙为他求情；肃宗也因为读过那首诗，就免了他的罪。王维的官一直做到尚书右丞，因此，后人也叫他王右丞。王维一生经常过着半官半隐的生活。他非常信仰佛教，长期不吃肉，在妻子去世后也没有再娶。晚年，他住在蓝田的辋川别墅。王维的五言诗意境动人，堪称盛唐第一。他的山水田园诗成就最高，篇篇清新隽永，表现出悠闲的情趣。苏东坡称赞他"诗中有画，画中有诗"，后人称他为"诗佛"。王维是难得的全才，他开创了中国历史上的文人画，曾画过《辋川图》，以"破墨"写山水，独具风格。王维还非常精通音律。

安禄山自从双目失明后，性情更加暴躁，常无缘无故鞭打身边的奴仆，甚至将他们杀死，包括贴身服侍的内监李猪儿、亲信大臣严庄。因此大家都心怀怨恨。禄山已经立安庆绪为太子，后来爱妾段氏，又生了个儿子叫庆恩。禄山因为宠爱段氏，就想废掉庆绪，改立庆恩为太子。庆绪惊恐万分，就秘密找严庄商量。严庄早就心怀不轨，乘机劝说庆绪杀掉安禄山。当晚，他们找来李猪儿，令他动手。第二天黄昏，禄山已经上床休息，李猪儿拿着刀突然闯入，掀开被子，一刀刺中禄山。禄山眼睛看不见，大呼："这一定是家贼作乱！"说完便断气了。庆绪与严庄早就到了，手中拿着短刀，喝令侍卫们不许声张；又假称禄山传位给庆绪，过了两天，才宣布禄山的死讯。庆绪当上皇帝后，封严庄为王，由他处理大小事务。严庄派汴州刺史尹子奇率十三万军队攻打睢阳城，睢阳太守许远连忙向雍邱防御使张巡求救。

张巡从宁陵带兵三千到睢阳，与许远部队加起来不过七千人。张巡与南霁云、雷万春等，合力出战，多次得胜。张巡想放箭射尹子奇，但不认识他，就用竹蒿射过去，贼兵将竹蒿献给子奇。于是张巡看清他的长相，就命南霁云射中了他的左眼。从此，许远在战

隋唐演义

事方面都听张巡指挥。张巡真是文武全才，不但善战，又极善出谋划策、随机应变、出奇制胜。他生性忠烈，每次杀敌，瞪眼咬牙，牙齿都咬碎了。谁知睢阳城中粮食越来越少，士兵们只好掺着树皮吃饭。贼兵制造了云梯、木驴等攻城，都被张巡用计打退，但是却将睢阳城团团围住。那时大帅许叔冀在滚郡，贺兰进明在临淮，都不来救援。张巡就派南霁云去临淮借粮求援。

谁知贺兰心怀妒忌，不想许远、张巡成功，竟不肯发兵，也不借粮。霁云大哭，发狠咬下自己的手指，血如泉涌。进明打定主意不救，竟把霁云送回去了。

又挨过了几天，军将都瘦弱生病，不能守卫。贼兵终于攻破了睢阳城。张巡向西边拜了又拜，道："臣竭尽全力了！不能保全城池报效朝廷，死了化作厉鬼还要杀贼！"尹子奇将许远押解到雒阳，张巡与南霁云等共三十六人都遇害。睢阳被攻陷三日之后，河南节度使张镐的救兵到来。原来张镐已经先派谯郡太守闾邱晓前往。闾邱晓竟不发兵。张镐得知大怒，在军前处死了闾邱晓，率兵攻打睢阳城。尹子奇大败，只得退到陈留。谁知陈留百姓，痛惜忠良被害，聚集起来杀死了尹子奇，开城迎降。

再说上皇在四川，没了杨妃，时常愁闷。那些梨园子弟，又大半散落民间；幸亏还有高力士日夜陪伴，时时劝解。这天，肃宗派人来奏道，永王李璘谋反，在江南称帝。上皇大怒，命火速讨伐。一天又有人奏称广平王与郭子仪胜仗连连，又得回纥助战，已恢复西京长安；如今率兵东进，准备收复东京洛阳。上皇大喜。

肃宗自从灵武即位后，任命郭子仪为兵部尚书，李光弼为户部尚书、北都留守并同平章事；又派特使征召李泌。那李泌字长源，京兆人氏，从小聪慧过人，七岁便能吟诗作赋。开元年间，上皇听说了李泌的名声，召他前来，令他在翰林院读书。长大后，上皇封他做官，李泌再三辞谢，就让他做太子的朋友，太子非常敬爱他。

[云梯] 古代战争攻城时，用来攀登城墙的长梯。用大木头做车身，下面有六个轮子，上面两个大梯子，每个长两丈多。车子四周用生牛皮包裹，里面有人推进。等到了城墙，就竖起梯子。最早的云梯叫钩援，后来经过了能工巧匠鲁班的改进。

后来因为李林甫、杨国忠嫉妒，李泌回颍阳隐居。肃宗思念旧友，李泌回来后，外出和他一起骑马，休息是和他在一张床，大小事情都和他商量。肃宗还想封他为右丞相。李泌坚决推辞，只以白衣身份跟随。一天，肃宗与李泌巡视军营。军士们悄悄指道："黄衣的是圣人，白衣的是山人。"肃宗听了，就拿出紫袍赐给李泌，李泌只得穿上谢恩。肃宗又笑着取出一道圣旨，封李泌为参谋军国元帅府行军长史。肃宗想让建宁王李倓做大元帅，李泌不同意，说广平王是长子，不能让他做吴泰伯。于是肃宗封广平王李豫为天下兵马大元帅。肃宗既然封广平王为元帅，就想立他为太子。李泌说应该请示上皇，广平王也推辞。建宁王多次在肃宗面前说李辅国、张良

◎[吴泰伯]

又称为吴太伯，姓姬。商朝末年周部落首领周太王的长子。太王想要让小儿子季历当下一任首领，太伯与弟弟仲雍为了不让父亲为难，就主动到江南居住，定居在太湖边的梅里，当地人民纷纷前来归附，拥戴太伯为当地的首领。

隋唐演义

◎[夜郎]

古代少数民族和国家的名称。主要分布在贵州西部、北部，以及云南、四川、广西等地。当地经常下雨，牛马很少，不养蚕、不种桑树。历史上，这里曾经文化昌盛，但后来被汉朝征服。今天曾经挖掘出夜郎的青铜长矛。

◎[鲸鱼]

生活在海洋里的哺乳动物。长得像鱼，头大、眼小，前肢像鱼鳍，后肢完全没有。它们一分钟的心跳只有十次。鲸鱼的大小随种类不同而不同。最小的一米左右，最大的有三十米。鲸鱼可以分为齿鲸和须鲸。齿鲸喷出的水柱又粗又矮，须鲸喷得又细又高。

◎[回纥]

也叫回鹘。中国古代北方及西北少数民族，今天维吾尔族的祖先。唐德宗时，改名回鹘，意思是："回旋轻转像鹘鸟一样。"回鹘灭亡后，这个民族一部分迁到吐鲁番盆地，一部分迁到葱岭，还有一支迁到河西走廊。元代和明代改称畏兀儿。

娣的罪恶。那两人便诬陷建宁王想谋害广平王，夺太子之位。肃宗大怒，竟赐死了建宁王。

肃宗正想收复两京，忽然得知永王李璘在江陵造反称帝。永王还派人把李白强行劫持到江陵，想封他做官，李白坚决不接受。永王只得把他囚禁住，不放回去。肃宗一面奏明上皇，一面派淮南节度使高适、副使李成式带兵征讨。那时内监李辅国勾结肃宗的宠妃张良娣专权。李辅国奏称："原任翰林学士李白，现在是为永王出谋划策的主要人物，属于叛党，应按照法律治罪。"原来李白当初在朝廷时，放浪诗酒，品德高尚，全不把这些宦官放在眼里，所以宦官们都不喜欢他。这事惊动了郭子仪，他想："当年李白救我性命，大恩未报，今天怎么能不管？"于是连夜写奏章。肃宗看了后，令等事情平息后再处理。后来永王兵败自杀，李白被关在监狱里。朝廷因为郭子仪曾为李白求情担保，就免除了死刑，只将他流放夜郎。到乾元年间，大赦天下，李白被放回，走到当涂县界，在船里对月饮酒大醉，想去捉水中的月亮，竟被淹死。当时江边的人，模模糊糊看见李白乘着鲸鱼升天。

至德二年，肃宗来到凤翔，命广平王与郭子仪等出师收复两京。回纥可汗派儿子叶护，领兵一万前来助战，但要求战胜后，土地百姓归朝廷，金帛子女归回纥。肃宗急于成功，只得答应。军队来到长安城西，李嗣业领前军，广平王、郭子仪、李泌居中军。王思礼统后军。贼将李归仁出来挑战，子仪引前军迎敌。李嗣业脱掉衣服，一马当先，杀敌几十人。于是官军气壮，各拿长刀，奋勇前进。都知兵马使王难得，被贼兵射中眉毛，遮住眼睛，他用手拔出箭，血流满面，仍英勇作战。自中午到傍晚，杀敌六万多人，贼兵大败，退入城中。到天明，探马来报，贼将李归仁等已经逃走。广平王于是率军入城，百姓们夹道欢呼。叶护正想按照约定，掠夺金帛子女，广平王下马，拜倒在叶护马前道："如今才攻下长安，就要掠夺，那么洛阳的百姓肯定会帮贼兵守城，就难以收复了。"叶护惊地跳下马回拜，和仆固怀恩向东京进发。众人见广平王为百姓下拜，都感叹万分。

肃宗一面派啖廷瑶到四川奏明上皇，请回长安复位；一面派快马召李泌。肃宗说想让上皇重新当皇帝，自己则退居东宫。李泌大惊，说道："上皇肯定不肯东归！"肃宗惊异地问是什么原因。李泌道："陛下当皇帝已经两年了，如今突然提出退位，上皇必然疑惑，又难以心安，怎么肯回长安？"肃宗猛然醒悟，跺脚道："朕本来是怀着挚诚的心意，听你这么一说，才知道失误了，可是已经上奏，这可怎么办呢？"李泌道："可以让大臣们上贺表，说自从灵武即位，如今收复两京，皇上思恋父皇，请立即还宫，以好好孝顺侍奉左右。如此上皇心安，肯定会回来了。"肃宗非常赞同，便命李泌草拟，派霍韬光去四川奏闻。

不到一日，之前的使者啖廷瑶从四川回来，说上皇说："在四川很好，不必再回来了。"肃宗十分惶恐害怕。几天后，霍韬光回来，说上皇一开始得知皇帝想退居东宫，彷徨不想吃饭；等到群臣的贺表到了，才非常高兴，下令准备行装东归。肃宗大喜，召李泌入宫道："这都是你的功劳！"拉着李泌喝酒。当晚，肃宗留他在宫中住宿，与他一张床榻休息。李泌本来就不喜欢做官，早就有离开的念头，乘着这个机会道："臣已经稍微报答了皇上对我的恩情，请允许我离去吧。"肃宗道："卿一直以来与朕共同经历忧患，如今朕想和与卿共享欢乐，你怎么突然要走呢？"李泌道："臣有五不可留：臣遇陛下太早，陛下宠臣太深，任臣太重，臣功太大，迹太奇，有这五件事，臣是绝对不能再留下来的！"肃宗笑道："先休息吧，这事以后再说。"李泌道："陛下今天在这样私密的场合，都不答应臣的请求，何况以后在朝堂上？陛下不准许臣离去，是要臣的性命！"肃宗惊讶道："卿怎么能这样怀疑，朕哪里会杀你。"李泌道：

"杀我的不是陛下，而是那五不可。陛下现在对臣这么好，臣还有事不能畅所欲言；以后天下安定了，臣未必还能得到皇上这样的宠信，还敢再说话吗？"肃宗道："你这么说，一定是因为之前我没有听从你攻打范阳的计策。"李泌道："不是因为这事，臣实在是对建宁王的事深有感触。"肃宗道："建宁王想陷害兄长，朕不得已才杀了他。"李泌道："建宁王如果真有这种想法，广平王一定恨透了他。但是广平王每次和臣说到建宁王，都伤心得流泪。况且陛下曾想封建宁王为元帅，臣请用广平王。如果建宁王真想害兄长，必定痛恨臣。可是他一直当我是重臣，十分亲信。这些都能看出他的心意。"肃宗听了，不觉流泪道："你说得对，是我错，然而既往不咎。"李泌道："臣不是纠缠过去的事，只愿陛下警戒将来。从前武后无故毒杀太子李弘，次子李贤忧惧，写了黄台瓜词，其中两句说：'一摘使瓜好，再摘使瓜稀。'如今陛下已经摘掉一个，千万不要再摘了。"

李泌说这句，是因为知道张良娣妒忌广平王的战功，故常说他坏话。李泌怕肃宗又被她迷惑，干出错事。肃宗道："不会再有这样的事了。你的话，我会牢牢记住。"李泌再次恳求离去。肃宗道："等收复东京，朕入西京时再说。"又过了几日，东京捷报到了，说安庆绪派严庄领兵。郭子仪与贼兵新店激战，叶护带本部兵马在后面追击，腹背夹攻。贼兵大败，尸横遍野，贼将弃城逃走。子仪派兵分道追击。严庄逃回东京，劝安庆绪弃城，率人马逃往河北，临行前杀死了被捉的唐将哥舒翰等二十多人，只有许远是自尽。子仪与广平王入东京城，取出府库中的财物与叶护，又命民间拿出万匹罗锦，免遭掠夺，百姓欢悦。

肃宗知道消息后大喜，一边派秦国模、秦国桢去成都迎接上皇，一边先入长安。李泌上表再三恳请。肃宗知道他的心意已决，就降旨批准。李泌当天谢恩辞别，去衡山隐居了。后来广平王即位，又召李泌出山。最可惜肃宗不听从他先攻范阳的计策，导致两京虽然

◎ [既往不咎]

对以前做错的事就不追究了。这个成语来源于孔子的《论语》。

◎ [黄台瓜词]

唐高宗时，武则天生了四个儿子，长子李弘被立为皇太子。武则天因为想掌握朝政大权，用毒药毒死了李弘，另立第二个儿子李贤为太子。李贤非常害怕，就写了黄台瓜这首歌词，说："种瓜黄台下，瓜熟子离离。一摘使瓜好，再摘令瓜稀。三摘尚犹可，四摘抱蔓归。"

收复，却没彻底消灭贼兵。安家父子叛乱后，史思明父子又造反，很久才平定。

 人物点击

李泌

　　唐代著名大臣。他的祖籍是今天的辽宁辽阳，是西魏重臣李弼的第八代孙子。李泌从小就非常聪明，七岁就能写文章，还是小孩子的时候就敢当面批评宰相张九龄的错误。张九龄不但不生气，还佩服地叫他"小友"。李泌长大后，在嵩山、华山、终南山到处游览。后来，李泌被封为翰林，成为太子的好朋友。他经常作诗讽刺杨国忠、安禄山等人，因此被贬官，隐居在嵩山等地。太子即位，成为肃宗皇帝后，重新请来李泌，无论大小事情都和他商量，甚至和他在一张床上休息。但是没过多久，因为宦官李辅国和张皇后的嫉妒，李泌只得回到衡山隐居。在这期间，他学习道术，多年不吃饭，身体轻得像燕子一样；而且手指能够出气，这股气可以熄灭蜡烛。肃宗死后，代宗皇帝任命李泌为杭州刺史。李泌在当地做了不少好事。到了德宗皇帝时期，在李泌的建议下，吐蕃军队的侵略受到了控制。李泌还曾经机智地救了李晟等著名将领的生命。

第三十九回

江采苹重见君王

肃宗命啖廷瑶与秦国模去四川迎接上皇；改命秦国桢任东京宣慰使，罗采为副使，一同前往东京洛阳。罗采是罗成的后代，与秦国桢是亲戚。罗采对国桢说他有个姑姑，小名素姑，守寡后不愿再嫁，喜欢修真学道，偶遇罗公远，被赠给丹药。素姑如今已六十多岁，在白云山修真观修行。这次去洛阳想问候一下。不到一日，来到洛阳，秦国桢宣读诏书，封隐士甄济为秘书郎、苏源明为考功郎。其余投降安禄山的官员达奚珣等三百多人押到长安等候审讯。过了两日，罗、秦二人便相约去问候罗素姑。他们来至白云山，当地人说大家都称素姑为白仙姑。二人来到修真观前，走出一个白发老婆婆来，罗采请她通报。那婆婆请他们到草堂坐着，不一会儿只见素姑身穿道服，头裹幅巾出来。罗采问过情况。素姑问国桢是谁。罗采道："这是咱们的亲戚，状元秦国桢。"素姑听了，不停地在口中掂量那"秦"字。

素姑领着他们，到处观赏。只见最里边有静室三间，门锁紧闭，忽然闻到一阵扑鼻的梅花香。素姑道："梅花香来自静室，却不是这里生长的，也不是树上开的。"国桢想进去赏玩，素姑却说室内有人，把两人仍请到堂中坐下，这才说道："这件事非常奇怪，我也从没

◎ [幅巾]

用来束住头发的布。最初是魏晋时有人讨厌做官的衣服和帽子，才改用布裹头。幅巾在宋代和明代非常流行。明代的幅巾主要是读书人所戴。

对人说过。我当年刚来这儿，仙师罗公远曾说：日后有两个女人来此暂住，你要好好照顾。等到长安被安禄山攻破时，忽然有个女人，三十多岁，骑着一匹白驴，飞也似的跑进观来。我惊异得要命，那女人不肯说明来历，只说：'我姓江，是李家媳妇，在长安遭难想自尽，被仙女相救，给了白驴乘坐，飞到这儿。'我记着罗仙师的话，就留她住在这静室中。没想到过了几天，又有个年轻美貌的女子，敲门进来要住。那女人是河南节度使达奚珣的侄女，小字盈盈，因丈夫去世，父母又都亡故，只得投靠达奚珣。谁承想达奚珣竟然投降了，那女子就来这儿要出家。我留她与姓江的女人住在一起。两人都不出房间，只在门上凿出一个圆洞，传送饭食。两个月之前，罗仙师同着一位道士叶法善，来到这里。叶法善变出一枝梅花，赠给江氏。江氏把这枝梅花供在瓶里，一直清香不绝，近日更是芬芳扑鼻。罗仙师也写了八句诗，说那两位女子的命运都在里面。那诗说："避世非避秦，秦人偏是亲。江流可共转，画景却成真。但见罗中采，还看水上苹。主臣同遇合，旧好更相亲。"

二人听了，沉吟半晌，国桢笑道："我姓秦，这两句倒像是说我。"素姑道："当日达奚女见了这诗句，也曾对我说，在长安时，有个姓秦的贵人，与她曾有婚姻之约。"罗采道："这更奇怪了，如今朝廷中姓秦的，只有表兄昆仲。"素姑听了，忙进去询问，一会儿出来说道："原来这姓秦的，正是状元您。"国桢听了，喜笑颜开。罗采笑道："表兄既然曾有桑间之喜，今天相逢，一定要把心意告诉美人。"国桢于是题诗一首，折成方胜，求素姑送给盈盈。盈盈看了诗，只在门上洞前相见，露出半身，国桢与她，四目相视，含悲带喜。国桢想自己身为使者，不便携带女眷同行，就和素姑商量，叫盈盈仍住观中，等他回朝复了命，告知哥哥，然后派人来迎接。

当晚，秦国桢、罗采住在观中。素姑挑灯煮茶，与二人闲谈。罗采低头凝想，忽然跳起说道："我猜到了！"他低声道："这江氏

◎ [昆仲]

用来称呼别人兄弟的敬语。昆指哥哥，仲指弟弟。另外在古代，分别用伯仲叔季来表示子女中老大、老二、老三、老四的年纪排行。

◎ [桑间]

古代卫国的地方。商代有许多人在远行之前，常和自己喜爱的女子在那里约会，唱歌游乐，不分白天黑夜，一时成为流行的风气。后来常用这个词代指男女之间的约会。

◎ [魂魄]

指人的精神灵魂。古代人认为，魂是能离开人的身体而存在的精神，构成了人的思维和智慧。魄是依附人的身体而出现的精神，构成人的形体。魂是阳神，魄是阴神。道教称人有"三魂七魄"：三魂是天魂、地魂、命魂；七魄是天冲、灵慧、气、力、中枢、精、英。

◎ [铅华]

中国古代妇女的化妆品。具体方法是把白铅化成糊状，然后敷在脸上；后来改进了做法，把它的水分吸干，变成固体。这种粉擦在脸上，可以使脸色洁白美丽。但现代科学证明，铅会让人体中毒。

◎ [秋波]

本来的意思是指秋天清澈、流动的水波。后来被文人们用来指年轻美丽女子的表达情意的动人眼神。唐代诗人李贺写过"一双瞳人剪秋水"的诗句。成语"暗送秋波"指女性暗中对男子传情。

莫非是上皇的妃子江采苹吗？你看诗句中，明明有江采苹三字，她又称梅妃。"素姑便去问盈盈。盈盈正要告诉她，昨天江氏才承认她就是梅妃江采苹。当年安禄山的军队攻入皇宫，她正要自尽，忽然有人解救，一个美貌女子变出一匹白驴，扶梅妃骑上，嘱咐道："你只管闭着眼，任它行走，到了地方，自有人接待你。"说完，把驴一拍，那驴儿腾空而起。梅妃心里害怕，只得紧握缰绳，闭上双眼，耳边风声呼啸。不一会儿，早已落地，睁眼一看，只见四面都是山，驴儿把她带到了修真观来。当时她不敢对罗素姑说实话。后来罗公远的诗中，藏了江采苹三字，他人不知，梅妃却自己领悟了。今天看见罗采的姓名，与诗符合；盈盈又和秦状元相遇，诗中所说，大多应验；又听说收复了，上皇将要回来，就把实情告知盈盈，要她转告素姑，让罗采奏明朝廷。

于是，罗采与国桢商议，先把这事报告广平王。广平王找来几个旧宫女，到观中辨认，确定是梅妃。罗采马上上奏皇帝，并提及国桢与达奚盈盈之事，竟说盈盈是国桢从前定下的妾室。肃宗看了，一面派人报知上皇，一面派内监二人，率领宫女数人，迎请梅妃回宫；又降诏达奚盈盈，仍嫁给秦国桢为妾。梅妃临行时，亲手写了一封信，派人呈给上皇。上皇当年以为梅妃已死，十分伤感。当时有方士张山人在四川，上皇把他召到宫中，命他探访梅妃的魂魄。那张山人却说上天入地，毫无踪影。上皇十分惆怅，流泪不止。高力士见上皇苦苦思念，就求来一幅梅妃的画像。上皇看了叹道："画得像极了，可惜不是真人！"他看了又看，亲笔在上面写了一首绝句：惜昔娇娃侍紫宸，铅华懒御得天真。霜绡虽似当年态，怎奈秋波不顾人。从此上皇时常展开观赏。后来又听说梅妃没有死，上皇闻之就下令百姓有知道妃子江采苹的下落，恰好肃宗见了罗采的奏章，赶快派人告诉上皇。上皇龙颜大悦，过了一天，又收到了梅妃的书信。

此时梅妃已到长安，按肃宗的意思，住在上阳宫。上李辅国奏请肃宗派精骑三千迎驾。肃宗率百官出都门迎接，百姓大呼万岁。肃宗不敢穿黄袍，只穿紫袍，上皇命令取来黄袍，给肃宗换了。上皇对大臣们说："朕当了五十年的天子，今天成了天子的父亲，真是至尊。"上皇入朝，不入大殿，只在偏殿下令：朕尊为太上皇，以兴庆宫为养老场所。朝廷的政事，不再参与。

上皇到了兴庆宫，马上召梅妃入宫。梅妃朝拜，态度悲伤又温柔。上皇也很激动，好言劝慰，又把画像给她看。梅妃拜谢道："臣妾就算死了，也会在黄泉下感激陛下。"梅妃又把当天遇仙人搭救的事说了，又将叶法善赠给的梅花，呈给上皇观赏。上皇见花色晶

◎ [黄泉]

　　埋葬死人的地方，即阴间。古代人在打井时发现，当挖到地下很深的地方，就会出现泉水的源头。而这种泉水因为从黄土中渗出，常常带有黄色，因此称作"黄泉"。古代人又认为人死后去的阴间就在地下，所以就把阴间也叫做黄泉。

莹，清香袭人，不觉惊异道："你得到这仙梅，真不愧梅妃的称号！"
上皇传命，给罗采加官三级，赐钱百万；封罗素姑为贞静仙师，赐
钱二百万；又命为张果老、叶法善、罗公远三人塑像供奉。梅妃又
奏请上皇，把虢国夫人的旧宅给达奚盈盈居住。当初，盈盈把画有
虢国宅院的画图给秦国桢看了，谁知今天就把图中的宅院赐给她，
真是弄假成真。秦国桢的夫人徐氏，是徐懋功的后代，非常贤淑，
妻妾相处融洽，后来各生贵子。

　　梅妃朝见过上皇，便要回上阳宫。上皇道："朕年纪大了，无
人侍奉，有你陪伴，正好安度晚年，怎么还要回上阳宫去？"梅妃道：
"臣妾当年被人陷害，遭到冷落。经过这么多事，今天还能重新见
到皇上，已经喜出望外。至于侍奉左右，皇上还是再选佳丽，妾年
老色衰，应当退避。"说完，挥泪如雨。上皇亲手抚慰道："之前疏
远了你，实在是朕的过错。然而我始终没有对你忘情，今天咱们还
是重修旧好吧。"梅妃见上皇这么说，就留在兴庆宫，与上皇同处。

　　上皇得到梅妃侍奉，晚年也就不孤独了。但是一想到杨妃惨死，
还是非常悲痛。之前从蜀中回京，路过马嵬，特命祭拜，想用礼仪
改葬杨妃，却被大臣劝阻。回京后，上皇秘密派遣高力士前去改葬，
而且如果有贵妃的遗物，一起取来。杨妃的衣服饰物都化成灰土，
只有胸前的紫罗香囊还完好。那紫罗是外国进贡来的冰丝织成，囊
中又放着异香，所以没有损坏。力士收藏过了，又听说还有一只
锦袜，在马嵬山前一个老太太钱妈妈那里，就花了很多钱买来。

　　原来杨妃当日在马嵬驿自尽，被匆匆掩埋。皇帝的车队离开后，
驿卒们都到驿站中打扫馆舍。其中有一个姓钱的驿卒，在佛堂墙壁
之下，拾到一只锦袜，知道是宫中妃嫔遗留的，就瞒着别人，自己
偷偷藏了起来，回家后拿给母亲钱妈妈看。那个妈妈见这锦袜上用
五色锦绣成一对并蒂莲花，光彩炫目，还有香味，便道："这肯定
是那死了的贵妃娘娘穿的。这样的好东西，不容易见的哩！"正看

◎ [香囊]
　　又叫香袋、荷
包，一种装有香料的
小袋子，带在身上或
是挂在帐子里。在香
囊的表面，常用五
彩丝线绣出梅花、菊
花、牡丹、鱼等各种
图案。在古代，恋人
之间常把香囊作为相
互赠送的礼物，表达
情意。

◎ [并蒂莲]
　　荷花中的千瓣
莲。它汇集了莲花和
荷花的精华，是非常
珍贵的花。并蒂莲是
一茎生长出两朵花，
花各有蒂，蒂在花茎
上连在一起。人们一
直把并蒂莲看做是吉
祥的象征：同心、同
福、同生，常常用它
来比喻美满幸福的夫
妻。

着，恰好有个邻家的妈妈走过来闲话，大家便细细把玩了一回。于是这事就传开了，很多好事的人都来观看。这个看了，那个也要来看。一开始，钱妈妈还肯取出来给人瞧瞧，后来要看的人多了，她便乘机收起钱来。钱越收得多，就越有人要看。后来发展到看一次要一百文钱，钱妈妈竟赚了几万文，快活得要命。原来杨妃的锦袜，名字叫做藕履。只因杨妃平常最爱穿绣莲袜，皇帝常跟她开玩笑说："你的袜子上，绣着莲花，那么里面就是嫩藕了！"因此杨妃就把自己锦袜叫做藕履。

力士把这锦袜与紫罗香囊，一起献给上皇。上皇见了这两件东西，感叹不已，命宫人收藏好，每当思念的时候，常取来观看叹惜。梅妃想让上皇开心，就令高力士访求以前的梨园子弟来侍奉。一晚，上皇乘着月色登上勤政楼，靠着栏杆远望，满目烟云，回忆从前楼中的盛事，真不像这辈子的事，十分伤感，就唱起歌来。还没唱完，听到远远地也有人在歌唱。上皇静静地听了很久很久，虽然不知道唱些什么，却觉得声音清亮，就问左右道："唱歌的人莫非也是梨园旧人吗？"高力士奏道："这或许是民间男女偶然歌唱，未必是梨园旧人。昨天听说黄幡绰已经病逝了，梨园旧人也渐渐稀少了。"上皇听了，更加伤感道："朕所作的雨霖铃曲子，幡绰唱得最好，如今再也听不到了！"当时李谟、张野狐二人在旁边，力士说二人的技艺，并不比幡绰差。上皇就命野狐歌唱雨霖铃曲，李谟吹笛伴奏。二人领旨，野狐放开喉咙唱起来，李谟的笛声清远，真是如泣如诉，使人感慨万千。

那雨霖铃曲是当时上皇从成都起驾回京，路途之间，思念杨妃，哀愁难以消除。走到斜谷口，正碰上下了十几天的雨，车子驾过栈道，雨中听车上铃声，隔山相应，更觉得声音凄凉。因此，上皇对黄幡绰说："你听这铃声如何？朕听来，非常难过。"幡绰便插科打诨道："这铃儿很不恭敬，应当治罪。"上皇道："你又来开玩笑

◎ [栈道]

又叫复道、阁道。我国古代在今天的四川、陕西、甘肃、云南等地，沿着陡峭的山崖修建的道路。主要是在山壁上凿孔，然后插上木梁。这时当时西南地区重要的交通要道。在战国时已经修建，有"金牛道"。

◎ [插科打诨]

本意指在戏曲艺术中，演员演出时用有趣的语言和动作来令观众发笑。在京剧里，承担这一任务的是丑角。后来一般也用来指生活中说些好玩的话让气氛轻松、大家开心。

了，铃声怎么不敬了？"幡绰道："铃声好像在说话，但是臣不敢奏明。"上皇便道："你尽管说，朕不罪你。"幡绰道："臣细细听那声音，明明说三郎郎当，三郎郎当，难道不是大不敬？"上皇一听，不觉笑了，于是用这个声音，写了雨霖铃的曲子。

人物点击

梅妃

　　唐玄宗的妃子，名叫江采苹，福建莆田人，秀才江仲逊的女儿。她从小聪明伶俐，九岁就能背诵《诗经》。又因为喜爱梅花，自己取了个"梅芬"的雅号。唐玄宗派高力士到全国选美，江采苹被选入宫中。她秀雅美丽，才华出众，非常受玄宗的宠爱。玄宗知道她的爱好，就在她居住的宫殿里种满了梅花，赐给她"梅妃"的称号。梅妃的舞也跳得很好，她曾经在宫廷宴会上表演《惊鸿舞》，受到大家的称赞。但是，自从杨玉环进宫后，性格柔弱、不擅长和别人争斗的梅妃就逐渐失去了皇帝的宠爱，搬到冷清的上阳宫翠华阁居住。偶然有一次，玄宗想起了梅妃，就派人把她接来。谁知杨贵妃知道了这个消息，怒气冲冲地赶来，可怜的梅妃被人又偷偷送了回去。还有一回，玄宗派人送了一些珍珠给梅妃，梅妃没有接受，写了一首诗，表明自己寂寞的心情。安史之乱发生后，梅妃自杀，却被人搭救，住在道观中。最后，她终于被已经是太上皇的玄宗接回了兴庆宫。

第四十回　李辅国暗算太上皇

肃宗将安禄山叛乱时，投降或是留在贼兵中的官员分为六等处置。达奚珣等一十八人斩首；陈希烈等七人，勒令自尽；其余或流放或贬官或杖刑，分别拟罪上奏。肃宗都一一同意，只是想在死刑犯人中特赦两人：燕国公张说的儿子、原任刑部尚书张均，以及太常卿驸马都尉张垍。因为从前上皇还是太子的时候，太平公主心怀妒嫉，收买了东宫的人，每天侦查太子宫中的过失，全部报告给睿宗。

当时肃宗还没出生，母亲杨氏，当时是太子的妃子，怀了身孕，心里很高兴，就告诉太子。太子正在危难的时刻，想道："这件事，要是太平公主知道了，又要把它当做话柄，说我老是宠幸女子，在父皇面前搬弄是非。不如用药把这孩子打下来，只可惜不知是男是女。"那时张说是侍讲官，经常出入东宫，太子就和他秘密地商量这事。张说道："龙种怎么可以轻易放弃？"上皇道："我还年轻，以后还会有子女。请先生帮我找药来。"张说回家后想："我不如听从天意，拿两服药，一种安胎，一种堕胎，对太子只说都是堕胎药，随便他选用。"第二天，太子拿了药，亲自煎好了，送给杨氏，态度温柔地劝她喝下。杨氏没办法，哭着喝了。谁知她一点动静也没

273

有，竟一觉睡到天亮，原来真是吃了那剂安胎药。张说乘机告诉真相，又不停地劝解。太子才打消了最初的念头。杨氏怀孕，常想吃些酸的东西。太子不想让外人去找，就私下告诉张说。张说就在来东宫时，秘密地带些青梅、木瓜。

没过多久，太子即位为玄宗。第二年，太平公主被赐死，宫廷平静，恰好肃宗诞生。小时候便和一般皇子不同；长大后，接见大臣们，张说说他很像太宗皇帝。因此，玄宗对这个儿子格外留意，最初封忠王，后来被立为太子。所以张说在开元年间，极受皇帝宠信。肃宗即位时，母亲杨氏已死，被追尊为元献皇后。杨氏曾把怀孕时的事告诉肃宗，肃宗极其感激张说的恩德。肃宗和张家两个儿子从小一起玩耍，就像亲兄弟一样。虽然经历了叛乱，肃宗不忘旧恩，想赦免他们的罪，但又不敢不奏明上皇。没想到上皇看了，说仍按原判处死。原来当年上皇西行，走到普安，房琯赶来跟随，说约了张均、张垍一起，他们却犹豫不决，不肯前来。上皇说："朕就知道这两人没有信义。"从此上皇常痛骂这二人，今天又怎么肯赦免他！为这事，肃宗亲自到兴庆宫，朝见上皇，再三为他们求情。梅妃也在旁边说："如果张家两个儿子都死了，燕国公就没有后代了。况且张垍还是驸马，也是皇帝的亲戚。"上皇道："看在皇帝的面子上，我就宽恕张垍了。但是张均这奴才，听说他带人搜索皇宫，绝不能活。"肃宗不敢再奏，于是，张均处死，张垍流放岭南。

上皇自从居住兴庆宫，再不管朝政。那时肃宗已立张良娣为皇后，这皇后很不贤惠。以前她跟随肃宗在军队中，私下和肃宗玩博戏，被人知道了，就用木头作打子，消除声音。她聪明又狡猾，最受皇帝宠信，被封为皇后，连皇帝都要受她控制。

张后与李辅国勾结，辅国又与宦官鱼朝恩联合。那时，肃宗命郭子仪、李光弼等九节度使去消灭残余的安、史贼兵，任命宦官鱼朝恩监军，人心不服，结果战败。肃宗听信鱼朝恩的话，召子仪回朝。

◎ [木瓜]

植物名称。分为两种，一种原产中国，可以食用；因为花朵美丽，也可以用来观赏。另一种是番木瓜，又叫石瓜、乳瓜、万寿果，原产东南亚，明朝时传入中国。我们今天吃的，就是这第二种。木瓜肉橙黄色或橙红色，香气浓郁，有很高的营养价值。

◎ [博戏]

古代一种互相赌输赢的游戏，分大博、小博。博戏大概产生于商朝之前，最早的博戏叫"六博"。博戏的方法是把棋盘分为十二道，把黑白各六个长方形棋子放在上面上。比赛双方轮流掷骰子，来决定棋子前进多少步。

上皇知道了，叫人对肃宗说："郭子仪有再造唐朝的大功。这次战败，不是他的过错。"后来郭子仪被封为汾阳王。子仪虽然富贵非凡，却处事谨慎，让人没办法陷害。他的儿子郭暧娶了代宗皇帝的女儿升平公主。有一次夫妇俩吵架，郭暧说："你仗着父亲是天子吗？我父亲只是不想做天子罢了。"公主把这话告诉了代宗，子仪自动请罪。代宗知道了，对子仪说："不痴不聋，做不了阿翁。孩子们夫妻间的玩笑话，咱们不要放在心上。"子仪的七个儿子八个女婿，都是高官。子仪直到八十有五岁才逝世，真是福寿双全。

一天梅妃早起，忽然发觉那枝仙梅的香气减少，花色也憔悴了，用手一碰，只见花瓣飘落下来。梅妃大惊："仙师曾说：我的命运和这花一样。看样子我也要离开人世了。"从此心中不安，病倒在床。梅妃不肯吃，又哭着对上皇说："妾死之后，那枝仙梅留在人间，难以种植，请用佛炉把它烧毁。"上皇流泪道："妃子怎么能抛下朕一个人，叫朕晚年怎么度过？"梅妃道："愿上皇万寿无疆，不要惦记着妾。"说完，忽然起身，举手向空中道："仙姬来了，我去了！"上皇没想到梅妃这样就去世了，放声大哭，命人按贵妃的礼仪安葬，在她的坟墓旁多种梅树，还亲自写诔文祭奠。上皇记着梅妃的遗言，就将这一枝仙梅，放在佛炉中焚化。说也奇怪，那梅枝一入火中，香气扑鼻，火星万点，腾空而起，就像放烟火一般。那些火星都化作梅花之状，飞入空中消失。

◎ [诔文]

古代为纪念死去的人所写的文章。大多是叙述死者生前的事迹，表达自己的悲痛、怀念、哀悼之情。

当天肃宗知道梅妃病逝，亲自前来慰问上皇；各宫妃嫔，也都祭拜。只有皇后张氏借口生病不来。上皇非常不高兴，对高力士说："皇后太傲慢了。"

一日，肃宗来问安，上皇要他限制李辅国的权势。原来皇后骄横，肃宗因爱而害怕，一点也不敢责备她。李辅国又掌握兵权，依附张后，肃宗虽然知道，却也拿他没办法。谁知上皇说的话早被传到李辅国耳中。辅国与皇后商量道："上皇早就不管朝政了，这

一定是高力士搞的鬼。一定要把高力士从上皇身边除去；更不能让皇帝经常与上皇见面，最好把上皇搬到西内。"

上皇居住的兴庆宫，与民间接近。上皇时常登上高楼，街市过往的百姓都遥望叩拜。李辅国和张后乘机对肃宗说："上皇住在兴庆宫，而高力士与外人来往，恐怕不利于陛下；而且兴庆宫与民间接近，应当让太上皇搬到西内，更加安全。"肃宗不同意。张后生气地说："臣妾是为陛下打算，以后不要后悔！"说完，一甩袖子走了。肃宗愤怒又不敢发作，加上身体不舒服，只好不上朝，在宫中休养。

辅国和张后乘着这个机会，假称皇帝圣旨，请上皇到西内相见。上皇无奈，只得匆匆上辇。高力士令军士在前，内侍拥护前进。只见李辅国率领几百士兵，拿着武器，排列在道路两旁。上皇大惊失色。高力士大喝道："太上皇出行，李辅国带兵前来，想干什么？"辅国被这一喝，不觉丧气，忙趴在地上奏道："奴才们前来护驾。"力士喝道："既然来护驾，把剑拿下来！"辅国只得解下腰间佩剑，与力士一同护辇前行。到了西内甘露殿，上皇问："皇帝在哪儿？"辅国奏道："皇上突然生病，改天再来朝见。"

李辅国离去后，上皇叹息道："今天多亏了你。"力士叩头道："五十年太平天子，谁敢不敬？"上皇摇头道："此一时，彼一时。"力士道："今天这事恐怕还是辅国和皇后的主张，不是皇帝的意思。"上皇道："兴庆宫是朕所建，没想到到了晚年又住到了这儿，茕茕老身，没有安宁！"

李辅国怕肃宗得知后责怪，就让张后先去说，又带着士兵们前来请罪。肃宗先是大惊，但又无可奈何，只得说："你们这么做，也是为了社稷。"肃宗想去探望上皇，又被张后阻止了。

一日李唐去拜见肃宗，肃宗正逗一个小公主玩，说："朕很喜爱这个女儿，你不要见怪。"李唐道："臣想上皇爱护陛下，也像陛

◎ [社稷]

本来是指古代帝王祭祀的神灵。社指土地神，有青、红、白、黑、黄五色土，象征着国土。稷指五谷（粟、豆、麻、麦、稻）神，也就是农业神。古代帝王为了祈求国家太平、农业兴旺，每年都会到郊外祭祀土地神和五谷神。渐渐地，人们就用"社稷"这个词来代表国家。

隋唐演义

◎ [钏]

古代妇女的一种
首饰。又叫条脱,是
由几个手镯合并在一
起。后来,常将金银
条锤扁,盘绕成螺旋
形状。根据佩戴部位
的不同,钏分为臂钏
和腕钏。臂钏是戴在
手臂上,腕钏则是戴
在手腕上。臂钏又被
称为"缠臂金"。

◎ [檀香木]

一种珍贵的树
木。原产印度,分为
白檀、紫檀、黄檀
等,其中以白檀的品
质最优秀。由于这
种木材有奇异的香
味,常用来雕刻工艺
品、制作高级家具等
等。檀香被称为"香
料之王"、"绿色黄
金",同时它还可以
作为药材或是化妆
品。

◎ [猧儿]

狮子狗。又叫福
狗、北京哈巴狗。它
们长得有点像狮子,
在灯光下眼睛闪闪
发亮,性格温驯又活
泼。它们的腿很有特
点,是"O"字形,
走起路来一摇一摆,
非常可爱。狮子狗在
古代是皇室、贵族的
宠物。

下疼爱公主一样。"肃宗震动,立刻去西内朝见上皇。上皇赐宴,
没说什么,只有叹息。肃宗非常不安,回到宫中,张后又冷言冷语。
肃宗受了气,导致旧病发作。

上皇听说肃宗不舒服,就派高力士前来问安。谁知张后与李辅
国正怨恨高力士,要处置他,就密令守宫门的阻拦,不放他入宫;
再派小内侍假传皇帝的命令,让他回去。等力士转身回去后,再传
旨让他进来。力士连忙再回到宫门时,李辅国早已向肃宗奏道:"高
力士奉差问候,不等着朝见,却自己回去了,是大大的不敬,应该
治罪。"张后立刻逼着肃宗降旨,把高力士流放到巫州,不能再进
入西内。说着,一面派人奏明上皇,一面派人当天就押送高力士去
巫州。

可怜高力士几十年受到宠信,出入宫廷,官高爵显,荣耀富贵
了一生。没想到今天却被张后、李辅国暗算驱逐。他到了巫州,孤
独寂寞,还常常害怕有祸事,整天提心吊胆。后来他得知上皇逝世,
日夜痛哭,吐血而死。

再说上皇被李辅国逼迫搬到西内,高力士又被流放,左右侍奉
的都是新人。只有谢阿蛮、张野狐、贺怀智、李谟等三四个人,还
时常来侍奉。一天,谢阿蛮献上一只红玉钏,说是当年贵妃娘娘赏
赐。上皇看了十分伤感。又有一天,贺怀智说,他记得从前夏天,
上皇与岐王在水殿下围棋,令臣在旁边弹琵琶。那琵琶用檀香木制
造,用鸟筋做琴弦。贵妃娘娘抱着康国进贡的猧儿,站在上皇爷
后面,一边听琵琶,一边看下棋。上皇快输棋的时候,贵妃就把手
中的猧儿放到棋局上,把棋子都踏乱了,上皇非常开心。当时他还
没弹完一支曲子,忽然有凉风吹起了贵妃的飘带,缠在他的头巾上,
很久才落下。当晚回到家中,他觉得满身香气,就把头巾放在锦囊中,
至今香气不散,十分奇特。今天,他把收藏的头巾献给上皇。上皇道:
"这叫龙脑香,是外国进贡。朕曾经放了一点儿在暖池的玉莲花中;

到再去时，香气还很浓郁芬芳。"上皇因此又感叹道："残余的香气还在，人却早已经离开了！"越想越觉得伤心凄凉。

从此，上皇不再用一切奢华的东西，练习辟谷，日夜念佛经。到了肃宗宝应元年，夏日月明之夜，上皇正在吹紫玉笛，忽然看见两只鹤飞来，在庭院中徘徊，又飞翔离去。那时有宫女在旁边侍奉，上皇就对她说："我昨夜梦见张果老、叶法善、罗公远三位仙师来说，我的前世是元始孔升真人，被贬到人间已经两世。如今日期到了，特意来接我到修真观去修行六十年，然后回到原来的地方。现在仙鹤飞来，是时候了！"上皇于是命人准备香汤沐浴，安静地上床休息，令太监宫女们不要惊动。到第二天清晨，大家都听到上皇在睡梦中有嬉笑的声音，惊奇地去看，上皇已经去世了。

肃宗自己也在生病，听到上皇去世的消息，又惊又悲，病情加重，没过多久，也逝世了。张后想要废掉太子李豫，改立自己的儿子。李辅国杀掉张后，拥戴太子即位，就是代宗皇帝。于是辅国更加骄横，掌握朝政大权。后来辅国也被人杀死，这刺客就是代宗派去的。那些安禄山、史思明的残余力量，到代宗广德年间，才被消灭。代宗之后，又有十三任皇帝，唐朝才被朱温消灭。

人物点击

高力士

　　唐代宦官。他本来姓冯，后来被宦官高延福收为养子，改姓高。因为帮助唐玄宗杀死太平公主，受到信任，权势越来越大，连太子也叫他"二兄"，王爷和公主们称呼他"阿翁"，驸马们叫他"爷"，皇帝也常常叫他"将军"。凡是大臣的奏章，要先给他看，再送给皇帝。唐玄宗曾经说，有高力士在，我睡觉安稳多了。当时的重要大臣李林甫、杨国忠、安禄山等都不敢得罪他。他家里的财产多得连王侯也比不上，被封为大将军、渤海郡公。但是他也做过一些好事。当李林甫想要让寿王当太子时，在高力士的极力劝说下，玄宗还是立忠王为太子。他也曾经提醒玄宗，安禄山的军队太多、权力太大，可能会有灾祸。安史之乱时，高力士跟随玄宗逃往四川。回到长安后，他在兴庆宫服侍已经是太上皇的玄宗。后来，宦官李辅国设计陷害高力士，把他流放到遥远的巫州。高力士在那里日夜思念玄宗，得知玄宗去世后，也吐血死了。